LIDERANÇA DE ALTO NÍVEL

```
B6391    Blanchard, Ken.
             Liderança de alto nível : como criar e liderar organizações
         de alto desempenho / Ken Blanchard ; tradução: Francisco
         Araújo da Costa. – 3. ed. – Porto Alegre : Bookman, 2019.
             xviii, 380 p. ; 23 cm.

             ISBN 978-85-8260-523-3

             1. Administração – Liderança. I. Título.

                                                           CDU 658.3
```

Catalogação na publicação: Karin Lorien Menoncin – CRB 10/2147

Ken Blanchard

E os sócios-fundadores e consultores associados da Ken Blanchard Companies®

LIDERANÇA DE ALTO NÍVEL

Como criar e liderar organizações de alto desempenho

3ª edição

Tradução:
Francisco Araújo da Costa

Porto Alegre
2019

Obra originalmente publicada sob o título
Leading At a Higher Level: Blanchard On Leadership and Creating High Performing Organizations, 3rd Edition
ISBN 9780134857534

© 2019

Tradução autorizada a partir do original em língua inglesa publicado por Pearson Education, Inc., sob o selo FT Press.

Gerente editorial: *Arysinha Jacques Affonso*

Colaboraram nesta edição:

Capa: *Paola Manica*

Leitura final: *Ronald Saraiva de Menezes*

Projeto gráfico e editoração: *Matriz Visual*

Reservados todos os direitos de publicação, em língua portuguesa, à
BOOKMAN EDITORA LTDA., uma empresa do GRUPO A EDUCAÇÃO S.A.
Av. Jerônimo de Ornelas, 670 – Santana
90040-340 Porto Alegre RS
Fone: (51) 3027-7000   Fax: (51) 3027-7070

Unidade São Paulo
Rua Doutor Cesário Mota Jr., 63 – Vila Buarque
01221-020 São Paulo SP
Fone: (11) 3221-9033

SAC 0800 703-3444 – www.grupoa.com.br

É proibida a duplicação ou reprodução deste volume, no todo ou em parte, sob quaisquer
formas ou por quaisquer meios (eletrônico, mecânico, gravação, fotocópia, distribuição na Web
e outros), sem permissão expressa da Editora.

IMPRESSO NO BRASIL
PRINTED IN BRAZIL

Autores

Ken Blanchard
Marjorie Blanchard
Madeleine Homan Blanchard
Scott Blanchard
Donald K. Carew
Eunice Parisi-Carew
Randy Conley
Kathleen Riley Cuff
Garry Demarest
Claire Díaz-Ortiz
S. Chris Edmonds
Fred Finch
Susan Fowler

Robert Glaser
Lael W. Good
Dra. Vicki Halsey
Laurence Hawkins
Judd Hoekstra
Fay Kandarian
Linda Miller
Alan Randolph
Jane Ripley
Jesse Stoner
Drea Zigarmi
Patricia Zigarmi

Os conceitos de *Liderança de Alto Nível* foram usados em organizações de alto desempenho de todo o mundo, incluindo:

- Abbott Laboratories
- AMF Bowling Worldwide, Inc.
- Anthem Blue Cross and Blue Shield
- Applebee's International, Inc.
- Bayer AG
- Big Lots Stores, Inc.
- Biogen Idec Inc.
- Bose® Corporation
- Bowater® Incorporated
- Burger King®
- Callaway Golf Company
- Caterpillar Inc.
- Cellular One
- Chick-fil-A®, Inc.
- Children's Hospital
- The Coffee Bean and Tea Leaf®
- Comerica Incorporated
- Compaq CompUSA®
- ConocoPhillips
- Domino's Pizza
- Dow Corning Corporation
- Energy Northwest
- Exxon Mobil Corporation
- Fairmont Hotels & Resorts
- FedEx Kinko's Office and Print Services
- Fireman's Fund Insurance Company®
- Foster Farms
- Genentech, Inc.
- Georgetown University
- Hilton Hotels Corporation
- Home Depot
- Host Hotels & Resorts (ex-Host Marriott)
- Hyatt Corporation
- Jack in the Box Inc.
- Kennedy Space Center
- Krispy Kreme Doughnut Corporation
- L'Oréal
- Marriott International
- Mattel, Inc.
- MCI, Inc.
- Merck & Co., Inc.
- The Michelin Group
- Microsoft Corporation
- Nabisco
- Nissan Motor Co.
- Northrop Grumman Corporation
- Novartis AG
- Pepperdine University
- Polaris Industries
- The Ritz-Carlton Hotel Company
- Royal Caribbean Cruises Ltd.®
- Safeco Corporation
- San Diego Padres
- S.C. Johnson & Son, Inc.
- Six Continents Retail
- Sony Corporation of America
- Staples, Inc.
- Toshiba Corporation
- Toyota Motor Corporation
- TRW Automotive Inc.
- Tyson Foods, Inc.
- UCLA
- UPS™
- Verizon
- Victoria's Secret
- Wal-Mart Stores, Inc.
- Washington State Criminal Justice Training Commission
- WD-40 Company
- Wells Fargo & Company
- Wendy's International, Inc.
- Yellow Pages (GTE)

*Dedicado a todos os líderes do mundo que
a cada dia tentam liderar em alto nível.
Mantenham o espírito e a energia e saibam
que o trabalho de vocês faz a diferença.*

Sumário

Introdução 1
Liderando em alto nível 2
Por que publicamos este livro? 3
Como o livro está organizado 5

Seção I Estabeleça o alvo e a visão certos **9**

Capítulo 1 Sua organização apresenta alto desempenho? 11
   O alvo certo: o resultado quádruplo 12
     O empregador preferido 12
     O fornecedor preferido 13
     O investimento preferido 14
     O cidadão corporativo preferido 16
   Uma organização de alto desempenho acerta sempre ... 17
   O modelo HPO SCORES® 18
     S = Shared information and open communication
     (Informação compartilhada e comunicação aberta) ... 18
     C = Compelling vision (Visão cativante) 18
     O = Ongoing learning (Aprendizagem contínua) ... 19
     R = Relentless focus on customer results
     (Foco incansável em resultados voltados ao cliente) ... 19
     E = Energizing systems and structures
     (Sistemas e estruturas energizados) 19
     S = Shared power and high involvement
     (Poder compartilhado e alto nível de envolvimento) ... 19
     Liderança é o motor 20
   O teste HPO SCORES®: como sua organização se sai? ... 21
   Teste HPO SCORES® 21
     Como devo usar os resultados do meu teste? 23
     Como sua organização se saiu? 23

Capítulo 2 O poder da visão 25
    A importância da visão. 25
    Declarações de visão eficazes *versus* declarações ineficazes ..26
    Criando uma visão que realmente funcione 27
        Propósito significativo 28
        Uma imagem clara do futuro 29
        Valores claros 30
    Uma visão cativante cria uma cultura de grandeza 32
    A visão é o lugar em que tudo começa 32
    Uma visão pode existir em qualquer lugar na organização. 34
    Faça de sua visão uma realidade. 35
        Como é criada. 35
        Como é comunicada. 36
        Como é vivenciada 36
    Visão e liderança 37

Seção II Trate bem o seu pessoal 41

Capítulo 3 O empoderamento é a chave 43
    O que é empoderamento? 44
    O poder por trás do empoderamento 45
    Como o passado impede a mudança para o empoderamento ..45
    Captando o poder e o potencial das pessoas: um exemplo da vida real 47
    Aprendendo a linguagem do empoderamento 48
    As três chaves para o empoderamento. 49
        A primeira chave para o empoderamento: compartilhe as informações com todos 49
    O compartilhamento de informações eleva o nível de confiança 51
    O compartilhamento de informações promove a aprendizagem organizacional 52
        A segunda chave para o empoderamento: crie autonomia além das fronteiras 53
        A terceira chave para o empoderamento: substitua a velha hierarquia por equipes e pessoas autodirigidas. 56
    O poder de pessoas autodirigidas 57
    O poder de equipes autodirigidas 58
    Lidando com o vácuo de liderança 59

Capítulo 4 SLII®: o conceito integrador 61
    As três habilidades de um líder SLII® 62
        Estabelecimento de metas: a primeira habilidade. 62
        Diagnóstico: a segunda habilidade. 62
        Adequação: a terceira habilidade. 63
    Principiantes empolgados precisam de um estilo "diretivo". . . . 66
    Aprendizes decepcionados precisam de um estilo de
    "*coaching*" 67
    Colaboradores capazes mas cautelosos precisam de
    um estilo "apoio" 67
    Realizadores autoconfiantes precisam de um estilo
    "delegação" 68
    O nível de desenvolvimento varia de meta para meta ou de tarefa
    para tarefa 69
    Indo ao encontro das pessoas no ponto em que estão 70
    A importância de formar parcerias com as pessoas. 74
    A liderança eficaz é uma jornada transformacional 75

Capítulo 5 Autoliderança: o poder por trás do empoderamento 77
    Criando uma força de trabalho empoderada. 78
    Criando autolíderes por meio da aprendizagem individual. 79
    As três habilidades da autoliderança. 80
        A primeira habilidade da autoliderança:
        desafie as restrições autoimpostas 80
        A segunda habilidade da autoliderança:
        ative suas fontes de poder. 81
    Usando o poder do "eu preciso" 84
        A terceira habilidade da autoliderança: seja proativo 85

Capítulo 6 Liderança de pessoa a pessoa 89
    Estabelecendo um sistema eficaz de gestão de desempenho . . 89
    Liderança de pessoa a pessoa e o sistema de gestão de
    desempenho 93
        Planejamento do desempenho:
        a primeira parte do sistema de gestão de desempenho 93
        Coaching do desempenho:
        a segunda parte do sistema de gestão de desempenho. 98
    Desempenho em declínio 101
    Procurar culpados: uma péssima estratégia 103

Enfrentando a falta de empenho........................104
*Avaliação de desempenho:
a terceira parte do sistema de gestão de desempenho* *108*
Formação de parcerias como um sistema informal de gestão de desempenho 108
Reuniões cara a cara: fundamentais para que a liderança de pessoa a pessoa funcione 109

Capítulo 7 Habilidades essenciais para a liderança de pessoa a pessoa.................................111
Estabelecimento de objetivos-minuto...................111
Áreas de responsabilidade.............................112
Padrões de desempenho................................113
Avaliações de desempenho podem minar o desempenho ..*115*
Limite o número de metas *116*
Metas bem-formuladas são metas SMART *116*
Elogios-minuto..118
Seja imediato e específico *118*
Diga como se sente *118*
Elogios são universalmente poderosos *119*
Estar por perto faz a diferença......................*119*
Reserve um tempo para elogiar *120*
Reorientações-minuto 121
Como funcionam as reorientações-minuto? *121*
Elogios e reorientações são essenciais à liderança de pessoa a pessoa *123*
O quarto segredo do gerente-minuto 124
A desculpa-minuto..................................*124*

Capítulo 8 Construção da confiança........................127
O alto custo da baixa confiança........................127
Os benefícios da confiança 128
Os quatro elementos da confiança 128
Criando um ambiente de alta confiança 129
Passo um: conhecer os comportamentos que apoiam os ABCDs da confiança................................*130*
Passo dois: avaliar o nível de confiança atual *130*
Passo três: diagnosticar áreas que exigem trabalho *131*
Passo quatro: ter uma conversa para restaurar a confiança. *131*

O desafio da transparência 132
Reconstruindo confiança 134
   Passo um: reconheça e assegure *135*
   Passo dois: admita *135*
   Passo três: peça desculpas *135*
   Passo quatro: avalie *136*
   Passo cinco: concorde *136*
O efeito cascata 136

Capítulo 9 *Coaching*: uma competência fundamental para o desenvolvimento de lideranças 139
   Definição de coaching *139*
Cinco aplicações do *coaching* 140
   Primeira aplicação: coaching *de desempenho* *141*
Dicas para *coaching* de desempenho 143
   Segunda aplicação: coaching *de desenvolvimento* *143*
Dicas para *coaching* de desenvolvimento 145
   Terceira aplicação: coaching *de carreiras* *145*
Dicas para *coaching* de carreira 148
   Quarta aplicação: coaching *para apoiar aprendizado* *148*
Dicas para *coaching* de apoio ao aprendizado 149
   Quinta aplicação: criar uma cultura interna de coaching . . **150**
Dicas para a criação de uma cultura de *coaching* interno 152

Capítulo 10 Mentoria: o segredo do planejamento de vida 153
Obstáculos ao início de uma relação de mentoria 154
Escolhendo um parceiro de mentoria 155
Essência *versus* forma 155
O modelo MENTOR: elementos de uma parceria de mentoria bem-sucedida 156
   Mission (Missão) *157*
   Engagement (Envolvimento) *157*
   Networking (Redes) *157*
   Trust (Confiança) *157*
   Opportunity (Oportunidade) *158*
   Review and Renew (Revisão e renovação) *158*
Criando um programa de mentoria na sua organização 159

Adaptando a mentoria aos estágios da carreira 160
   Nível inicial *161*
   Nível de gestão ou meio da carreira. *161*
   Nível executivo ou mestre *161*

Capítulo 11 Liderança de equipes 163
Por que equipes? 164
Obstáculos ao alto desempenho 166
Uma abordagem eficaz à liderança de equipes. 166
   Entendendo as características de uma equipe de alto desempenho. *167*
   Identificando o estágio de desenvolvimento da equipe. *170*
   Produtividade e moral. *171*
   Estágio 1 de desenvolvimento de equipe (EDE1): orientação 172
   Estágio 2 de desenvolvimento de equipe (EDE2): insatisfação. *173*
   Estágio 3 de desenvolvimento de equipe (EDE3): integração 174
   Estágio 4 de desenvolvimento de equipe (EDE4): produção . 175
Garantindo comportamentos de liderança que correspondam às necessidades da equipe. 176
   Equipes no estágio 1 precisam de um estilo estruturante. . . 178
   Equipes no estágio 2 precisam de um estilo resolutivo. 179
   Equipes no estágio 3 precisam de um estilo integrador 180
   Equipes no estágio 4 precisam de um estilo de validação . . 180
Estratégias para aumentar o desempenho da equipe. 181
   Manter a equipe avançando. *181*
   Observar a dinâmica da equipe *182*
   Administre o encerramento *183*
O poder das equipes 184

Capítulo 12 Colaboração: o combustível do alto desempenho. . 187
Colaboração não é coordenação, cooperação em trabalho em equipe. 187
Criação de uma estrutura colaborativa 188
Colaboração *versus* competição 190
O que é preciso para ser colaborativo 191
   O modelo UNITE *192*
   O coração: utilize as diferenças *192*

O coração: cultive segurança e confiança 194
A cabeça: envolva os outros na elaboração de propósitos, valores e objetivos claros 194
As mãos: fale abertamente 195
As mãos: empodere a si mesmo e aos outros 196
Colaboração: o combustível do alto desempenho 196

Capítulo 13 Liderança organizacional. **197**

Exemplos da vida real de HPO SCORES® 197

S = Shared Information and Open Communication (Informação compartilhada e comunicação aberta) 198

C = Compelling Vision (Visão cativante) 199

O = Ongoing Learning (Aprendizagem contínua) 200

R = Relentless Focus on Customer Results (Foco incansável em resultados para o cliente) 200

E = Energizing Systems and Structures (Sistemas e estruturas energizados) 201

S = Shared Power and High Involvement (Poder compartilhado e alto nível de envolvimento) 202

Como determinar o estilo de liderança apropriado para a sua organização 204

Diagnóstico do nível de desenvolvimento da sua organização. 204

Resultados e relacionamentos: os determinantes de uma organização de alto desempenho 204

Estágio de Desenvolvimento Organizacional 1: Início 205

Estágio de Desenvolvimento Organizacional 2: Melhoria ... 205

Estágio de Desenvolvimento Organizacional 3: Desenvolvimento 206

Estágio de Desenvolvimento Organizacional 4: Alto desempenho 207

Como adequar o estilo de liderança ao estágio de desenvolvimento da organização 207

Aplicando o estilo de liderança apropriado em cada nível de desenvolvimento 209

Estágio 1: Início 209

Estágio 2: Melhoria 210

Estágio 3: Desenvolvimento 210

Estágio 4: Alto desempenho 211

A importância do diagnóstico e da adequação 212

Uma virada organizacional histórica 213

Capítulo 14 Mudança organizacional: por que as pessoas resistem ... 215

A importância de liderar mudanças. ... 215
Por que as mudanças organizacionais são tão complicadas? . . 216
Quando é necessária a mudança?. ... 217
Por que as mudanças fracassam. ... 217
Por que os esforços de mudança fracassam. ... 219
Concentre-se na liderança da jornada. ... 220
Como identificar e lidar com as preocupações das pessoas . . 221
Estágio 1: Preocupações quanto à informação ... 222
Estágio 2: Preocupações pessoais. ... 222
Estágio 3: Preocupações quanto à implementação. ... 226
Estágio 4: Preocupações quanto ao impacto. ... 227
Estágio 5: Preocupações quanto à colaboração ... 228
Estágio 6: Preocupações quanto ao aperfeiçoamento ... 228
Pessoas diferentes estão em estágios diferentes de preocupação. ... 229
A importância de envolver aqueles afetados pelas mudanças. 229

Capítulo 15 Liderança de pessoas ao longo da mudança ... 231

Cinco estratégias de liderança de mudanças ... 231
Estratégia de Mudança 1: Ampliar o envolvimento e a influência ... 232
Flexibilidade: estratégias diversas de liderança de mudanças para liderar mudanças com sucesso. ... 236
Estudo de caso: pais que não pagam pensão alimentícia. ... 236
Estratégia de Mudança 2: Explicar por que a mudança é necessária. ... 239
Estratégias de Mudanças 3: Colaborar na implementação . . 242
Estratégia de Mudança 4: Tornar a mudança sustentável . . . 247
Estratégia de Mudança 5: Explorar as possibilidades ... 251
A importância de reforçar a mudança. ... 253

Capítulo 16 Gerenciando uma transformação cultural de sucesso ... 255

Gung ho! Um ponto de partida ... 256
Uma cultura "certa"? ... 257
Cultura por projeto, não por padrão. ... 258
Ceticismo sobre a cultura entre a alta liderança ... 258

        A importância de uma visão cativante 260
        Gerenciando uma transformação cultural de sucesso 261
            Fase 1: descoberta 262
            Fase 2: imersão. 263
            Fase 3: alinhamento 265
        A pesquisa com empregados 266
            Fase 4: aprimoramento. 266
        Fatores cruciais de sucesso para a transformação cultural . . . 267

Seção III Trate bem os seus clientes 269

Capítulo 17 Atendendo os clientes em alto nível 271
        Ganhando pontos com os clientes 271
        Criando serviço lendário 273
        Atendendo os clientes em alto nível 278
            Escolha a experiência que pretende proporcionar ao cliente 278
            Descubra o que seus clientes desejam 281
            Proporcione a experiência de atendimento ideal ao cliente . 283
        Permitindo que as pessoas voem mais alto 286
        Chafurdando em uma lagoa de patos 288
        Dando asas ao seu pessoal 288
        Recurso online 289

Seção IV Adote o tipo certo de liderança 291

Capítulo 18 Liderança servidora 293
        O que é liderança servidora? 293
        Aplicando a liderança servidora. 296
        Grandes líderes incentivam as pessoas a colocar o cérebro
        para trabalhar. 298
        Qual tipo de liderança exerce o maior impacto sobre o
        desempenho?. 299
        Tornar-se um líder servidor é decisão que vem do coração . . . 302
        "Estar" líder ou ser líder 303
        O maldito ego. 305
        Antídotos para o ego 306
        O que os líderes servidores fazem. 308
        Liderança servidora: imposição ou escolha. 311

Capítulo 19 Desenvolvendo seu ponto de vista sobre liderança 317
    Elementos de um ponto de vista sobre liderança...........318
        Pessoas-chave 318
        Eventos-chave 319
        Valores 321
        Expectativas para si e para os outros..................324
    O que você espera de si mesmo........................324
    O que as pessoas podem esperar de você 325
    O que você espera do seu pessoal 326
    Desenvolvendo seu próprio ponto de vista sobre liderança...326
        Meu passado.......................................331
        O que aprendi......................................331
        Meus valores.......................................332
        O que se pode esperar de mim 332
        O que eu espero de vocês 333
    Torne-se um líder de alto nível.........................334

Notas 335

Autores 347

Serviços disponíveis 363

Índice 367

Lista de figuras

Figura		Página
Figura 1.1	O modelo HPO SCORES®.	20
Figura 2.1	O papel visionário da liderança.	37
Figura 2.2	O papel implementador da liderança.	38
Figura 4.1	O modelo SLII®.	64
Figura 4.2	Como adequar o estilo de liderança ao nível de desenvolvimento.	65
Figura 5.1	Pontos de poder.	82
Figura 5.2	O modelo SLII®.	86
Figura 6.1	O Roteiro de Gestão do Desempenho.	94
Figura 6.2	Estilos de liderança SLII®.	99
Figura 9.1	O ponto ideal do *coaching*.	141
Figura 11.1	Características das equipes de alto desempenho.	168
Figura 11.2	Os estágios do desenvolvimento de equipes.	171
Figura 11.3	O modelo de liderança de equipes.	177
Figura 11.4	O foco de um observador participante.	182
Figura 12.1	O modelo UNITE.	193
Figura 13.1	Como adequar o estilo de liderança ao estágio de desenvolvimento organizacional.	208
Figura 14.1	O modelo de estágios de preocupação.	221
Figura 15.1	O modelo de Liderança de Pessoas ao Longo da Mudança.	232
Figura 15.2	A percepção da perda de controle aumenta a resistência à mudança.	234
Figura 17.1	O modelo de serviço lendário.	274
Figura 17.2	O papel implementador da liderança.	286
Figura 18.1	A cadeia liderança-lucro.	301

Introdução

Anos atrás, minha esposa, Margie, e eu fizemos um safári na África do Sul com alguns parentes e amigos. Já havíamos participado de vários safáris, mas naquela ocasião vi algumas coisas de um ângulo diferente. A selva me pareceu mais violenta, competitiva e territorial do que jamais a vira. Quem já ouviu de perto o rugido de um leão sabe que é de arrepiar. Quando Gary Clarke, de Topeka, Kansas, nosso guia de longa data, imita o rugido de um leão, ele grita: "É meu, meu, meu, meu!". Isso porque, quando o leão ruge, o que realmente está dizendo é: "Este território é meu. Não se meta comigo!". Na verdade, os leões são capazes de matar os próprios filhotes caso se atrevam a desafiá-los pelo controle do seu território.

O motivo pelo qual constatei tudo isso com maior clareza do que antes foi minha decisão de, nessa viagem, desvendar tudo que fosse possível a respeito de Nelson Mandela. Havíamos participado pouco tempo antes de um jantar cujos convidados foram desafiados a revelar qual pessoa – no mundo inteiro – gostariam de ter como companhia à mesa. Para mim, foi uma escolha rápida. "Nelson Mandela", respondi. "Gostaria demais de jantar na companhia de um homem que passou 28 anos na prisão, foi tratado com crueldade e, mesmo assim, saiu dessa experiência cheio de sentimentos de amor, compaixão e reconciliação." Na viagem já mencionada, comecei a ler a autobiografia de Mandela, *Longa Caminhada Até a Liberdade*.

Ao comparar o que vi na selva com a maneira pela qual Mandela reagiu a todo seu sofrimento, percebi que, de muitas formas, nós, seres humanos, somos apenas animais inteligentes. E, como tais, podemos escolher todos os dias entre servir a nós mesmos ou simplesmente servir. Os animais selvagens, como o leão, não conseguem fazer essa distinção. Eles têm de aniquilar outras criaturas para proteger seu território, seu domínio. Não faz parte da sua natureza compartilhar o que quer que seja com outras espécies. Mas nós, seres humanos, como fez Mandela, podemos tomar a decisão de viver e liderar em alto nível, de servir aos outros em vez de apenas pensar em nos servirmos. Contudo, quando olhamos para os líderes no mundo inteiro – no comando de países, empresas, igrejas, instituições educacionais ou de qualquer outro tipo, vemos gente demais escolhendo servir em primeiro lugar a si mesmos, em vez de aos demais. E por que isso ocorre? Simplesmente porque essas pessoas não têm um modelo diferente de liderança a ser seguido. Foram condicionadas a pensar em liderança apenas em termos de poder e controle. É disso que o nosso livro trata – um paradigma diferente de liderança. Queremos ajudar indivíduos e organizações a liderar em um patamar superior.

Liderando em alto nível

O que é liderança? Por muitos anos, definimos liderança como um *processo de influência*. Acreditávamos que sempre que tentássemos influenciar as ideias e as ações dos outros na busca da realização de objetivos, fosse na vida pessoal ou na profissional, estaríamos praticando nossa liderança. Nos últimos anos, abandonamos a ênfase anterior em realização de objetivos e passamos a definir liderança como *a capacidade de influenciar os outros pela liberação de seu poder e potencial para impactar o bem maior*. Por que fizemos isso? Porque, quando a definição de liderança enfoca a realização de objetivos, pode-se pensar que liderança é somente uma questão de resultados. Mas quando falamos em liderar em alto nível, o mero foco na realização de objetivos não é o bastante. O conceito central em nossa nova definição é o "bem maior" – aquilo que é melhor para todos os envolvidos. A liderança é um chamamento superior. A liderança não deve ser exercida apenas para ganho pessoal ou para cumprir um objetivo – ela precisa ter um propósito bem mais elevado.

O que é um propósito mais elevado? É algo que não pode ser focado internamente, como ganhar dinheiro. Como defendem Matt Hayes e Jeff Stevens em *The Heart of Business*, quando fica óbvio que o lucro, que é um objetivo legítimo, é o impulsionador de um negócio, todos – acionistas, gestores, colaboradores, clientes, fornecedores e a comunidade – rapidamente começam a servir a si mesmos, focados em seus próprios interesses e no enriquecimento pessoal. A lealdade e a paixão dos colaboradores muitas vezes são abandonadas, já que a motivação de cada um no trabalho torna-se simplesmente obter o máximo que puder com o mínimo esforço possível.[1]

Qual é a solução para esse dilema? Um objetivo superior – um elemento-chave daquilo que chamaremos neste livro de uma *visão arrebatadora*. Nos termos de Hayes e Stevens, trata-se de algo focado no exterior, que necessariamente requer sacrifícios – em outras palavras, tem precedência sobre qualquer objetivo de curto prazo como o lucro – e é intrinsecamente nobre.

Líderes podem ser bem-sucedidos a curto prazo se enfatizarem apenas a realização de objetivos. O que pode se perder pelo caminho são as condições da organização humana. Os líderes nem sempre levam o estado de espírito e a satisfação no trabalho em consideração – só os resultados contam. Esquecem do objetivo real. Não contam com um propósito mais nobre. Nas empresas, com esse tipo de liderança, em um instante tem-se a ideia de que a sua única razão de ser é ganhar dinheiro e de que é preciso optar entre pessoas ou resultados. Certos líderes acreditam, equivocadamente, que não podem focar nos dois ao mesmo tempo.

Quando se está liderando em alto nível, tem-se uma filosofia que inclui esses dois fatores. O desenvolvimento de pessoas – sejam colaboradores ou clientes – é tão importante quanto o desempenho. Como resultado, o foco da liderança em alto nível está tanto em obter resultados a longo prazo quanto na satisfação humana. *Liderar em alto nível*, portanto, é um processo. É *o processo de alcançar resultados que valham a pena ao mesmo tempo em que tratamos as pessoas com respeito, consideração e justiça, para o bem-estar de todos os envolvidos.* Quando isso ocorre, a liderança que serve a si mesma já não é mais possível. Por quê?

Líderes que servem a si mesmos pensam que a liderança diz respeito apenas a eles e não aos interesses daqueles a quem deveriam servir. Esquecem de agir com respeito, consideração e justiça com todos os envolvidos. Tudo é uma questão de interesse próprio. Somente quando nos damos conta de que não somos o centro do universo é que começamos a liderar em alto nível.

Por que publicamos este livro?

Em 2006, fizemos a edição original deste livro por vários motivos. O primeiro deles, porque nosso sonho era que, algum dia, todos possamos conhecer alguém que esteja liderando em alto nível. Líderes que servem a si mesmos serão uma coisa do passado, e a liderança no mundo todo será exercida por pessoas que, como disse Robert Greenleaf, "servem primeiro e lideram depois".[2] Escrevemos este livro para ajudar a tornar esse sonho uma realidade.

Em segundo lugar, a visão das Empresas Ken Blanchard está focada em liderar em alto nível. Esse tipo de liderança começa com uma visão. Jesse Stoner e eu escrevemos *Full Steam Ahead!** para examinar o poder

---

*N. de R.: Publicado no Brasil sob o título *A Todo Vapor!* Rio de Janeiro: Record, 2004.

de criar uma visão. Para nós, uma visão arrebatadora diz *quem somos* (nosso propósito), *para onde vamos* (nosso panorama preferido do futuro) e *o que norteará nossa viagem* (nossos valores).

O objetivo das Empresas Ken Blanchard é ajudar indivíduos e organizações a liderar em alto nível. Nossa declaração de missão está na seguinte frase, que reflete nossa nova definição de liderança:

> *Liberar o poder e o potencial das pessoas
> e organizações para o bem maior.*

Nossa visão do futuro é:

- Treinamos pessoas para se tornarem os melhores gerentes do mundo. Oferecemos os modelos e o linguajar da liderança para ajudar a alimentar as organizações mais bem-administradas do mundo, causando uma diferença positiva nas vidas dos líderes e das pessoas a quem servem.
- Acreditamos que grandes líderes têm uma atitude "tanto/quanto" em relação a pessoas e resultados, não uma atitude "um ou outro". Por consequência, nossos valores refletem tanto as pessoas quanto os resultados.

Nossos *valores* operacionais são:

- Valores orientados para pessoas:
    - **Integridade:** Fazer a coisa certa.
    - **Kenship:** Valorizar compaixão, humildade e abundância.
    - **Diálogo:** Valorizar conversas e incentivar a reflexão.
- Valores orientados para resultados:
    - **Responsabilização:** Assumir responsabilidade pessoal por manter a empresa simples, ágil, inovadora e lucrativa.
    - **Foco & Clareza:** Estabelecer metas claras e agir para concretizá-las.
    - **Chegar a D4:** Valorizar competência e desempenho de alto nível.

Como esses valores se concentram em orientar o comportamento das pessoas na nossa empresa, dois deles (Kenship e Chegar a D4) usam o linguajar interno dela. O valor de Kenship foi batizado em minha homenagem (não foi escolha minha!), mas foi significativo para todas as pessoas que votaram nesses valores. Chegar a D4 reflete o objetivo do nosso treinamento SLII®: domínio, o mais alto nível de desenvolvimento.

Os valores muitas vezes são listados sob alguma ordem. No nosso caso, decidimos que na tomada de decisões seria preciso considerar todos os valores. Ao mesmo tempo que tentamos produzir resultados, também mantemos os seres humanos em primeiro plano, honrando nossos relacionamentos com nosso pessoal, clientes e fornecedores.

Você pode dizer que tudo isso parece coisa de Poliana – exageradamente otimista. Pode ser, mas esse é o padrão que estabelecemos para nós mesmos. E é esse alto nível em termos de padrões que queremos ajudar você e as pessoas em sua organização a atingir por meio deste livro. Ajudar os indivíduos e as organizações a liderar em alto nível é a nossa paixão, tanto para a sua organização quanto para a nossa.

Finalmente, de várias formas, este livro explica em detalhe nosso ponto de vista quanto à liderança. Diversas pesquisas demonstram que líderes eficazes têm um ponto de vista claro em relação à liderança e estão dispostos a compartilhar suas crenças. Esperamos que a leitura deste livro tenha um impacto sobre seu ponto de vista quanto à liderança.

Como o livro está organizado

Durante esses anos todos, descobrimos que, em organizações onde a liderança em alto nível é a regra e não a exceção, as pessoas fazem quatro coisas muito bem:

- Determinam quais serão o objetivo e a visão adequados.
- Tratam os funcionários com justiça.
- Tratam seus clientes corretamente.
- Exercem o tipo certo de liderança.

Este livro está dividido em quatro seções. A **Seção I** enfoca *o objetivo certo e a visão certa*, abordando o "resultado quádruplo" (*quadruple bottom line*, ou QBL), as características de uma organização de alto desempenho e a criação de uma visão cativante.

A **Seção II** enfoca *o tratamento correto de seu próprio pessoal*. Nas edições anteriores deste livro, esta era a Seção III, após o tratamento correto dos seus clientes. Hoje, entretanto, acreditamos que seu cliente número um é o seu próprio pessoal. Caso não sejam empoderados e tratados corretamente, eles não cuidarão daquilo que consideramos o seu segundo cliente mais importante, a saber, as pessoas que usam seus produtos e serviços. Quando isso acontece, é impossível alcançar os resultados almejados a longo prazo.

Tal seção sobre *o tratamento correto de seu próprio pessoal* é a mais extensa do livro, pois a sua forma de tratar as pessoas é liderança em ação. É nisso que as Empresas Ken Blanchard têm se concentrado por mais de 40 anos. Nessa seção, partimos do empoderamento (autonomia) para então examinarmos quatro domínios de liderança: autoliderança, liderança de pessoa a pessoa, liderança de equipes e liderança organizacional.

A **Seção III** destaca *o tratamento correto do cliente* e faz parte do nosso trabalho sobre serviço lendário, fãs incondicionais e paixão pelos clientes, todos os quais dependem da existência de uma equipe empoderada e motivada. Sem bom atendimento, sua organização não sobrevive a longo prazo.

A **Seção IV** trata especificamente do *tipo certo de liderança*. Aqui, não estamos falando de estilo de liderança, e sim de caráter e intencionalidade. Em minhas viagens durante esses anos todos, visitando organizações dos mais diversos tamanhos e tipos, me convenci de duas coisas: a liderança eficaz começa de dentro e o tipo certo de liderança é a liderança servidora. Não se trata de uma liderança baseada em falso orgulho ou medo, mas, sim, fundamentada na humildade e focada no bem maior. Com o tipo certo de liderança, liderar em alto nível pode se tornar uma realidade.

Essa seção também inclui nossas ideias sobre determinar seu ponto de vista de liderança. Isso coloca o foco em você. Nessa parte, ajudamos a consolidar muitos dos conceitos que você aprendeu e a integrar e aplicar esse conhecimento à sua própria situação de liderança.

A escrita deste livro foi um trabalho feito com amor. Ao representar nossas melhores ideias em mais de 40 anos de trabalho conjunto, trata-se realmente de um legítimo *Blanchard sobre Liderança*. Com novos capítulos sobre confiança, colaboração, mentoria e liderança organizacional, esta terceira edição inclui não apenas as ideias de Margie e as minhas, mas também todas as maravilhosas contribuições de nossos sócios fundadores – Don Carew, Eunice Parisi-Carew, Fred Finch, Laurie Hawkins, Drea Zigarmi e Pat Zigarmi – e outros consultores associados que realmente têm feito da Blanchard "o lar dos autores", com destaque para Randy Conley, Kathy Cuff, Garry Demarest, Claire Díaz-Ortiz, Chris Edmonds, Susan Fowler, Bob Glaser, Vicki Halsey, Judd Hoekstra, Fay Kandarian, Linda Miller, Cynthia Olmstead, Alan Randolph, Jane Ripley, Jesse Stoner e nosso filho e nora, Scott Blanchard e Madeleine

Homan Blanchard. Todos podem liderar em alto nível, seja no trabalho, em casa ou na comunidade. Esperamos que, qualquer que seja seu cargo, o tamanho ou tipo de sua organização, ou o tipo de cliente ou pessoas a quem serve, você venha a obter, neste livro, informações importantes. Esperamos, da mesma forma, que este livro possa ajudá-lo a liderar em alto nível e a criar uma organização de desempenho superior, que não somente alcance os resultados pretendidos, mas que seja também um porto seguro para as pessoas que você influencia.

Ken Blanchard
San Diego, Califórnia

SEÇÃO I
Estabeleça o alvo e a visão certos

Capítulo 1 Sua organização apresenta alto desempenho?.... 11

Capítulo 2 O poder da visão 25

1
Sua organização apresenta alto desempenho?

Don Carew, Fay Kandarian, Eunice Parisi-Carew,
Jesse Stoner e Ken Blanchard

Os bons atiradores dizem que, se quiser acertar no alvo, você deve sempre mirar a mosca. Isso porque, se não acertar na mosca, mesmo assim estará atingindo o alvo. Mas se mirar no alvo e errar, não chegará a lugar algum. Don Shula, coautor de *Everyone's a Coach** junto com Ken Blanchard, sempre dizia para seu time de futebol americano, o Miami Dolphins, que a meta era ganhar todos os jogos. Isso era possível? Claro que não, mas se não tentar atingir a excelência, você nunca terá a chance de alcançá-la. Deve ser por isso que os times de Don Shula ganharam mais partidas de futebol americano que qualquer outro na história da NFL, e também por que seu time, o Dolphins de 1972, permanece como o único invicto em uma temporada inteira, incluindo o Super Bowl. Portanto, o alvo que você tenta atingir está muito relacionado ao seu desempenho.

Wall Street e a pressão do mundo dos negócios de hoje fazem muitas pessoas pensar que o único alvo que conta é o sucesso financeiro. No entanto, poucos empresários gostariam que seu epitáfio incluísse os resultados financeiros da empresa – o preço das ações ou sua margem de lucro. É mais provável que desejem ser lembrados pela sua contribuição para a criação de uma organização de alto desempenho.

Aqueles que querem liderar em alto nível precisam entender o que é uma organização de alto desempenho e os requisitos para criar uma. Precisam mirar o alvo certo.

---

*N. de R.: Publicado no Brasil sob o título *Você também pode ser um líder*. Rio de Janeiro: Record, 1998.

O alvo certo: o resultado quádruplo

Em organizações de alto desempenho, a energia de todos está focada não em uma única linha do cálculo de resultados, mas em quatro linhas de resultados: ser o *fornecedor preferido*, o *empregador preferido*, o *investimento preferido* e o *cidadão corporativo preferido*. Esse resultado quádruplo (*Quadruple Bottom Line*, ou QBL) é o alvo certo e pode fazer a diferença entre a mediocridade e a excelência.[2] Os líderes de organizações de alto desempenho sabem que seu resultado depende dos clientes, do seu pessoal, dos seus investidores e das suas comunidades. Esses líderes percebem que:

> *O lucro é o aplauso que se recebe por cuidar bem da sua comunidade e por criar um ambiente motivador para que seu pessoal atenda bem os clientes.*

O empregador preferido

Ser o empregador preferido é cada vez mais desafiador. Com a demanda por colaboradores altamente versáteis e competentes, os empregadores precisam encontrar maneiras de atrair e manter os melhores. Um bom salário não é mais o único atrativo. É verdade que alguns colaboradores competentes irão para outras empresas atrás de um melhor salário; porém, os colaboradores de hoje geralmente querem mais. Procuram oportunidades em que sintam que suas contribuições são valorizadas e recompensadas – onde se sintam envolvidos e percebam que têm mais poder, onde possam desenvolver suas habilidades, ter oportunidades de crescimento e acreditar que estão fazendo alguma diferença.

Você enfrentará pouca resistência se disser aos gerentes que seus colaboradores são seu recurso mais importante. Sugerimos que os clientes devem vir em segundo lugar, pois sem colaboradores comprometidos a quem se possa delegar poder, uma empresa jamais poderá prestar bons serviços. Você não pode tratar mal seus colaboradores e esperar que eles tratem bem seus clientes.

Anos atrás, antes dos celulares, um amigo nosso teve uma experiência em uma loja de departamentos que ilustra bem esse argumento. Normalmente, ele faz suas compras na Nordstrom, mas viu-se na loja de um concorrente. Ao lembrar que precisava falar com sua esposa, pediu a um vendedor na seção masculina se poderia usar o telefone da loja. "Não!", o vendedor respondeu.

Ao que nosso amigo retrucou: "Você deve estar brincando. A gente sempre pode usar o telefone na Nordstrom".

E o vendedor disse: "Olha, cara, não *me* deixam usar o telefone aqui. Por que eu deveria deixar *você usá-lo*?".

Pessoas maltratadas tendem a maltratar seus clientes.

Outro motivo pelo qual seu pessoal é tão importante é que hoje sua organização é avaliada pela rapidez com que atende às necessidades e resolve os problemas dos clientes. "Preciso perguntar para o meu chefe" não convence mais ninguém. Além disso, ninguém se interessa mais por quem é o chefe. As únicas pessoas por quem os clientes se interessam são aquelas que os atendem ao telefone, os cumprimentam, anotam seu pedido, fazem a entrega ou atendem suas reclamações. Querem o melhor serviço e o querem já. Isso significa que você precisa criar um ambiente motivador para o seu pessoal e uma estrutura organizacional flexível o suficiente para permitir que os seus colaboradores deem o melhor de si.

O fornecedor preferido

Tornar-se o fornecedor que as pessoas preferem é igualmente desafiador. A competição é feroz, pois novos concorrentes surgem do nada. Os clientes tornaram-se mais exigentes, diante de tantas opções. Esperam receber o que querem quando querem, e esperam que isso seja personalizado. O mundo mudou de tal maneira que, hoje, é o comprador e não o vendedor quem está no comando. Não é preciso convencer mais ninguém de que prestar um serviço de qualidade lendária para os seus clientes é de suma importância. As pessoas estão se dando conta de que suas organizações não irão a lugar algum sem a fidelidade e o comprometimento de seus clientes. As empresas são motivadas a mudar quando descobrem esta nova regra:

Se você não cuidar do seu cliente, um concorrente certamente o fará.

Em *Raving Fans®: A Revolutionary Approach to Customer Service*,* Sheldon Bowles e Ken Blanchard defendem que, para manter seus

---

*N. de R.: Publicado no Brasil sob o título *Fãs incondicionais*. Rio de Janeiro: Record, 1995.

clientes, você não pode se contentar apenas em satisfazê-los;[3] é necessário torná-los fãs incondicionais. Os autores descrevem os fãs incondicionais como sendo os clientes que se entusiasmam tanto com o tratamento que recebem que querem contar para todos a seu respeito – tornam-se parte de seu departamento de vendas. Vejamos um exemplo simples, mas contundente.

Qual é o serviço de despertar mais comum em um hotel nos Estados Unidos hoje em dia? O telefone toca no horário combinado, mas, quando você atende, não há ninguém do outro lado. Existe uma máquina que chama o seu quarto no horário certo. A segunda forma mais comum de serviço de despertar é uma gravação. Porém, novamente, não há ninguém do outro lado da linha. Se você atender ao telefone na hora do despertar e ouvir uma voz humana do outro lado – alguém com quem possa realmente se comunicar – mal saberá o que dizer. Há algum tempo, um de nossos colegas hospedou-se no Marriott Convention Hotel em Orlando. Pediu que o serviço de despertar o acordasse às 7h. Quando o telefone tocou e ele atendeu, uma mulher disse: "Bom dia, meu nome é Teresa. São 7h. Vai fazer 24º C hoje em Orlando e o tempo está maravilhoso, mas sua reserva informa que o senhor está de partida. Para onde vai?".

Espantado, nosso colega balbuciou: "Estou indo para Nova York".

Teresa disse: "Vou dar uma olhada na previsão do tempo do *USA Today*. Que pena! Fará 4ºC e estará chovendo em Nova York hoje. O senhor não pode ficar conosco mais um dia?".

Onde você acha que nosso colega quer ficar quando voltar a Orlando? Quer se hospedar no Marriott para conversar com Teresa pela manhã! Fãs incondicionais são criados por empresas cujos serviços excedem de longe os serviços da concorrência, e excedem até mesmo as expectativas dos próprios clientes. Essas empresas fazem o inesperado rotineiramente e, depois, aproveitam o crescimento gerado por clientes que espontaneamente juntaram-se ao seu departamento de vendas.

O investimento preferido

O crescimento e a expansão exigem investimentos, independentemente da empresa ser de capital aberto, fechado, estatal ou sem fins lucrativos. Todas as empresas precisam de fontes de financiamento, seja por venda de ações, empréstimos, subsídios ou contratos. Para que se disponham a investir, as pessoas precisam acreditar na viabilidade e no desempenho da organização a longo prazo. Precisam acreditar na liderança, na qualidade do pessoal, nos produtos e nos serviços, nas práticas da gerência e na resiliência da organização.

Se o sucesso financeiro de uma organização é uma função da receita menos os custos, é possível tornar-se mais robusto financeiramente reduzindo-se os custos ou aumentando-se a receita. Vejamos os custos primeiro, pois no ambiente competitivo de hoje, o prêmio vai para quem consegue fazer mais com menos. Atualmente, um crescente número de organizações está concluindo que a única forma de se tornar financeiramente eficaz é por meio do *downsizing*. E de fato, alguma redução de pessoal é necessária em grandes burocracias em que todos precisam ter um assistente, e o assistente precisa de um assistente. No entanto, um *downsizing* é extenuante, e não é, de forma alguma, a única maneira de administrar os custos.

Há uma crescente percepção de que outra maneira eficaz de administrar custos é tornar seu pessoal sócio nos negócios. Em algumas empresas, por exemplo, o pessoal mais novo não recebe aumento antes de conseguir ler o balancete e entender onde e como seus esforços individuais causam impacto na demonstração de lucros e perdas. Quando as pessoas entendem como sua organização ganha e gasta dinheiro, estão muito mais aptas a arregaçar as mangas e ajudar.

Em geral, os gerentes relutam em compartilhar informações financeiras. Contudo, hoje, muitas organizações estão mudando de ideia. Deram-se conta do benefício financeiro que resulta de compartilhar dados antes considerados sigilosos. Ao trabalhar com uma cadeia de restaurantes, por exemplo, um de nossos consultores tinha dificuldade para convencer o presidente das vantagens de revelar dados financeiros importantes aos colaboradores. Para acabar com a relutância do presidente, uma noite o consultor foi ao maior restaurante do grupo na hora de fechar. Dividiu todos os funcionários – cozinheiros, lavadores de pratos, garçons, garçonetes, ajudantes, recepcionistas – em grupos de cinco ou seis e pediu para que chegassem a um consenso quanto a resposta à pergunta: "De cada dólar que entra neste restaurante, quantos centavos podem ser convertidos em lucro – dinheiro que pode ser devolvido para os investidores como dividendos ou que pode ser reinvestido no negócio?".

O menor valor que qualquer um dos grupos sugeriu foi US$ 0,40. Vários grupos acharam que era US$ 0,70. Na verdade, em um restaurante, se você conseguir ficar com US$ 0,05, é uma festa – US$ 0,10, então, é o máximo! Você pode imaginar a postura da equipe em relação a custo dos ingredientes, custo da mão-de-obra e perdas, quando achavam que sua empresa era uma máquina de fazer dinheiro? Depois de revelar os números, o presidente ficou impressionado quando um chef perguntou: "Quer dizer que só ganhamos um dólar para cada filé de US$ 20! Então se eu queimar um filé que custa US$ 6 para o restaurante, teremos que vender seis filés sem lucro algum para compensar meu erro". Ele já tinha entendido tudo.

> *Se você mantiver seus colaboradores bem informados e permitir que usem a cabeça, ficará surpreso ao ver como poderão ajudar a administrar os custos.*

E quanto à receita? Se você incentivar o comprometimento e passar o poder de tomar decisões a seus funcionários e estes prestarem um serviço de qualidade lendária que cria fãs incondicionais, o resultado natural será um aumento de receita. Por quê? Porque fãs incondicionais terão orgulho de você. Assim, acabarão engrossando seu departamento de vendas ou de RP, o que aumenta suas vendas e sua visibilidade e faz de sua organização um investimento mais atraente. Agora você é líder de uma organização de alto desempenho.

O cidadão corporativo preferido

Num mundo cada vez mais conectado, com populações crescentes e recursos decrescentes, é cada vez maior o consenso de que as organizações têm responsabilidades que vão além de ganhar dinheiro. Espera-se que as empresas equilibrem as necessidades das suas partes interessadas com as do meio ambiente e tratem todos aqueles afetados pelas suas atividades com ética e respeito.

A lista dos 100 melhores cidadãos corporativos publicada pela revista *Corporate Responsibility* ordena empresas com base em informações de domínio público em sete categorias: meio ambiente, mudança climática, relacionamento com os funcionários, direitos humanos, governança, finanças e filantropia.

As organizações de alto desempenho de hoje devem ser bons cidadãos corporativos. Não importa se estamos protegendo o planeta, contribuindo para organizações de caridade, defendendo os direitos humanos, mantendo uma cadeia logística ética ou participando de campanhas de conscientização, a responsabilidade social não é mais um elemento opcional para as organizações que buscam excelência.

Uma organização de alto desempenho acerta sempre

Fornecedor preferido, empregador preferido, investimento preferido e cidadão corporativo preferido – os quatro elementos do resultado quádruplo – formam o alvo certo. Se você mirar somente em um dos quatro elementos, não acertará o alvo e sua organização não conseguirá sustentar um alto padrão de desempenho. Quando os líderes entendem a importância de acertar o alvo, perguntas surgem naturalmente: "O que é uma organização de alto desempenho?" e "Quais as características de uma organização de alto desempenho que atinge o alvo?".

Para responder essas perguntas, Don Carew, Fay Kandarian, Eunice Parisi-Carew e Jesse Stoner realizaram um projeto de pesquisa completo para definir e identificar as características de uma organização de alto desempenho.[4] Seu primeiro passo foi definir a expressão "organização de alto desempenho". Enquanto muitas organizações crescem rapidamente e depois ficam estagnadas ou caem, algumas continuam a prosperar, se reinventando conforme a necessidade. Os pesquisadores se concentraram nesse tipo de organização, criando a seguinte definição:

> *Organizações de alto desempenho são aquelas que, ao longo do tempo, continuam a produzir resultados excepcionais com o mais alto nível de satisfação humana e comprometimento com o sucesso.*

Devido a sua flexibilidade, agilidade e sistemas responsivos, organizações de alto desempenho (HPOs – *high performing organizations*) continuam não somente bem-sucedidas e respeitadas hoje, mas estão preparadas para o sucesso no futuro. HPOs apresentam resultados consistentes ao longo do tempo.

O modelo HPO SCORES®

Como resultado de sua pesquisa, os Drs. Carew, Kandarian, Parisi-Carew e Stoner criaram o modelo HPO SCORES®. *Scores* é uma sigla que representa os seis elementos em evidência em uma organização de alto desempenho (ver Figura 1.1 neste capítulo). Uma organização de alto desempenho acerta no alvo (*scores*) consistentemente porque demonstra firmeza em cada um desses seis elementos. A seguir, apresentamos uma descrição detalhada de cada um.

S = Shared information and open communication (Informação compartilhada e comunicação aberta)

Em organizações de alto desempenho, as informações necessárias para se tomar decisões bem-fundamentadas estão disponíveis às pessoas e são comunicadas abertamente. O compartilhamento de informações e a comunicação aberta desenvolvem a confiança e encorajam as pessoas a agir como se fossem donas da organização. Informação é poder. Quanto mais rapidamente disponível estiver a informação, mais as pessoas se sentirão empoderadas e capazes de tomar decisões sólidas e em consonância com os objetivos e os valores da organização. A comunicação aberta é a força vital da organização. Estimular o diálogo diminui o risco de territorialidade e mantém a organização forte, ágil, flexível e fluida.

C = Compelling vision (Visão cativante)

Uma visão cativante é a autêntica marca de uma organização de alto desempenho. É a resposta à pergunta: "Por que estamos aqui?". Quando todos apoiam tal visão organizacional – incluindo propósito, visão do futuro e valores – cria-se uma cultura deliberada e altamente focada que produz os resultados desejados para a empresa rumo a um bem maior. Nessas organizações, as pessoas são energizadas e entusiasmadas por tal visão, e doam-se a ela. Podem descrever a visão, sentem-se profundamente comprometidas e veem claramente seu papel no apoio a essa visão. Têm um sentido nobre de propósito que cria e concentra energia. Como resultado, seus valores pessoais estão em consonância com os valores da organização. Elas conseguem descrever um quadro claro do que pretendem criar. Todos estão em sincronia e remando na mesma direção.

O = Ongoing learning (Aprendizagem contínua)

Organizações de alto desempenho estão constantemente focadas na melhoria de suas capacidades por meio da aprendizagem de sistemas, do desenvolvimento de um capital intelectual e da disseminação de aprendizagem por toda a organização. Aprendizagem organizacional é diferente de aprendizagem individual. Organizações de alto desempenho se envolvem em ambas. Todos estão sempre empenhados em se aprimorar, tanto individualmente quanto como empresa.

R = Relentless focus on customer results
(Foco incansável em resultados voltados ao cliente)

Organizações de alto desempenho entendem quem são seus clientes (interna e externamente) e medem seus resultados de acordo com essa informação. Produzem resultados excepcionais, em parte, devido a um foco quase obsessivo nos resultados. O diferencial está na forma como focam esses resultados: do ponto de vista do cliente.

E = Energizing systems and structures
(Sistemas e estruturas energizados)

Os sistemas, as estruturas, os processos e as práticas em organizações de alto desempenho estão perfeitamente alinhados para apoiar a visão, a direção estratégica e os objetivos da organização. Com isso, fica mais fácil para cada um cumprir o seu trabalho. Energizar sistemas e estruturas fornece a plataforma para respostas rápidas a obstáculos e oportunidades. O teste definitivo para saber se os sistemas e as estruturas são energizantes é observar se estão ajudando as pessoas a desempenhar suas tarefas com mais facilidade ou se as estão dificultando.

S = Shared power and high involvement
(Poder compartilhado e alto nível de envolvimento)

Em organizações de alto desempenho, o poder e as decisões são compartilhados e distribuídos, e não estão restritos ao topo da hierarquia. A participação, a colaboração e o trabalho em equipe são uma forma de vida. Quando as pessoas sentem que são valorizadas e respeitadas pelas contribuições que prestam, quando lhes é permitido tomar decisões que têm impacto em suas vidas e quando elas têm acesso a informações

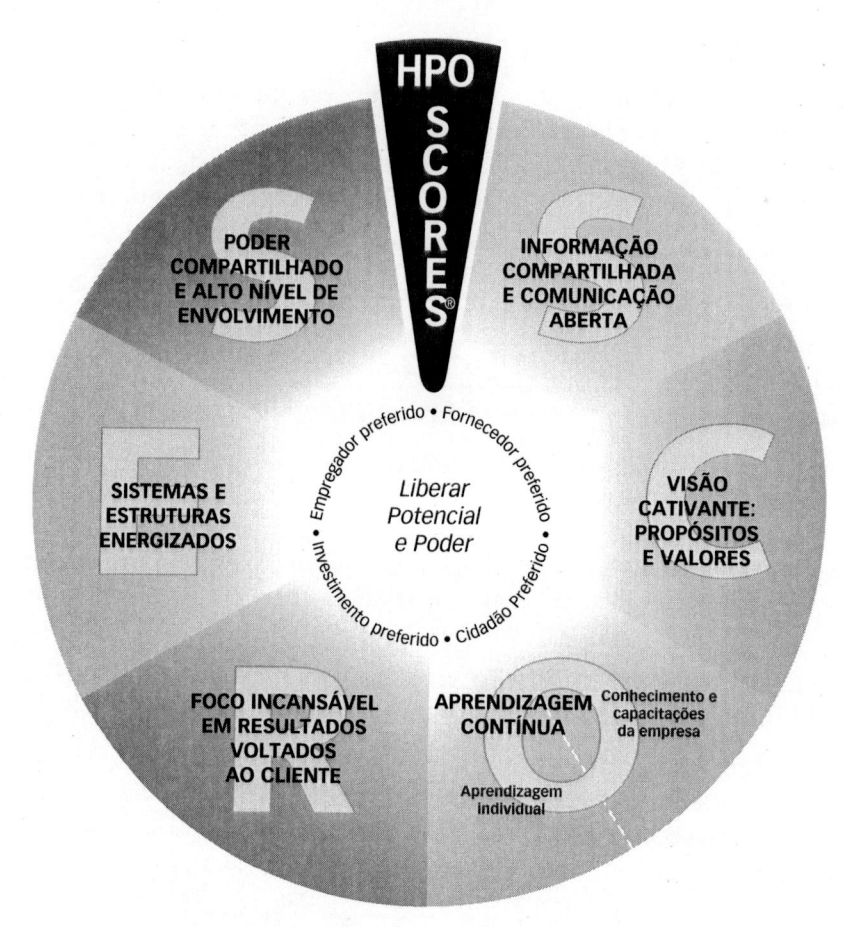

FIGURA 1.1 O modelo HPO SCORES®.

para que possam tomar boas decisões, *podem* e *irão* agir como valiosos contribuintes para o propósito e a visão da organização. Em organizações de alto desempenho, existe um senso de poder pessoal e coletivo.

Liderança é o motor

Quando tornar-se uma organização de alto desempenho é o destino, a liderança é o motor. Enquanto o modelo HPO SCORES descreve as características de uma organização de alto padrão de desempenho, a liderança é o que move a organização nessa direção.

Em organizações de alto desempenho, o papel da liderança formal é radicalmente diferente daquele de organizações tradicionais. Organizações de alto desempenho não dependem do culto a um líder carismático e sim do desenvolvimento de uma organização visionária que perdure além do líder. O papel de liderança deixa de ser uma questão de *status* e poder privilegiado, com um fim em si próprio, e passa a ser um processo de longo prazo, mais complexo e participativo. Como será constantemente enfatizado neste livro, uma vez tendo estabelecido a visão, os líderes assumem a atitude e o comportamento de um líder servidor. Devido a sua importância, as atitudes e as ações da liderança servidora são discutidas em detalhe no Capítulo 18, "Liderança servidora".

Em organizações de alto desempenho, as práticas de liderança dão apoio à cooperação e ao envolvimento. A liderança é exercida em todos os níveis da organização. Líderes da cúpula vivenciam os valores da organização. Eles incorporam e estimulam um espírito de investigação e descobrimento. Ajudam os outros a ter uma visão de conjunto. Agem como professores *e* aprendizes por toda a vida. São visíveis em sua liderança e têm a força para se manterem firmes quanto a decisões e valores estratégicos nos negócios. Eles mantêm a energia de todos focada no alvo da excelência.

Em organizações de alto desempenho, a liderança não é o território exclusivo de líderes oficialmente designados; ela surge em toda parte. Indivíduos com habilidades especiais se apresentam conforme a necessidade.

O teste HPO SCORES®: como sua organização se sai?

Para começar a entender o estado atual da sua organização, reserve alguns minutos para completar o teste a seguir, baseado em algumas das perguntas do HPO SCORES® Profile, uma avaliação organizacional desenvolvida como parte de um projeto de pesquisa.[5] Também incluímos algumas perguntas adicionais sobre liderança.

Teste HPO SCORES®

Em uma escala de 1 a 7, até que ponto você discorda de ou concorda com as seguintes afirmações?

1 = Discordo totalmente

2 = Discordo

3 = Discordo parcialmente

4 = Sou neutro

5 = Concordo parcialmente

6 = Concordo

7 = Concordo totalmente

Informações compartilhadas e comunicação aberta (S)

___1. As pessoas têm fácil acesso às informações de que precisam para cumprirem seu trabalho com eficácia.
___2. Planos e decisões são comunicados de forma claramente inteligível.

Visão cativante: propósito e valores (C)

___1. A liderança está alinhada com uma visão e valores compartilhados.
___2. O pessoal demonstra paixão pelo propósito e pelos valores compartilhados.

Aprendizagem contínua (O)

___1. As pessoas recebem um apoio eficaz para desenvolver novas habilidades e competências.
___2. Sua organização incorpora continuamente novas aprendizagens às formas já padronizadas de conduzir os negócios.

Foco incansável em resultados voltados ao cliente (R)

___1. Todos mantêm o mais alto padrão de qualidade e de serviços.
___2. Todos os processos de trabalho são planejados para facilitar que seus clientes façam negócios com você.

Sistemas e estruturas energizados (E)

___1. Os sistemas, as estruturas e as práticas formais e informais de sua organização estão integrados e alinhados.
___2. Os sistemas, as estruturas e as práticas formais e informais facilitam o trabalho das pessoas.

Poder compartilhado e alto nível de envolvimento (S)
___1. As pessoas têm oportunidade de influenciar as decisões que as afetam.
___2. As equipes são usadas como veículo para a realização de tarefas e para influenciar decisões.

Liderança[6]
___1. Os líderes acreditam que liderar é servir e não ser servido.
___2. Os líderes removem barreiras para ajudar as pessoas a se concentrarem em seu trabalho e em seus clientes.

Como sua organização se saiu?

É possível obter um total de 14 pontos para cada um dos elementos e para a questão adicional sobre liderança.

Some os pontos de cada elemento para determinar o nível de sua organização nesse elemento.

Pontuação 12 – 14 = Alto desempenho
Pontuação 9 – 11 = Médio
Pontuação de 8 ou menos = Oportunidade de melhoria

Como devo usar os resultados do meu teste?

Apesar desse teste poder ajudá-lo a determinar se sua organização tem alto padrão de desempenho, seu objetivo principal é servir de guia para a sua leitura. Embora as seções e os capítulos deste livro estejam organizados em uma sequência lógica, talvez essa ordem não seja a que mais interessa para você e para sua organização atualmente. Se obteve 8 pontos ou menos em qualquer elemento do teste HPO SCORES®, pode ser interessante começar o trabalho com um foco específico nessa área.

Embora para nós faça mais sentido se concentrar primeiramente em estabelecer o alvo e a visão certos (Seção I), para você pode ser melhor começar pelo tipo certo de liderança (Seção IV). Alguns de nossos clientes, por exemplo, têm uma longa história no estabelecimento do alvo e da visão certos, mas nos últimos anos, alguns líderes que servem a si mesmos têm chegado ao topo e provocado uma ruptura entre a visão e os valores oficialmente adotados e a visão e os valores realmente praticados. Outros clientes têm uma boa ideia de quais são o alvo e os valores certos, mas não estão tratando bem seus clientes. Se isso lhe parece familiar, talvez seja recomendável começar pela Seção III, "Trate bem os seus clientes".

Caso não tenha identificado área problemática específica, recomendamos que comece pelo início e avance na sequência planejada de seções enquanto aprende a criar uma organização de alto desempenho.

2
O poder da visão

Jesse Stoner, Ken Blanchard e Drea Zigarmi

Quando líderes que exercem sua função em alto nível entendem o resultado quádruplo como o alvo certo – ser o fornecedor preferido, o empregador preferido, o investimento preferido e o cidadão corporativo preferido – é hora de fazer com que a energia de todos se concentre em uma visão cativante.

A visão conclama a organização a ser verdadeiramente grande, não apenas a superar a concorrência e ganhar muito dinheiro. Uma visão magnífica expressa as esperanças e os sonhos das pessoas, toca seus corações e suas almas, e as ajuda a ver como podem contribuir. Assim, vira todo mundo na direção certa.

A importância da visão

Por que é tão importante que líderes tenham uma visão clara? Porque...

... liderar é ter um destino certo. Se você e seu pessoal não sabem para onde vão, sua liderança nada significará.

Alice aprendeu isso quando procurava uma saída do País das Maravilhas e chegou a uma encruzilhada. "Você poderia, por favor, dizer-me em que direção devo ir?", ela perguntou para o Gato Risonho. "Isso depende muito do lugar para onde você quer ir", respondeu o gato. Alice falou que não tinha uma preferência. O sorridente gato respondeu, então, categoricamente: "Nesse caso, o rumo a tomar não tem a menor importância".

Jesse Stoner realizou um estudo abrangente que demonstrou o impacto poderoso da visão e da liderança no desempenho organizacional.[1] Ela coletou informações junto aos membros de equipes de mais de 500 líderes. Os resultados foram surpreendentes. Líderes que demonstravam uma forte liderança visionária tinham as equipes de mais elevado desempenho. Líderes com boa capacidade de gestão, mas carentes de visão, tinham equipes com desempenho médio. Líderes identificados como fracos, tanto em termos de visão quanto em capacidade de gestão, tinham equipes de baixo desempenho.

O maior bloqueio que impede grande parte dos gerentes de serem ótimos líderes é a falta de uma visão clara para que todos atuem como servidores. Em menos de 10% das organizações que Jesse visitou os colaboradores tinham uma visão clara nesse aspecto. Essa falta de uma visão compartilhada faz com que as pessoas sejam atropeladas por múltiplas prioridades, duplicação de esforços, tentativas abortadas e energia desperdiçada – nada que apoie a ideia do tripé de resultados.

Uma visão constrói confiança, cooperação, interdependência, motivação e responsabilidade mútua pelo sucesso. Uma visão permite que as pessoas façam as escolhas certas, já que suas decisões estão sendo tomadas com um resultado final em mente. À medida que os objetivos são alcançados, a resposta para a pergunta "o que fazemos a seguir?" torna-se clara. Uma visão nos permite agir a partir de uma posição proativa, indo na direção do que queremos, em vez de reativamente afastar-nos daquilo que não queremos. Uma visão nos dá poder e nos anima a alcançar o que realmente desejamos. Como dizia Peter Drucker, o falecido guru da administração moderna, "a melhor forma de prever seu futuro é criá-lo".

Declarações de visão eficazes *versus* declarações ineficazes

Muitas organizações ostentam declarações de visão, mas a maioria delas parece irrelevante quando observamos a organização e para onde ela realmente está rumando. O objetivo de uma declaração de visão é criar uma organização alinhada onde todos trabalham juntos para os mesmos fins almejados.

> *A visão fornece orientação para decisões diárias a fim de que as pessoas trabalhem em direção ao alvo certo e não com objetivos conflitantes.*

Como saber se a sua declaração de visão funciona? Eis o teste: por acaso ela está escondida em algum arquivo esquecido ou emoldurada na parede como peça decorativa? Se esse for o caso, não está funcionando. É usada de forma prática para guiar a tomada de decisões diárias? Se a sua resposta for sim, sua declaração de visão está funcionando.

Criando uma visão que realmente funcione

Por que não há um maior número de líderes com visão? Achamos que é por falta de conhecimento. Muitos líderes – como o ex-presidente George H. W. Bush – dizem que simplesmente não entendem "esse negócio de visão". Reconhecem que ter uma visão é desejável, mas não têm certeza de como criá-la. Para esses líderes, uma visão é algo indefinível – algo magicamente outorgado somente a poucos dentre os escolhidos. Intrigada com a possibilidade de tornar a visão acessível a todos os líderes, Jesse Stoner se juntou a Drea Zigarmi para identificar os elementos-chave de uma visão cativante – algo realmente capaz de inspirar as pessoas e fornecer uma direção. Em "From Vision to Reality", Jesse e Drea identificaram os três elementos-chave de uma visão cativante.[2]

- **Propósito significativo** – Qual é o seu ramo de atuação?
- **Uma imagem clara do futuro** – Como será seu futuro, no caso de ser bem-sucedido?
- **Valores claros** – O que norteia seu comportamento e suas decisões diariamente?

Uma visão deve incluir os três elementos para que seja inspiradora e duradoura. Vamos explorar esses elementos com alguns exemplos reais.

Propósito significativo

O primeiro elemento de uma visão cativante é um propósito significativo. Esse propósito elevado é a razão de ser de sua organização. Ele responde à pergunta "por que" em vez de apenas explicar o que você faz. E esclarece, do ponto de vista do seu cliente, *exatamente* qual é o seu negócio.

Walt Disney começou seus parques temáticos com um propósito claro. Ele disse: "estamos no negócio da felicidade". Isso é muito diferente de estar no ramo dos parques temáticos. Propósitos claros impulsionam tudo que os membros do elenco Disney (os colaboradores) fazem a seus convidados (clientes). Estar no negócio da felicidade ajuda os membros do elenco a compreender seu papel principal na empresa.

Uma iniciativa maravilhosa de Orlando, Florida, chamada Give Kids the World, é uma entidade sem fins lucrativos da Make-A-Wish Foundation. Crianças com doenças terminais, e que sempre quiseram visitar Disney World, SeaWorld ou qualquer outra atração em Orlando, têm oportunidade de fazê-lo através da Give Kids the World. Desde 1986, a organização levou mais de 160 mil crianças e famílias a Orlando para uma semana de estadia, sem qualquer custo para elas. A organização acha que uma criança doente é um assunto que envolve toda a sua família; portanto, a família inteira vai a Orlando. Se você perguntar aos colaboradores em que ramo trabalham, dirão que estão no ramo das experiências memoráveis – querem criar experiências inesquecíveis para essas crianças e suas famílias.

Em uma visita à Give Kids the World, um de nossos colegas passou por um homem que estava cortando a grama. Curioso para verificar até que ponto a missão da organização fazia parte da cultura dos colaboradores, nosso colega perguntou ao homem: "Qual é o ramo de atuação da Give Kids the World?".

O homem sorriu e disse: "Criamos experiências memoráveis".

"Como *você* faz isso?", nosso associado perguntou. "Afinal, você apenas corta a grama."

O homem respondeu: "Certamente não criarei experiências memoráveis se continuar cortando a grama quando uma família chegar aqui. Sempre percebo quem é a criança doente, então, pergunto se ela, ou um irmão ou irmã, quer me ajudar com minhas tarefas".

Não é uma atitude maravilhosa? Essa maneira de pensar o ajuda a se manter focado em servir quem frequenta a Give Kids the World.

> *Grandes organizações têm um senso de propósito profundo e nobre – um propósito significativo – que inspira entusiasmo e comprometimento.*

Quando o trabalho é significativo e conectado àquilo que realmente desejamos, conseguimos liberar um poder produtivo e criativo como nunca imaginamos. Mas propósito, por si só, não basta, porque não lhe diz para onde você está indo.

Uma imagem clara do futuro

O segundo elemento de uma visão arrebatadora é ter uma imagem clara do futuro. A imagem do resultado final não deve ser abstrata. Deve ser uma imagem mental que você realmente possa enxergar. O poder das imagens já foi descrito por muitos psicólogos da área de esportes, incluindo Charles Garfield em *Peak Performance: Mental Training Techniques of the World's Greatest Athletes*. Inúmeros estudos demonstram que as imagens mentais não só elevam o desempenho, como também elevam a motivação.[3]

A imagem de futuro de Walt Disney foi expressa no encargo que ele deu a cada membro de sua equipe: "Que o sorriso no rosto das pessoas ao deixarem o parque seja o mesmo de quando entraram". Disney não queria saber se os visitantes permaneciam no parque duas horas ou dez horas. Só queria que continuassem sorrindo. Afinal, a empresa estava no negócio da felicidade. Sua imagem de futuro deveria focar-se no resultado final, não no processo necessário para chegar lá.

A imagem de futuro da Give Kids the World é fazer com que, na última semana de vida das crianças que estiveram lá, elas ainda estejam rindo e falando com suas famílias sobre a experiência que viveram em Orlando.

Algumas pessoas usam erroneamente o Projeto Apolo como um exemplo de visão. Trata-se de um exemplo magnífico do poder de criar uma imagem clara de futuro, mas não é um exemplo de visão. Em 1961, quando o presidente John F. Kennedy articulou uma imagem de futuro – colocar um homem na Lua até o final dos anos 60 e trazê-lo de volta com segurança – os Estados Unidos não tinham sequer criado a tecnologia para realizá-la. Para alcançar esse objetivo, a Nasa superou obstáculos que pareciam intransponíveis, demonstrando o poder da articulação de uma imagem de futuro. Uma vez alcançado seu objetivo, a Nasa nunca mais recriou essa realização espetacular porque não estava vinculada a um propósito significativo. Jamais houve uma resposta à pergunta "por que". Seria o objetivo "vencer os russos", "dar início à iniciativa de defesa espacial", ou – no espírito de *Star Trek* – "ir audaciosamente onde nenhum homem jamais estivera"? Como não havia um propósito claro, não havia como guiar a tomada de decisões para seguir em frente e responder a pergunta "o que fazer depois?". O segundo elemento – uma imagem clara do futuro – é poderoso, mas, por si só, não cria uma visão duradoura.

Valores claros

O terceiro elemento de uma visão arrebatadora é ter valores claros, e organizações de alto desempenho os têm. Valores definem a liderança e como os colaboradores irão agir no dia a dia enquanto cumprem o seu trabalho.

Os valores fornecem diretrizes de como você deve agir à medida que persegue seus objetivos e sua imagem de futuro. Eles respondem às perguntas "quais são os valores que norteiam minha vida?" e "de que forma?". Precisam ser claramente descritos para que você saiba exatamente quais comportamentos demonstram que aquele valor está sendo seguido. Valores precisam ser aplicados na prática de forma coerente; caso contrário, não passarão de boas intenções. É preciso que estejam em consonância com os valores pessoais dos membros da organização para que as pessoas possam realmente segui-los.

Os valores precisam ser um apoio para os propósitos da organização. Robert Johnson fundou a Johnson & Johnson com o propósito de mitigar a dor e combater doenças. O propósito e os valores da empresa, refletidos em seu credo, continuam a guiá-la. Usando seus valores para orientar suas decisões, a Johnson & Johnson rapidamente recolheu todas as cápsulas de Tylenol em todo o território dos Estados Unidos por ocasião de um incidente de adulteração ocorrido na área de Chicago em 1982. O custo imediato foi considerável, mas, como não sabia a extensão da adulteração, a empresa não queria arriscar a segurança de ninguém. No fim das contas, o resultado quádruplo da Johnson & Johnson foi cumprido, o que foi demonstrado pelos ganhos da empresa a longo prazo em termos de reputação e lucratividade.

Muitas das organizações que têm valores às vezes os têm em demasia. Pesquisas feitas por Ken Blanchard e Michael O'Connor demonstram que as pessoas não conseguem se concentrar em mais do que três ou quatro valores que realmente causem impacto em seu comportamento.[4] Também descobriram que, em algumas organizações, vale a pena ordenar os valores. Por quê? Porque a vida está cheia de conflitos de valores. Quando esses conflitos surgem, as pessoas precisam saber em quais valores devem se concentrar.

Os parques temáticos da Disney, por exemplo, têm quatro valores em ordem de importância: segurança, cortesia, espetáculo e eficiência. Por que a segurança está no topo da lista? Walt Disney sabia que se qualquer um dos clientes saísse de um de seus parques carregado numa maca, não teria no rosto o mesmo sorriso com que havia chegado ali.

O segundo valor em importância, a cortesia, diz respeito à atitude amigável que todos esperam em um parque da Disney. Por que é importante saber que esse é o segundo valor em ordem de importância? Suponhamos que um dos membros do elenco Disney está respondendo perguntas de algum visitante de forma simpática e polida, e ouve um grito que não esteja vindo de alguma montanha-russa. Se esse colaborador quiser agir de acordo com os valores do parque em ordem de importância, pedirá licença polidamente e correrá com toda a pressa possível na direção do grito. Por quê? Porque o valor número 1 acabou de chamar. Se os valores não estivessem em ordem de importância, e o colaborador estivesse apreciando a interação com o visitante, talvez dissesse algo como "sempre tem alguém gritando no parque", e não se moveria na direção do grito. Depois, alguém poderia perguntar: "Você era o mais próximo do local de origem do grito. Por que não fez nada?". A resposta poderia ser: "Eu estava exercendo a cortesia, um dos nossos valores". Nessa situação, haveria um conflito de valores, e o membro do elenco não teria como obedecer aos dois ao mesmo tempo.

Ordenar os valores é útil em algumas empresas, como a Disney, mas nem sempre é necessário. Como discutido na introdução, nossa empresa tem uma filosofia de "tanto/quanto", então temos três valores orientados para pessoas e três valores orientados para resultados. Em cada uma dessas categorias, nenhum valor é mais importante do que os demais. Assim, decidimos que todos os valores precisam ser considerados na tomada de decisões.

Para que uma visão perdure, você precisa que os três elementos – um propósito significativo, uma imagem clara de futuro e valores claros – orientem o comportamento no dia a dia. Martin Luther King Jr. descreveu sua visão em seu discurso "I Have a Dream" (Eu Tenho um Sonho). Ao descrever um mundo em que seus filhos "não seriam julgados pela cor de sua pele, mas sim pelo seu caráter", criou imagens poderosas e específicas originadas dos valores de fraternidade, respeito e liberdade para todos – valores que remetem àqueles presentes na fundação dos Estados Unidos. A visão de King continua a mobilizar e guiar pessoas mesmo depois de sua morte porque apresenta um propósito significativo, fornece uma imagem clara de futuro e descreve valores que repercutem nos sonhos e nas esperanças das pessoas.

Uma visão cativante cria uma cultura de grandeza

Uma visão cativante cria uma cultura sólida na qual a energia de todos os participantes da organização é alinhada. Isso tem como resultado confiança, satisfação do cliente, uma força de trabalho energizada e comprometida, e lucratividade. Em oposição, quando uma organização não age de acordo com os valores proclamados, a confiança e o comprometimento tanto de funcionário quanto de cliente se esvaem, afetando negativamente todos os aspectos da produção. A Ford, por exemplo, perdeu credibilidade e fatia de mercado quando seu valor proclamado – "Qualidade em Primeiro Lugar" – foi posto em xeque pela hesitação em assumir a responsabilidade pelos pneus Firestone defeituosos que equipavam o utilitário esportivo Explorer no ano 2000.[5]

A visão é o lugar em que tudo começa

As pesquisas demonstram sem equívocos o extraordinário impacto de uma visão compartilhada, ou ideologia central, no desempenho financeiro de longo prazo. As taxas cumulativas de retorno das HPOs pesquisadas por Collins e Porras foram seis vezes maiores que as das empresas "de sucesso" que eles examinaram, e 15 vezes maiores que as do mercado em geral ao longo de um período de 50 anos![6] Por tal motivo, a visão é o seu ponto certo de partida quando pretender incrementar os HPO SCORES® de sua organização e acertar no alvo pretendido.

Pesquisas realizadas no decorrer dos anos demonstraram, repetidamente, que uma característica essencial dos grandes líderes é sua capacidade de mobilizar pessoas em torno de uma visão compartilhada.[7]

Se não estiver a serviço de uma visão compartilhada, a liderança poderá tornar-se autosservidora. Os líderes começam a pensar que aquelas pessoas ali presentes têm o único objetivo de servir a eles, líderes, em vez de ao cliente. Organizações podem transformar-se em burocracias autosservidoras sempre que os líderes concentram suas energias em reconhecimento, poder e *status*, em vez de nos propósitos e objetivos maiores da organização. Os resultados desse tipo de comportamento acabam sempre vindo à tona.

Sempre que o líder conseguir esclarecer e compartilhar sua visão, ele poderá se concentrar em servir e satisfazer as necessidades das pessoas, entendendo que o papel da liderança é remover obstáculos e ajudar as pessoas a operar de acordo com a visão. Os maiores entre os líderes mobilizam seus liderados unindo as pessoas em torno de uma visão comum. Às vezes os líderes não se convencem disso de imediato, mas os grandes líderes cedo ou tarde chegam a essa conclusão.

Louis Gerstner Jr. é um exemplo perfeito do que pretendemos demonstrar. Quando Gerstner assumiu o comando da IBM em 1993 – em meio a agitação e instabilidade, pois os prejuízos líquidos anuais da empresa haviam chegado a um recorde de US$ 8 bilhões – ele também proclamou, segundo revelações da época: "A única coisa que a IBM não precisa é de uma visão". Muita gente nos perguntou o que pensávamos a respeito. Nossa resposta foi: "Tudo depende de como ele define visão. Se entende isso como um sonho paradisíaco, ele está absolutamente certo. O navio já está afundando. Mas, se tudo o que ele pretende fazer é tapar buracos, o navio não irá a lugar algum". Tivemos a satisfação de, dois anos depois, ler um artigo em *The New York Times*.[8] Nele, Gerstner admitiu que a IBM havia perdido a guerra pelo sistema operacional *desktop*, reconhecendo que a aquisição da Lotus significava que a companhia não havia planejado adequadamente o seu futuro. Admitiu que ele e sua equipe de executivos passavam muito tempo "planejando o futuro". Uma vez tendo Gerstner entendido a importância da visão, houve na empresa uma incrível mudança de rumos. Ficou claro que a fonte principal de poder do conglomerado estaria nas soluções integradas e por isso ele resistiu às pressões para fatiar a empresa. Em 1995, ao fazer o discurso principal na feira nacional da indústria de computadores, Gerstner articulou a nova visão da IBM – que a computação em rede seria o fator determinante da próxima etapa de crescimento da indústria e que essa seria a estratégia dominante em sua empresa. Naquele ano, a IBM deu início a uma série de aquisições que posicionou o setor de serviços como o segmento de mais rápido crescimento na empresa, com um acréscimo superior a 20% ao ano. Essa extraordinária mudança demonstrou que *a maior necessidade* da IBM era exatamente uma visão – uma visão compartilhada.

Quando a visão da organização é cativante, o resultado quádruplo é alcançado. O sucesso vai muito além da mera conquista de recompensas econômicas. A visão gera tremenda energia, entusiasmo e paixão, porque assim as pessoas sentem que estão fazendo a diferença. Elas entendem o que estão fazendo, e por quê. Desenvolve-se um sólido sentimento de confiança e respeito. Os executivos não se preocupam em controlar; pelo contrário, incentivam outros a assumir responsabilidades, pois as pessoas sabem que fazem parte de um todo alinhado. As pessoas assumem responsabilidade pelas próprias ações, assumem o controle do seu futuro, em lugar de esperar passivamente que ele venha a acontecer. Surgem os espaços para a criatividade e a disposição a ousar, a assumir riscos. As pessoas conseguem então dar sua contribuição ao estilo de cada uma, e essas diferenças são respeitadas, pois todos sabem que estão no mesmo barco – todos fazem parte de algo muito maior que "navega à todo vapor!".

Uma visão pode existir em qualquer lugar na organização

Não é preciso esperar pelo início de uma visão organizacional. A visão é responsabilidade de cada líder em cada nível da organização. Os líderes de departamentos ou de equipes podem criar uma visão compartilhada para seus setores mesmo quando isto não existe no restante da organização. Veja nosso trabalho de auxílio ao setor de impostos de uma das empresas presentes na lista das 500 da revista *Fortune*. O líder do departamento declarou:

> Começamos a entender nossas próprias expectativas, e as dos demais, juntamente com os sonhos de todos, e assim constatamos quão próximos estávamos uns dos outros. Encontramos maneiras de trabalhar em conjunto com maior eficiência e começamos a gostar muito mais do que fazíamos. Descobrimos, enfim, a nossa verdadeira função: "Produzir informações financeiras capazes de ajudar os líderes a tomarem decisões empresariais adequadas". Como resultado disso, começamos a conviver mais efetivamente

com os líderes da empresa. Nosso departamento conquistou maior credibilidade na empresa, e outros departamentos passaram a perguntar o que havíamos feito para avançar tanto em relação à situação anterior. Todos se empenharam em criar uma visão para seus próprios departamentos. Foi algo realmente contagioso.

Vezes sem conta, os líderes argumentam que não conseguem criar uma visão porque a organização, no seu todo, não possui uma. Mais uma vez, não é preciso esperar. O poder da visão trabalhará por você e por sua equipe, seja qual for o seu patamar na organização.

Faça de sua visão uma realidade

Em seu livro *Full Steam Ahead! Unleash the Power of Vision in Your Company and Your Life*, Ken Blanchard e Jesse Stoner definem visão como "saber quem você é, para onde está indo, e o que guiará sua jornada".[9] *Saber quem você é* representa ter um propósito significativo. *Saber para onde está indo* é ter uma imagem clara do futuro. *O que guiará sua jornada* são valores claros. Contudo, apenas visão não basta. Para que a visão se torne realidade – uma visão compartilhada capaz de mobilizar as pessoas – Ken e Jesse identificam três diretrizes que todos devem seguir: como a visão é criada, como é comunicada e como é vivenciada.

Como é criada

O processo de criação da visão é tão importante quanto o que ela afirma. Em vez de levar o alto escalão de gerência a um local isolado para elaborar a visão e depois anunciá-la aos outros, encoraje o diálogo sobre a visão. Se, por um lado, a responsabilidade inicial de delinear uma visão organizacional é competência do alto escalão de gerência, por outro, a organização precisa colocar em funcionamento mecanismos que permitam que outros tenham uma oportunidade de ajudar a moldar a visão – para que possam colocar nela sua impressão digital.

No caso de uma visão departamental ou de equipe, é possível criar a visão como uma equipe. Mesmo que o líder tenha uma ideia de para onde está indo, é importante que ele confie e utilize o conhecimento e as habilidades das pessoas da equipe para obter a melhor visão.

Como quer que você delineie a visão inicialmente, é importante que obtenha as contribuições daqueles a quem essa visão irá afetar antes de finalizá-la. Faça as seguintes perguntas: "Você gostaria de trabalhar para uma organização com essa visão? Consegue divisar o seu lugar nessa visão? Ela o ajuda a estabelecer prioridades? Ajuda a fornecer diretrizes para a tomada de decisões? É emocionante e motivadora? Esquecemos de alguma coisa? Devemos suprimir alguma coisa?". O envolvimento das pessoas aprofunda sua compreensão e comprometimento e cria uma visão mais adequada.

Como é comunicada

Criar uma visão – para sua organização ou seu departamento, seu trabalho e sua vida – é uma jornada completa, jamais a atividade de apenas um dia.

Em algumas organizações, a declaração de visão pode ser encontrada emoldurada na parede, mas ela não fornece direção, ou pior, não tem nada a ver com o que realmente acontece. Isso desanima as pessoas. Ter uma visão é um processo constante; é preciso mantê-la viva. É importante falar da visão constantemente e referir-se a ela tanto quanto possível. Max DuPree, o lendário ex-presidente da Herman Miller e autor de *Leadership Is an Art*, disse que, em seu papel de visionário, precisava agir como um professor de terceira série do ensino fundamental. Era necessário repetir a visão muitas, muitas e muitas vezes até que as pessoas finalmente a entendessem! Quanto mais você se concentrar em sua visão, mais clara ela se tornará, e mais profundamente a entenderá. Na verdade, certos aspectos daquilo que você achava que era a visão podem mudar com o tempo, mas sua essência permanecerá.

Como é vivenciada

No momento em que identificar sua visão, você deve agir como se ela já tivesse sido implementada. Suas ações devem ser congruentes com sua visão. À medida que outros o veem vivendo conforme a visão, acreditarão na seriedade de suas intenções, e isso os ajudará a aprofundar seu entendimento e comprometimento. Duas estratégias o ajudarão a viver conforme sua visão:

- **Mantenha-se focado em sua visão** – Sua visão deve ser o alicerce de sua organização. Se um obstáculo ou imprevisto desviá-lo do caminho, talvez tenha que mudar seus objetivos de curto prazo, mas sua visão deve ser duradoura. Mudanças sempre surgem. Imprevistos podem acontecer. Encontre uma forma de reenfocar o que está acontecendo como um desafio ou uma oportunidade no caminho da vivência de sua visão.

- **Demonstre a coragem do comprometimento** – O comprometimento verdadeiro começa quando você age. Sentirá medo; enfrente-o e siga em frente. É necessário coragem para criar uma visão, e é necessário coragem para segui-la. Nas palavras de Goethe, "tudo aquilo que puder fazer, ou sonhar que seja possível, comece a fazer. A ousadia é feita de gênio, poder e magia".

Visão e liderança

Visão sempre remete a liderança. As pessoas olham para seus líderes formais em busca de visão e direção. Se é verdade que os líderes precisam fazer os liderados participarem da definição do rumo a ser seguido, a responsabilidade final pelo aspecto *visionário/diretivo* da liderança permanece nas mãos dos líderes e não pode ser delegada a outros. É aqui que a pirâmide hierárquica tradicional é eficaz (ver Figura 2.1).

A criação de uma visão não é o tipo de atividade que pode ser assinalada como cumprida numa lista de tarefas. É um dos papéis continuados mais sérios de um líder bem-sucedido. Representa a diferença entre o desempenho superior e o mediano – na organização como um todo, em um departamento ou numa equipe.

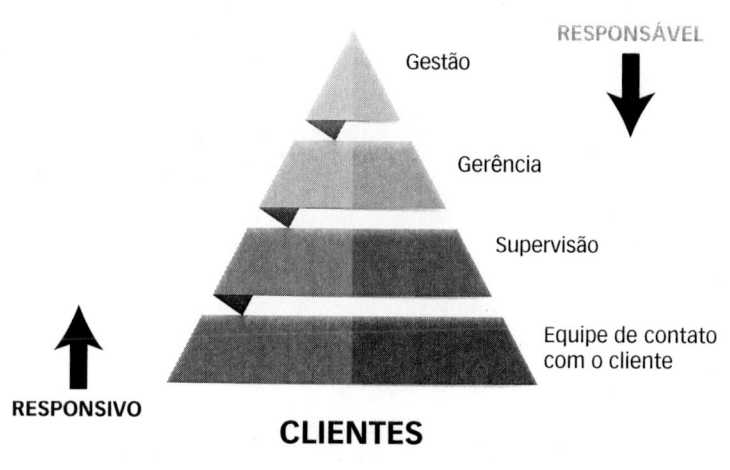

FIGURA 2.1 O papel visionário da liderança.

Uma vez tendo concordado quanto a uma visão, o papel do líder passa a ser de implementação, para garantir que as pessoas respondam à visão. A pirâmide hierárquica tradicional se inverte e o líder passa a apoiar as pessoas para que realizem a visão (ver Figura 2.2).

O líder as apoia removendo barreiras; garantindo que políticas, práticas e sistemas ajudem as pessoas a cumprir com a visão; e cobrando de si mesmo, de seus colegas e de seus colaboradores a responsabilidade por agir de forma consistente em relação a ela. Dessa forma, o líder garante que as pessoas servem à visão, e não ao líder.

Em seu livro *Gung Ho! Turn On the People in Any Organization*, Ken Blanchard e Sheldon Bowles descrevem os três fatores que dão vida a uma visão organizacional arrebatadora.[6]

Em primeiro lugar, as pessoas precisam ter um *trabalho significativo*. Em muitos sentidos, é disso que trata este capítulo. As pessoas precisam de um propósito elevado e valores compartilhados que guiem todos os planos, as decisões e as ações. Um trabalho significativo faz com que as pessoas acordem de manhã com vigor e vontade de trabalhar.

Em segundo lugar, as pessoas precisam *ter o controle da realização do objetivo*. Quando sabem por que estão trabalhando e para onde isso as conduz, elas dedicam o máximo de sua capacidade mental ao empreendimento. Ser responsável exige o melhor das pessoas e permite que elas aprendam e ajam com se fossem donas do negócio.

CLIENTES

Equipe de contato com o cliente

Supervisão

Gerência

Gestão

RESPONSÁVEL

RESPONSIVO

FIGURA 2.2 O papel implementador da liderança.

Em terceiro lugar, para continuar a gerar energia, as pessoas precisam *ser constantemente valorizadas e reconhecidas e também valorizar e reconhecer os outros*. De tudo que ensinamos durante todos esses anos, nunca é demais enfatizar o poder que existe em flagrar os outros fazendo as coisas certas e destacar o que é positivo.

Ter controle da realização de objetivos e *ser constantemente reconhecido e reconhecedor* nos levam à Seção II, "Trate bem o seu pessoal". Nela, exploramos ambos aspectos da liderança: o papel visionário diretivo, com ênfase no estabelecimento de metas, e o papel implementador, com ênfase na concretização de objetivos.

Recurso online

Visite o site www.leadingatahigherlevel.com para assistir à sessão virtual grátis "Set Your Sights on the Right Target and Vision". Use a senha "Target" para obter acesso GRATUITO.

SEÇÃO II
Trate bem o seu pessoal

Capítulo 3 O empoderamento é a chave. 43

Capítulo 4 SLII®: o conceito integrador 61

Capítulo 5 Autoliderança: o poder por trás
do empoderamento 77

Capítulo 6 Liderança de pessoa a pessoa. 89

Capítulo 7 Habilidades essenciais para a liderança de
pessoa a pessoa. 111

Capítulo 8 Construção da confiança 127

Capítulo 9 *Coaching*: uma competência fundamental
para o desenvolvimento de lideranças 139

Capítulo 10 Mentoria: o segredo do planejamento de vida . . . 153

Capítulo 11 Liderança de equipes 163

Capítulo 12 Colaboração: o combustível do
alto desempenho 187

Capítulo 13 Liderança organizacional 197

Capítulo 14 Mudança organizacional: por que as
pessoas resistem 215

Capítulo 15 Liderança de pessoas ao longo da mudança..... 231

Capítulo 16 Gerenciando uma transformação
cultural de sucesso 255

3
O empoderamento é a chave

Alan Randolph e Ken Blanchard

O que as melhores empresas do mundo fazem para ganhar constantemente da concorrência? Contam com uma equipe de trabalho entusiasmada com a sua visão e motivada a prestar aos clientes um serviço de nível realmente superior. Como se cria essa equipe altamente motivada? A chave é o *empoderamento.*

Empoderar significa permitir que as pessoas usem seu conhecimento, sua experiência e sua motivação para criar um robusto resultado quádruplo. Líderes de empresas bem administradas sabem que empoderar as pessoas cria resultados positivos que são simplesmente impossíveis de concretizar quando toda a autoridade está concentrada no topo da hierarquia e aos gestores é atribuído todo o crédito pelo sucesso.

> *As pessoas já têm poder pelo seu conhecimento e pela sua motivação. A chave do empoderamento é liberar esse poder.*

O ideal é que o poder das pessoas não fique concentrado exclusivamente nos resultados organizacionais – como um excepcional serviço ao cliente e objetivos financeiros – mas no bem maior.

Acreditamos que as organizações funcionam melhor quando podem depender das contribuições individuais de pessoas que tomam a iniciativa para ir além da identificação de problemas e que passam a solucionar esses problemas. Contudo, como a maioria de nós tem experiência apenas em organizações hierarquizadas, todos temos muito a aprender sobre como fazer a mudança para uma cultura de empoderamento.

O que é empoderamento?

O empoderamento é o processo de liberar o poder que existe nas pessoas – seu conhecimento, sua experiência e sua motivação – e direcionar esse poder à concretização de resultados positivos para a organização. A criação de uma cultura voltada ao empoderamento consiste em apenas alguns passos cruciais. Porém, como eles desafiam os pressupostos da maioria das pessoas, são muitas vezes difíceis de seguir, tanto para a gerência quanto para os colaboradores diretos.

> *Empoderar demanda uma transformação enorme em termos de atitude. E essa transformação deve ocorrer especialmente no coração de cada líder.*

Para que o empoderamento funcione, os líderes precisam se encher de confiança e se lançar à luta contra tudo que parece simplesmente hábito e tradição. Contudo, a maioria dos gestores continua a definir o empoderamento como "dar às pessoas o poder de tomar decisões". Talvez essa definição equivocada explique por que tantas empresas têm dificuldade em engajar os corações e as mentes de seu pessoal. Definir empoderamento como "o gerente dando poder às pessoas" mantém a ideia de que o gerente é o controlador e deixa de lado o principal, isto é, que *as pessoas já possuem muito poder* – o poder do seu conhecimento, da sua experiência e da sua motivação interna. Preferimos a seguinte definição:

> *O empoderamento é a criação de um ambiente organizacional que libera o conhecimento, a experiência e a motivação inerentes às pessoas.*

Infelizmente, isso é mais fácil dizer do que fazer. Outros participantes podem bloquear essa liberação de poder, e a força de um passado arraigado costuma inibir a mudança para o empoderamento.

Subordinados diretos também entendem mal o empoderamento. Muitos deles entendem que se o poder for passado a eles, terão ampla liberdade para fazer o que quiserem e tomar todas as decisões fundamentais sobre seu trabalho. Frequentemente, esses colaboradores não conseguem entender que o preço da liberdade é compartilhar riscos e responsabilidades. Isso é especialmente verdadeiro em um ambiente posterior à lei Sarbanes-Oxley de supervisão contábil e responsabilidade corporativa.[1] De fato, uma cultura de empoderamento requer muito mais responsabilidade por parte de colaboradores do que uma cultura hierárquica. No entanto, é justamente esse aumento assustador de responsabilidade que envolve as pessoas e dá a elas uma sensação de plenitude. As oportunidades e os riscos advindos do poder de decisão dão vigor tanto aos colaboradores quanto aos gestores.

O poder por trás do empoderamento

O empoderamento funciona na vida real? Pode apostar que sim! Vários pesquisadores descobriram que, quando as pessoas são empoderadas, suas organizações se beneficiam em termos globais. Edward Lawler descobriu, por exemplo, que quando são atribuídos mais controle e responsabilidade às pessoas, suas empresas obtêm um maior retorno de vendas (10,3%) do que em empresas que não envolvem seu pessoal (6,3%).[2] A Trader Joe's é uma empresa varejista no segmento alimentício que encontrou um nicho em seu ramo de negócios, e é conhecida por ter passado a tomada de decisões para o nível de atendimento da loja. Em um período de oito anos, o crescimento de suas vendas anuais aumentou de 15% para 26%, as vendas por loja aumentaram 10% por ano, e o número de lojas aumentou quase 100%. Além disso, o volume total de vendas aumentou mais de 500%. Se é verdade que outros fatores também contribuíram para esse incremento nas vendas, certamente seus colaboradores com poder de decisão foram elementos fundamentais para o sucesso da Trader Joe's.[3]

Além das claras evidências de uma relação positiva entre o empoderamento e o desempenho, acadêmicos como Thomas Malone também acreditam que o empoderamento é essencial para empresas que desejam ser bem-sucedidas na nova economia baseada no conhecimento.[4]

Como o passado Impede a mudança para o empoderamento

A maioria das pessoas tem um passado de trabalho dependente de comando e controle externos. As perguntas a seguir nos são todas muito familiares:

Na escola: "O que será que a minha professora quer que eu faça para ter uma boa nota?"

No trabalho: "O que será que meu chefe quer que eu faça?"

Como passamos nossas vidas inseridos em uma estrutura de pensamento hierarquizado, estamos muito menos acostumados a lidar com perguntas como:

Na escola: "O que quero aprender nessa aula?"

"Como saberei se aprendi alguma coisa útil para mim?"

No trabalho: "O que devo fazer para ajudar minha empresa a ter sucesso?"

Esse é o tipo de pergunta que surge – e que exige respostas – quando uma cultura organizacional começa a apoiar o empoderamento. O presidente John Kennedy exigiu uma resposta para esse tipo de pergunta quando desafiou os americanos: "Não pergunte o que seu país pode fazer por você; pergunte o que você pode fazer pelo seu país".[5]

Muitos de nós temos habilidades como pais, professores e administradores aprendidas a duras penas e que cumprem as expectativas de cada papel, pressupondo-se uma responsabilidade hierárquica. De fato, sentimos que é nossa responsabilidade como pais, professores ou administradores dizer às pessoas o que fazer, como fazer e por que fazer. Sentimos que estaríamos nos esquivando de nossa responsabilidade se perguntássemos a crianças, alunos ou colaboradores:

"O que você acha que precisa ser feito e por que isso é importante?"

"Na sua opinião, quais devem ser seus objetivos?"

"Como você acha que deve proceder para atingir seus objetivos?"

Por saber que serão responsabilizados pelos resultados, muitos gestores ainda relutam em passar o controle para os colaboradores. Essa relutância é uma das causas principais da resistência ao empoderamento: gestores que sentem seu controle sendo ameaçado. Ironicamente, é pelo desenvolvimento de indivíduos e de equipes com capacidade e autonomia como substitutos da hierarquia que os gestores podem assumir com maior facilidade seus novos papéis de *coachs*, mentores e líderes de equipes.

Captando o poder e o potencial das pessoas: um exemplo da vida real

Se, por um lado, há uma curva de aprendizagem quando se migrar de uma cultura hierárquica para uma de empoderamento, os benefícios dessa mudança podem compensar todo o esforço por ela exigido, como mostra o estudo de caso a seguir.

Uma equipe de executivos de uma grande organização enfrentava enormes dificuldades em relação a um problema sério de trânsito na estrada para seu local de trabalho. A estrada atravessava mais ou menos 6,5 km de pântanos protegidos e não podia ser alargada sem que houvesse um impacto considerável ao meio ambiente. A cada manhã, o trânsito até o local engarrafava nos 6,5 km de estrada acrescentando uma hora ao tempo normal para chegar ao trabalho. O atraso e a irritação resultantes causavam uma queda significativa na produtividade.

Três anos antes, a equipe havia contratado consultores de trânsito para solucionar o problema. Seu trabalho se concentrara em uma futura ampliação da estrada e parecia promissor, mas suas tentativas de encontrar soluções de curto prazo fracassaram. Como último recurso, a direção resolveu reunir uma equipe de engenheiros, pessoal de escritório, operadores da linha de produção e representantes sindicais para encontrar soluções de curto prazo. Essa equipe se reuniu duas vezes por semana durante um mês. No final desse período, a equipe apresentou uma série de recomendações práticas.

A simplicidade das recomendações surpreendeu a direção. A equipe sugeriu, por exemplo, que fosse proibida a circulação de caminhões de entrega no local entre 6h e 9h. Como eram feitas muitas entregas nesse horário, essa sugestão imediatamente removeu boa parte do tráfego mais lento e pesado que obstruía a estrada. Outras recomendações também contribuíram para atenuar o problema. O resultado foi uma melhoria quase que instantânea no fluxo de trânsito.

No começo, a direção não acreditou que a equipe pudesse resolver o problema. Afinal, especialistas já haviam estudado o tema por três anos. No entanto, ao se voltarem ao seu próprio pessoal, os gestores liberaram um potencial oculto de conhecimento, experiência e motivação – e uma solução foi encontrada.

Aprendendo a linguagem do empoderamento

A adoção de uma cultura de empoderamento exige que se aprenda uma nova linguagem. Para entender as diferenças entre uma estrutura de comando e controle e a cultura de empoderamento, considere as seguintes palavras e expressões:

Cultura hierarquizada	Cultura de empoderamento
Planejamento	Visão
Comando e controle	Formação de parceria para o desempenho
Monitoramento	Automonitoramento
Responsabilidade individual	Responsabilização em equipe
Estruturas piramidais	Estruturas multifuncionais
Processos de fluxo de trabalho	Projetos
Gestores	*Coach*/líderes de equipes
Colaboradores	Membros de equipes
Administração participativa	Equipes autônomas
Faça como lhe mandam	Seja dono de seu cargo
Conformidade	Discernimento

Quando se compara as palavras e expressões nas duas listas, as diferenças de atitude, expectativas e comportamentos relacionados tornam-se claras. Por exemplo, *planejamento* sugere um processo controlado passo a passo, enquanto *visão* sugere uma abordagem mais holística e inclusiva. *Comando e controle* sugerem que o gestor determina o que se deve pensar e fazer, enquanto *formação de parcerias para o desempenho* sugere que a realização da visão está aberta para discussão e para receber sugestões de todos os envolvidos. *Monitoramento* sugere que alguém – em geral o gestor – deve verificar o desempenho de cada um e fornecer avaliações e *feedback* de desempenho, ao passo que *automonitoramento* sugere que todos têm clareza sobre quais são os objetivos e as habilidades para mensuração, assim como têm acesso a dados relevantes. Munidos assim, podem verificar seu próprio desempenho e fazer os ajustes comportamentais que precisam para continuar buscando os objetivos. *Faça como lhe mandam* exemplifica uma atitude de direcionamento externo. Ou seja: "quando lhe é dito o que deve fazer, faça-o, mas, por favor, não use sua inteligência ou seu discernimento, e não fique preocupado demais com os resultados – essa é uma função do gestor". Por outro lado, *seja dono de seu cargo* representa uma atitude de direcionamento interno: você se interessa pelos resultados e usa sua inteligência e seu discernimento para decidir de que maneira será bem-sucedido individualmente, em equipe e no âmbito organizacional.

Esse último exemplo pode esclarecer melhor a distinção básica entre uma cultura de empoderamento e uma hierarquizada. Nesta última, os indivíduos fazem em geral o que lhes é pedido sem pestanejar. Mesmo que saibam que uma tarefa não está sendo realizada da melhor maneira, ou que seja uma tarefa errada desde o início, as pessoas podem continuar a realizá-la com um espírito de obediência mal-intencionada. Por quê? Porque é por isso que são recompensadas e também é o que delas se espera que façam sob uma administração hierarquizada.

Já em uma cultura de empoderamento, os indivíduos respondem de forma diferente. Eles assumem o risco de desafiar tarefas e procedimentos quando sentem que não se coadunam com os melhores interesses da organização. São movidos por um sentimento de orgulho de suas funções e por uma sensação de que são donos dos resultados. As pessoas pensam sobre o que faz sentido em dada situação e agem de forma tanto a servir o cliente quanto a atingir os objetivos da organização.

As três chaves para o empoderamento

A jornada para o empoderamento exige uma forte liderança para dar suporte a essa mudança. Em seu livro *Empowerment Takes More Than a Minute*, Ken Blanchard, John Carlos e Alan Randolph afirmam que, para criar uma cultura de empoderamento, os líderes devem recorrer a três chaves: compartilhar informações, especificar quais são os limites e substituir a velha hierarquia por pessoas e equipes autodirigidas.[6]

A primeira chave para o empoderamento: compartilhe as informações com todos

Uma das melhores maneiras de nutrir um sentimento de confiança e responsabilidade nas pessoas é compartilhar informações. Fornecer aos membros de uma equipe as informações de que precisam permite que tomem boas decisões de negócios. Compartilhar informações às vezes significa revelar alguns dados considerados sigilosos, incluindo temas sensíveis e importantes como planos e estratégias de negócios para o futuro, dados financeiros, assuntos específicos do ramo de negócios ou áreas problemáticas. O fornecimento de informações mais completas às pessoas transmite confiança e uma sensação de que "estamos no mesmo barco". Isso ajuda as pessoas a pensar sobre a organização e sobre a inter-relação entre os vários grupos, recursos e objetivos de forma mais abrangente. Ao obterem acesso a informações que as ajudam a entender o quadro geral, as pessoas podem avaliar melhor como sua contribuição se encaixa e como seu comportamento causa impacto em outras áreas da organização. Tudo isso leva ao uso do conhecimento, da experiência e da motivação das pessoas de forma responsável e direcionada ao objetivo. Embora isso esteja na contramão da gestão hierarquizada, sustenta-se na seguinte premissa:

> *Pessoas sem informações precisas não podem agir responsavelmente; pessoas que têm informações precisas se sentem compelidas a agir com responsabilidade.*

Dando um exemplo próximo a nós, as Empresas Ken Blanchard, como muitas outras, foram negativamente afetadas pelos acontecimentos de 11 de setembro de 2001. De fato, a empresa perdeu US$ 1,5 milhão naquele mês. Para terminar o ano fiscal de forma equilibrada, a empresa teria que cortar em torno de US$ 350 mil de despesas por mês.

A equipe de liderança tinha algumas decisões muito difíceis a tomar. Um dos líderes sugeriu que o número de colaboradores fosse reduzido em pelo menos 10% para conter as perdas e ajudar a empresa a voltar à saúde financeira – uma reação típica na maioria das empresas.

Como ocorre com qualquer decisão de peso, membros da equipe de liderança analisaram a decisão de cortar colaboradores na época em relação aos nossos valores organizacionais em ordem de importância: comportamento ético, relacionamentos, sucesso e aprendizagem. A decisão de demitir pessoas em um momento tão difícil era ética? Para muitos, a resposta era não. Havia uma sensação generalizada de que, como a própria equipe ajudara a empresa a se tornar o que era, demitir pessoas em um momento como aquele simplesmente não era a coisa certa. A decisão de demitir honraria o elevado valor que a organização atribuía aos relacionamentos? Também não. Mas o que deveria ser feito? Não havia fórmula capaz de manter a empresa no rumo do sucesso perdendo dinheiro.

Sabendo que "nenhum de nós é tão esperto quanto todos juntos", a equipe de liderança decidiu recorrer aos conhecimentos e talentos de todos os colaboradores. Em uma reunião com toda a empresa, os livros contábeis foram abertos para mostrar a todos quanto a empresa perdia e a origem do problema. Essa política de "livro aberto" desencadeou uma enxurrada de ideias e aumentou o grau de comprometimento. Pequenos grupos de trabalho foram formados para encontrar maneiras de aumentar a receita e cortar os gastos. O resultado foi que departamentos em toda a empresa encontraram várias formas de minimizar gastos e maximizar a renda. Como Diretor Espiritual, Ken Blanchard incentivava as pessoas anunciando que todos iriam juntos para o Havaí quando a empresa superasse a crise. A reação consistia em alguns sorrisos respeitosos, embora muitos tivessem lá suas dúvidas.

Passados dois anos, a situação financeira gradualmente melhorou. Em 2004, a empresa conseguiu produzir o melhor nível de vendas de toda a sua história, ultrapassando sua meta anual. Em março de 2005, toda a empresa – 350 pessoas – voou para Maui, no Havaí, para uma comemoração de quatro dias.

Quando existe o compartilhamento de informações importantes em uma organização, os colaboradores passam a agir como gestores. Solucionam problemas de forma criativa, o que torna a celebração de vitórias algo ainda mais significativo. Por outro lado, líderes que relutam em compartilhar informações jamais terão colaboradores que sejam parceiros, administrando uma organização bem-sucedida e empoderada.

O compartilhamento de informações eleva o nível de confiança

Outro benefício poderoso do compartilhamento de informações é a elevação do nível de confiança na organização. Organizações burocráticas estão quase sempre à beira da falência em termos de confiança – os subordinados diretos não confiam na gerência e a gerência não confia nos subordinados diretos. Como consequência, as pessoas esbanjam montanhas de energia tentando proteger-se umas das outras. É importante compartilhar informações, mesmo que as notícias não sejam boas. Se ainda não foram tomadas decisões, compartilhe informações sobre o que está sendo discutido. Ao compartilhar informações sobre participação no mercado, custos reais, demissões em potencial e o real desempenho da empresa – ou seja, abrindo os livros para que todos possam ver

– a gerência começa a mostrar que tem confiança nas pessoas, que por sua vez demonstram a mesma confiança em relação à gerência.

Um alto gerente contou-nos que, de início, ficou temeroso ao compartilhar informações delicadas, mas que, quando decidiu arriscar, seus colaboradores reagiram com um entendimento mais maduro e uma sensação de apreço por terem sido incluídos. "Criou-se uma sensação tão forte de pertencimento", comentou o gerente, "muito mais do que eu imaginava. As pessoas começaram a vir com ideias para economizar dinheiro através da reestruturação de suas funções e da reorganização dos setores – ideias que anteriormente haviam provocado uma reação de pânico quando propostas pela gerência".

O compartilhamento de informações promove a aprendizagem organizacional

Uma das formas mais poderosas de compartilhar informações é por meio da aprendizagem organizacional, elemento-chave de organizações de alto desempenho.[7] Estamos falando de algo que vai além da mera aquisição de informação; significa realmente aprender a partir das informações e aplicar o que se aprendeu a novas situações.

Organizações de alto desempenho *buscam conhecimento* através da constante avaliação do ambiente, mantendo contato com seus clientes, não perdendo a concorrência de vista, analisando o mercado e acompanhando eventos mundiais. Coletam dados continuamente e os utilizam para fazer correções e desenvolver novas abordagens. Organizações de alto desempenho também procuram informações sobre seu desempenho interno. Tratam as falhas e os erros como dados importantes, reconhecendo que, com frequência, podem levar a novas possibilidades. É por esse motivo que o "Jeito H-P" da Hewlett-Packard inclui a frase: "Nos reservamos o direito de cometer erros".[8]

Organizações de alto desempenho *disseminam conhecimento* encorajando o diálogo, o questionamento e o debate. Isso vai na contramão de organizações tradicionais, onde as pessoas escondem as informações como forma de se proteger e estabelecer uma base de poder. Organizações de alto desempenho tornam as informações acessíveis – sabem que quando os dados não estão à mão, ou não são facilmente recuperáveis, as pessoas têm maior dificuldade de aprender e perdem boas oportunidades. Elas criam estruturas como equipes interfuncionais que ensinam as pessoas a transmitir o conhecimento que obtiveram, porque sabem que compartilhar conhecimento é crucial para o sucesso.

Projetistas de modelos novos na Ford Motor Company aprenderam essa lição da maneira mais difícil quando tentaram entender por que a equipe original de projeto do Taurus tivera tanto sucesso. Infelizmente, ninguém conseguiu esclarecê-los a respeito. Ninguém lembrava ou havia registrado o que tornara aquele esforço tão especial. O conhecimento obtido no projeto do Taurus perdera-se para sempre.[9]

Organizações de alto desempenho estão continuamente procurando formas de *incorporar conhecimentos a novos modos de fazer negócios*. Quando as informações não são reconhecidas ou compartilhadas, não é possível aplicá-las diretamente ao trabalho. Nas palavras de Michael Brown, ex-diretor geral de finanças da Microsoft:[10]

> A única forma de competir hoje em dia é tornar seu capital intelectual obsoleto antes que outro o faça.

A segunda chave para o empoderamento: crie autonomia além das fronteiras

Em uma cultura hierarquizada, as fronteiras mais se parecem com cercas de arame farpado. Foram projetados para controlar as pessoas, mantendo-as em certos lugares e não permitindo que entrem em outros. Em uma cultura de empoderamento, as fronteiras são mais parecidas com elásticos que se expandem para permitir que as pessoas assumam novas responsabilidades à medida que crescem e se desenvolvem.

Ao contrário do que acontece com os limites restritivos de uma cultura hierarquizada, os limites de uma cultura de empoderamento fornecem às pessoas informações de como elas *podem* ser autônomas e responsáveis, em vez de lhes dizer o que *não* podem fazer. Os limites têm como base o nível de habilidade das pessoas. Por exemplo, quem não está habilitado a fazer orçamentos fica sujeito a um limite – um teto para gastos – antes que lhe sejam atribuídas responsabilidades maiores. Em uma cultura de empoderamento, em vez de ficar sujeito a esses limites, tais pessoas recebem também treinamento a fim de desenvolver as habilidades necessárias ao exercício dessa maior autonomia. Um dos aspectos mais intrigantes da criação de uma cultura de empoderamento é que os gestores precisam começar pela criação de *mais* estruturas em vez de *menos*.

> *Como acontece com as riscas em uma quadra
> de tênis, as fronteiras em uma cultura
> de empoderamento ajudam as pessoas
> a manter o foco e melhorar seu jogo.*

Um bom exemplo de fronteira surgiu recentemente na experiência de um supervisor conhecido nosso, que ficava frustrado com o tempo que gastava cumprindo tarefas que, apesar de serem importantes do ponto de vista administrativo, não maximizavam seus talentos e habilidades. Uma das tarefas mais frustrantes consistia em encomendar pequenas ferramentas e materiais para a equipe cada vez que um membro da equipe vinha com um pedido. Dentro do espírito de empoderamento, ele ensinou os membros da equipe a fazer tais pedidos e permitiu o encaminhamento de pequenos pedidos diretamente, sem passar por sua autorização. No início, fixou um limite de compras – um teto de US$ 100 – mas, logo em seguida, ampliou o limite à medida que o nível de segurança da equipe (e o dele) cresceu. Como tinham a autorização para fazer encomendas de suprimentos sem ter que enfrentar a demora provocada pela necessidade da autorização do supervisor, os membros da equipe sentiram-se ótimos. O custo dos suprimentos diminuiu em 20%, pois as pessoas tomavam o cuidado de pedir apenas materiais de que realmente precisassem.

Limites ajudam as pessoas a entender tanto o quadro geral quanto os detalhes. Como vimos no Capítulo 2, "O poder da visão", as organizações precisam **criar uma visão cativante** que as motive e as oriente.

> *A visão organizacional é o quadro geral. As
> fronteiras dentro da organização ajudam
> as pessoas a enxergar como a sua peça do
> quebra-cabeça se encaixa nesse quadro.*

A especificação das fronteiras faz com que o quadro geral se transforme em ações específicas. Isso permite que as pessoas **estabeleçam metas** que ajudem a organização a atingir o objetivo geral. Essas metas não são vistas como fins em si, mas sim como marcos de progresso estabelecidos colaborativamente.

Especificar fronteiras também requer que os gestores **esclareçam as novas regras para tomar decisões**. Em um primeiro momento, os membros de equipe podem pensar que empoderamento significa "poderemos tomar todas as decisões". É comum que haja dois tipos de reações. A primeira é que os membros da equipe fiquem decepcionados quando os gestores continuam a tomar as decisões estratégicas e deixam para eles apenas as operacionais. A segunda é que os membros de equipe sintam a necessidade de fugir da tomada de decisões ao se darem conta de que serão considerados responsáveis pelas decisões que tomarem – sejam elas boas ou ruins.

> *Empoderamento significa que as pessoas têm liberdade para agir. Também significa que elas são responsabilizadas pelos resultados.*

Em uma cultura de empoderamento, a gerência continuará a tomar as decisões estratégicas. Membros de equipe passam a se envolver no processo de tomada de decisões operacionais à medida que se sentirem mais à vontade com os riscos inerentes. Conforme as pessoas gradualmente assumem a responsabilidade pelas decisões e suas consequências, a gerência deve gradualmente recuar quanto ao seu envolvimento na tomada de decisões. As novas diretrizes para a tomada de decisões permitirão que tanto a gerência quanto os integrantes das equipes operem livremente dentro das fronteiras dos seus papéis recém-definidos.

Especificar fronteiras também exige que os gestores **criem novos processos de avaliação de desempenho**. Os processos de avaliação de desempenho em vigor na maioria das empresas impedem, por sua natureza, o empoderamento e precisam ser reestruturados. O foco precisa ser desviado da *avaliação* dos membros da equipe pelo gerente para a *colaboração* entre aqueles e o gerente. Como já nos disse um gerente: "A pessoa mais capacitada a avaliar o desempenho e o desenvolvimento de um colaborador é ele mesmo". Não se trata, evidentemente, de uma mudança cultural fácil. No Capítulo 7, "Habilidades essenciais para a liderança de pessoa a pessoa", discutiremos detalhadamente essa transição para um novo processo de avaliação de desempenho.

Como afirmamos anteriormente, especificar fronteiras exige que os líderes **forneçam boas doses de treinamento**. Para dominar as novas habilidades exigidas pelo empoderamento – negociar planos de desempenho, tomar decisões, resolver conflitos, liderar, fazer orçamentos e ter *expertise* técnica –, é indispensável o treinamento constante. Sem essa aprendizagem contínua, as pessoas não conseguem ser funcionais em uma cultura que evolui para o empoderamento. Elas precisarão desaprender hábitos burocráticos e aprender as novas habilidades e atitudes necessárias em um mundo voltado para o empoderamento. Aprendizagem constante é uma parte intrínseca de uma organização de alto desempenho, não um benefício a mais ou um mal necessário.

A migração de uma cultura hierarquizada para a cultura do empoderamento precisa ser um processo gradual. As pessoas não conseguem lidar com muitas mudanças ao mesmo tempo, nem com grandes mudanças em uma só dose. Discutiremos esse assunto em mais detalhes no Capítulo 15, "Liderança de pessoas ao longo da mudança".

A terceira chave para o empoderamento: substitua a velha hierarquia por equipes e pessoas autodirigidas

À medida que as pessoas aprendem a criar autonomia usando as novas informações compartilhadas e os novos limites, precisam gradualmente deixar de depender da hierarquia. Mas o que irá substituir a clareza e o apoio da hierarquia? A resposta: pessoas e equipes autodirigidas, que são altamente qualificadas e interativas com habilidades de autogerenciamento bem desenvolvidas.[11] O *downsizing* contínuo, que reduz o número de níveis de gerência e aumenta a amplitude de controle dos gestores, está forçando as empresas a empoderar indivíduos e equipes a curtíssimo prazo. O resultado é um vácuo na tomada de decisões que precisa ser logo preenchido por toda empresa que almeja o sucesso.

> *A divisão que se observa entre superior e subordinado não é mais de grande utilidade nas empresas. Na verdade, essa divisão trabalha na contramão do sucesso. O sucesso hoje depende da integração de esforços individuais e em equipe.*

O sucesso hoje depende realmente de pessoas e equipes empoderadas? Nosso trabalho com organizações indica que a resposta a esta pergunta é um categórico "sim". Eis dois exemplos disso:

O poder de pessoas autodirigidas

Os líderes de Yum! Brands – uma das maiores empresas de restaurantes do mundo, com mais de 45 mil estabelecimentos em mais de 135 países – entendem a força do indivíduo autodirigido.[12] Boa parte do treinamento na Yum! está agora concentrado em empoderar as pessoas para que possam resolver os problemas dos clientes. Quando um garçom atende um cliente com algum problema, é incentivado a resolver a questão de imediato, em vez de submetê-la ao gerente. Na verdade, os colaboradores podem decidir a melhor forma de cuidar dos clientes. Isso torna as coisas um pouco malucas, mas é disso que a Yum! gosta.

Muitos anos atrás, em uma reunião da KFC (uma das empresas de propriedade da Yum!), Ken Blanchard contou como o Ritz-Carlton concedia ao pessoal do atendimento uma verba de US$ 2.000 para que resolvessem, por conta própria, problemas com clientes, sem ter que conferir com quem quer que fosse. O presidente e CEO da Yum!, David Novak, adorou a ideia. Algum tempo depois, ele nos disse: "Nosso programa 'maníacos pelos clientes' agora inclui empoderar os membros de equipe para que resolvam de imediato reclamações do cliente. Antes, era necessário que chamassem o gerente do restaurante para enfrentar esses problemas. Agora, podem gastar até US$ 10 para resolver o problema de um cliente".

> "Algumas pessoas em nossa organização reclamaram, entendendo que 'se permitirmos que todo mundo faça isso, acabaremos falindo, porque estaremos jogando nosso lucro no lixo'. Mas a verdade é que, desde o lançamento do programa MPC, obtivemos a margem de lucro mais alta de nossa história. Portanto, ninguém está tentando nos passar a perna. A pequena parte, de meio a 1%, que já fazia isso antes, certamente continua agindo assim. Mas essa política teve um impacto nos colaboradores. Sentem-se respeitados, com poder de decisão, e, consequentemente, nossos clientes nos consideram muito mais sensíveis aos seus problemas."

Uma verba individual de US$ 10 em um restaurante de lanches rápidos é bastante dinheiro. No Ritz-Carlton, uma operação que envolve um público diferenciado, US$ 2 mil é muito dinheiro. O que importa, no caso, é que uma verba emergencial torna-se uma vantagem em relação à concorrência quando indivíduos mais próximos ao cliente são empoderados para resolver problemas.

O poder de equipes autodirigidas

O caso da fábrica de fibras Allied Signal, sediada em Moncure, na Carolina do Norte, demonstra com propriedade o poder de equipes autodirigidas. Os líderes de turno (antes chamados de capatazes, ou contramestres) sentiam-se frustrados, furiosos e confusos em relação as suas atribuições. A fábrica havia recentemente reestruturado suas operações de manufatura para equipes de trabalho. Os líderes de turno foram instruídos a se manter a distância e incentivar as equipes no rumo do autogerenciamento. Além da frustração que reinava entre os líderes de turno, o ânimo dos integrantes da equipe não parecia nada bom. Houve uma queda na produção e um aumento de custo de produção por quilo. A melhor solução, a essa altura, não seria voltar ao jeito antigo de trabalhar? Muita gente já estava considerando ser essa a melhor alternativa. A fábrica de fibras de Moncure tinha uma longa história de ótimo relacionamento gerência/empregados. Mas a liderança havia vislumbrado uma oportunidade de passar a um nível mais alto – se apenas pudesse descobrir uma maneira de fazê-lo do jeito certo.

Um dos líderes de turno, Barney, e dois facilitadores experientes – Dawn e Gloria – haviam participado de um curso sobre como desenvolver equipes de alto desempenho conduzido por um de nossos pesquisadores do HPO SCORES®, Don Carew. Com ânimo e entusiasmo, Dawn e Gloria voltaram a Moncure e convenceram os líderes da fábrica a implementar mais treinamento das habilidades das equipes e suas lideranças em toda a fábrica.

Don Carew trabalhou com os líderes de turno e facilitadores veteranos para desenvolver um treinamento de um dia em sala de aula, customizado, que seria oferecido a cada equipe de produto por seu respectivo líder de turno. Os 24 líderes de turno foram treinados para ministrar esse programa. Durante os dois anos seguintes, ministraram o programa de treinamento inicial de um dia a todas as 59 equipes da fábrica. Os líderes de turno, antes desiludidos, passaram a contar com um novo propósito e um conjunto de habilidades totalmente novo. Sua função tornou-se, enfim, muito clara: focar no desenvolvimento de equipes e seus integrantes, tanto em sala de aula quanto no chão de fábrica. O moral na fábrica saltou da frustração para o entusiasmo. Além disso, a produtividade teve um aumento de 5%, e os custos, uma redução de 6%.[13]

Lidando com o vácuo de liderança

À medida que avançam para o empoderamento, tanto os gestores quanto os membros de equipes enfrentarão uma fase de desilusão e desmotivação. Durante esse período, os membros de equipe costumam se sentir incompetentes, e os gestores, por sua vez, se sentem tão perdidos quanto seu pessoal sobre o que fazer a seguir. Até mesmo os gestores mais graduados, aqueles que iniciaram o processo inteiro, às vezes não têm clareza quanto ao próximo passo. Chamamos esse fenômeno de *vácuo de liderança*. Recorde-se, a propósito, que gestores e membros de equipe estão se libertando dos grilhões de práticas e pressupostos hierárquicos e burocráticos. Ambos estavam acostumados a trabalhar em uma hierarquia em que os gestores tomavam as decisões e os membros de equipe as implementavam. Ainda há muito a aprender, e essa aprendizagem é permeada por frequentes períodos de frustração.

Quando as pessoas admitem essa falta de conhecimento gerencial, uma drástica transformação acaba ocorrendo. Assim que os gestores começam a admitir sua confusão – mas continuam com uma visão clara do empoderamento e mantêm os canais de comunicação abertos e as informações fluindo – tudo começa a mudar. Pequenos lampejos de empoderamento vão surgindo entre indivíduos e equipes. Alguém talvez se anime a apresentar uma sugestão que vai ganhar a adesão dos demais; a partir disso, outras ideias serão apresentadas. Antes mesmo que se tenha consciência do que está acontecendo, a liderança terá brotado de uma fonte inesperada – os componentes da equipe. Com o tempo, os lampejos de empoderamento se tornam mais frequentes. O próprio vácuo de liderança, antes tão desconfortável, terá despertado o talento dos membros de equipe, e facilitará sua aplicação na resolução de problemas organizacionais. No fim das contas, o vácuo de liderança intensifica o empoderamento de pessoas e organizações.

A jornada para o empoderamento exige que tanto os gestores quanto os colaboradores diretos questionem alguns de seus pressupostos mais básicos sobre como as organizações devem funcionar. Simplesmente anunciar o destino não basta. Pessoas em todos os níveis da organização precisam dominar novas habilidades e aprender a confiar que indivíduos e equipes autodirigidos têm capacidade de tomar decisões. Analisamos em detalhe o desenvolvimento de indivíduos autodirigidos no Capítulo 5, "Autoliderança: O poder por trás do empoderamento", e também no Capítulo 7. O Capítulo 11, "Liderança de equipes", aborda o desenvolvimento de equipes de alto desempenho. Antes de tudo, porém, vamos nos deter no Capítulo 4, "SLII®: o conceito integrador", que discute o papel do líder no empoderamento dos indivíduos.

4
SLII®: o conceito integrador

Os sócios fundadores:
Ken Blanchard, Margie Blanchard,
Don Carew, Eunice Parisi-Carew, Fred Finch,
Laurence Hawkins, Drea Zigarmi e Pat Zigarmi

Se o empoderamento é a chave para tratar bem as pessoas e motivá-las a tratar bem seus clientes, é essencial ter uma estratégia para abandonar a ênfase no líder como chefe e avaliador e passar a vê-lo como parceiro e incentivador. Mas qual é, exatamente, a estratégia ou o estilo certo de liderança?

Durante muito tempo, existiram apenas dois estilos de liderança: autocrática e democrática. Desses dois extremos, os respectivos defensores gritavam uns com os outros, insistindo que o seu estilo era o melhor. Gerentes democráticos eram acusados de lenientes e permissivos, enquanto os autocráticos costumavam ser chamados de durões e dominantes.

Acreditamos que gerentes que se limitam a um ou outro extremo serão inevitavelmente quase-gerentes, além de tudo, ineficientes. Gerentes por inteiro são flexíveis e capazes de adaptar seu estilo de liderança às situações. Essa estratégia é a essência da Situational Leadership®* (Liderança Situacional), um modelo de liderança criado originalmente por Paul Hersey e Ken Blanchard na Ohio University em 1968. O modelo ganhou proeminência em 1969, no clássico *Management of Organizational Behavior*, de autoria dos dois, atualmente na sua décima edição.

No início dos anos 80, Ken Blanchard e os sócios fundadores das Empresas Ken Blanchard (Margie Blanchard, Don Carew, Eunice Parisi-Carew, Fred Finch, Drea Zigarmi e Patricia Zigarmi) criaram um modelo revisado, sob o nome de SLII®. Esse modelo perdura como uma das mais eficazes abordagens para gerenciar e motivar pessoas, pois abre os ca-

---

*Situational Leadership® é marca registrada da Leadership Studies, Inc., dba The Center for Leadership Studies.

nais da comunicação e encoraja a parceria entre o líder e as pessoas que ele apoia e de quem depende. O SLII® pode ser resumido nesta frase:

> *Tratamentos diferentes para
> pessoas diferentes.*

O SLII® se baseia na crença de que as *pessoas podem e querem crescer*, e de que *não existe um único estilo de liderança* que seja considerado o melhor para incentivar esse crescimento. A aplicação do estilo de liderança deve ser feita sob medida conforme a situação.

As três habilidades de um líder SLII®

Para se tornar eficaz no uso do SLII®, é preciso dominar três habilidades: *estabelecimento de metas*, *diagnóstico* e *adequação*. Nenhuma dessas habilidades é particularmente difícil; cada uma delas requer apenas prática.

Estabelecimento de metas: a primeira habilidade

A primeira habilidade de um líder SLII® é o *estabelecimento de metas*. Isso significa alinhar entre si o que precisa ser feito e quando. Todo bom desempenho começa com metas claras. Esclarecer metas significa certificar-se de que as pessoas entendam duas coisas: em primeiro lugar, o que está sendo pedido que façam – suas áreas de responsabilidade – e, em segundo lugar, o que representa um bom desempenho – os padrões de desempenho frente aos quais elas serão avaliadas.

Diagnóstico: a segunda habilidade

Para ser um líder SLII® eficaz, é preciso diagnosticar o nível de desenvolvimento dos seus subordinados diretos. Mas como isso é feito exatamente? O segredo é observar dois fatores – competência e empenho.

Competência é a soma de conhecimento e habilidades que um indivíduo possui para cumprir uma meta ou tarefa. A melhor forma de determinar a competência é olhar para o desempenho de uma pessoa. Como seus colaboradores diretos planejam, se organizam, solucionam problemas e se comunicam sobre uma tarefa específica? Eles conseguem cumprir a meta estabelecida de forma precisa e pontual? A competência pode ser obtida através da instrução formal, do treinamento no próprio trabalho ou da experiência, e pode ser desenvolvida com o tempo, se houver direção e apoio adequados.

O segundo fator a ser levado em conta ao diagnosticar o nível de desenvolvimento é o *empenho*: a motivação e a autoconfiança do indivíduo acerca da meta ou da tarefa. Seus colaboradores diretos mostram-se entusiasmados e interessados em relação a uma tarefa específica? São seguros de si? Confiam em suas próprias habilidades para cumprir a tarefa? Se o nível de motivação e autoconfiança de seus colaboradores diretos é alto, eles estão empenhados.

É importante lembrar duas coisas:

Primeiro, existem diversas combinações de competência e empenho. Para ser mais exato, quatro combinações de competência e empenho compõem o que chamamos de os quatro níveis básicos de desenvolvimento: *principiante empolgado* (D1 – baixa competência, alto empenho), *aprendiz decepcionado* (D2 – baixa/alguma competência, baixo empenho), *colaborador capaz, mas cauteloso* (D3 – competência de moderada a alta, empenho variável), e *realizador autoconfiante* (D4 – alta competência, alto empenho). (Ver parte inferior da Figura 4.1.)

Segundo, é importante reconhecer que o nível de desenvolvimento é específico à meta ou tarefa. As pessoas podem ter certo nível de desenvolvimento em uma tarefa e outro nível na tarefa seguinte. É por isso que o diagnóstico é tão importante.

Adequação: a terceira habilidade

Para ser um líder SLII® eficaz, é preciso que seu estilo de liderança seja adequado ao nível de desenvolvimento da pessoa a ser liderada. Como ilustra a Figura 4.1, o modelo SLII® tem quatro estilos de liderança básicos: direção (E1), *coaching* (E2), apoio (E3) e delegação (E4). O subordinado direto é novo e não tem experiência na tarefa exigida? Nesse caso, é preciso dar a ele maior supervisão e direcionamento (E1). O subordinado direto tem experiência e habilidades? Essa pessoa precisa de menos supervisão direta (E4). A verdade é que todos nós estamos em estágios diferentes de desenvolvimento, dependendo da tarefa com a qual lidamos em um dado momento.

O modelo SLII®

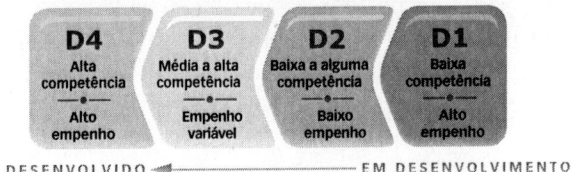

Estilos de liderança

E3 — APOIO — Alto grau de comportamento diretivo e baixo grau de comportamento de apoio

E2 — COACHING — Alto grau de comportamento diretivo e alto grau de comportamento de apoio

E4 — DELEGAÇÃO — Baixo grau de comportamento diretivo e baixo grau de comportamento de apoio

E1 — DIREÇÃO — Alto grau de comportamento diretivo e baixo grau de comportamento de apoio

Eixo vertical: COMPORTAMENTO DE APOIO (BAIXO → ALTO)
Eixo horizontal: COMPORTAMENTO DIRETIVO (BAIXO → ALTO)

Níveis de desenvolvimento

D4	D3	D2	D1
Alta competência	Média a alta competência	Baixa a alguma competência	Baixa competência
Alto empenho	Empenho variável	Baixo empenho	Alto empenho

DESENVOLVIDO ←——————— EM DESENVOLVIMENTO

FIGURA 4.1 O modelo SLII®.

Supervisionar demais ou de menos (ou seja, dar orientações em excesso ou insuficientes) tem um impacto negativo no desenvolvimento dos indivíduos. É por isso que é tão importante que o estilo de liderança seja adequado ao nível de desenvolvimento.

Para determinar o estilo de liderança adequado a ser usado em cada um dos níveis de desenvolvimento, desenhe uma linha vertical de um nível de desenvolvimento diagnosticado até a curva de liderança que percorre o modelo de quatro quadrantes. Como está ilustrado na Figura 4.2, o estilo adequado de liderança – a adequação – é o quadrante onde a linha vertical intersecta a curva.

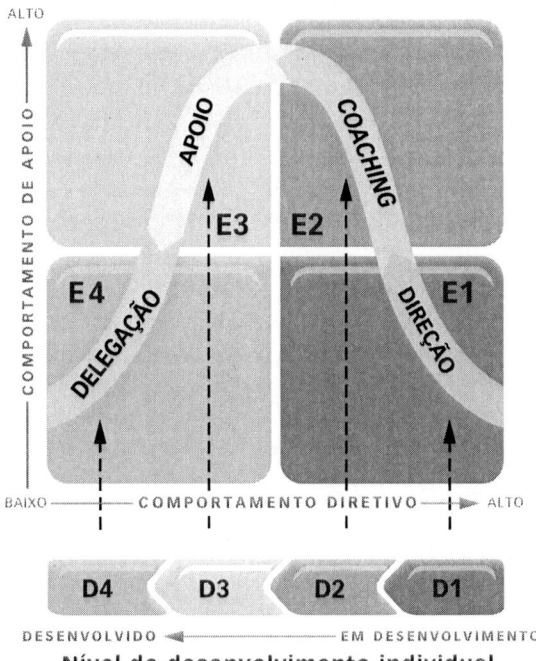

Como adequar o estilo de liderança ao nível de desenvolvimento

FIGURA 4.2 Como adequar o estilo de liderança ao nível de desenvolvimento.

Usando essa abordagem, o principiante empolgado (D1) receberia o estilo de liderança direção (E1). O aprendiz decepcionado (D2), um estilo de liderança de *coaching* (E2). O colaborador capaz mas cauteloso (D3) receberia o estilo de liderança de apoio (E3), e o realizador autoconfiante (D4), o estilo de liderança de delegação (E4).

Ao determinar qual estilo combinar com qual nível de desenvolvimento, lembre-se:

> *Líderes precisam fazer pelas pessoas a quem supervisionam aquilo que elas não conseguem fazer por si mesmas no presente momento.*

Para mostrar como o modelo funciona no mundo real, começaremos com um exemplo da sua infância. Você lembra de como aprendeu a andar de bicicleta? Ficava tão animado que, às vezes, nem conseguia dormir à noite, mesmo que ainda não soubesse andar. Você era o clássico *principiante empolgado*, precisando de *direção*.

Lembra-se da primeira vez que caiu da bicicleta? Quando se levantou da calçada, talvez tenha se perguntado se era mesmo uma boa ideia, e se algum dia saberia andar com perfeição. Nesse momento, você chegou ao estágio de *aprendiz decepcionado* e precisava de *coaching*.

Depois que conseguiu andar de bicicleta com seu pai, ou mãe, a incentivá-lo, essa confiança provavelmente ficou um pouco abalada na primeira vez em que decidiu dar uma volta por conta própria, sem seu apoiador por perto. Nesse momento, havia chegado ao estágio de ciclista *capaz, mas cauteloso*, precisando de *apoio*. Finalmente, chegou ao estágio em que sua bicicleta parecia uma extensão de seu corpo. Conseguia andar sem sequer pensar a respeito. Tornara-se um verdadeiro *realizador autoconfiante*, e seus pais puderam *delegar* a você a tarefa de se divertir, andando em sua bicicleta.

Agora, veremos como os níveis de desenvolvimento e estilos de liderança se aplicam ao local de trabalho.

Principiantes empolgados precisam de um estilo "diretivo"

Suponha que você tenha recentemente contratado um vendedor de 22 anos de idade. Além de vender, as três principais responsabilidades de um vendedor eficaz são: prestação de serviços, tarefas administrativas e contribuição para a equipe. Como trabalhou na indústria hoteleira durante o verão, seu novo vendedor parece ter boa experiência quanto a serviços. Ex-tesoureiro do grêmio estudantil e ex-capitão do time de futebol da faculdade, também parece ter alguma experiência em tarefas administrativas e em contribuir para a equipe. Consequentemente, o foco inicial do seu treinamento se concentrará na atividade de vendas, na qual é um *principiante empolgado*. Nessa área, ele está entusiasmado e ansioso para aprender, apesar de sua falta de habilidades. Devido a seu alto grau de empenho em se tornar um bom vendedor, ele está curioso, esperançoso, otimista e animado. Nesse âmbito de seu trabalho, um estilo de liderança *diretivo* é o mais apropriado. Você passa a ensinar ao recém-contratado todas as etapas do processo de vendas, desde como fazer uma visita de vendas até o fechamento de negócios.

Você o leva consigo em visitas a clientes para que ele veja como o processo de vendas funciona e o que é considerado um trabalho bem feito. Depois, elabora um plano detalhado para seu desenvolvimento pessoal como vendedor. Em outras palavras, você não apenas aplica a prova, mas se dedica a lhe ensinar as respostas. Você lhe fornece instruções específicas e supervisiona de perto seu desempenho de vendas, planejando e priorizando o que deve ser feito para que ele tenha sucesso. Ensinar e mostrar como os vendedores experientes atuam – e deixá-lo praticar suas novas habilidades em situações de vendas de baixo risco – é a abordagem apropriada para esse principiante empolgado.

Aprendizes decepcionados precisam de um estilo "coaching"

Agora, suponha que seu novo contratado já tenha passado por algumas semanas de treinamento em vendas. Ele entende os fundamentos, mas está chegando à conclusão de que vender é mais difícil do que pensava. Você observa que ele perdeu um pouco daquele ímpeto inicial e, às vezes, parece um pouco desestimulado. Se, por um lado, ele sabe mais sobre vendas do que no início, e demonstra lampejos de competência real em alguns instantes, por outro, há momentos em que parece assoberbado e frustrado, como se alguém tivesse jogado uma ducha de água fria em seu empenho. Nesse estágio, ele é um *aprendiz decepcionado*. O que funciona nesse momento é uma liderança estilo *coaching*, com alto grau de direção e de apoio. Você continua a dirigir e supervisionar de perto suas atividades de vendas, mas deve engajar-se mais em conversar com ele, ora dando conselhos, ora ouvindo as perguntas e sugestões que ele apresenta. Também é importante elogiar e apoiar nesse estágio, visando aumentar sua autoconfiança, recuperar seu empenho e estimulá-lo a tomar a iniciativa. Ainda que você leve em consideração as opiniões de seu vendedor, é você quem toma as decisões finais, porque ele ainda está aprendendo a lidar com clientes de verdade.

Colaboradores capazes mas cautelosos precisam de um estilo "apoio"

Alguns meses já se passaram. Agora, o jovem que você contratou conhece as responsabilidades cotidianas de seu cargo como vendedor e já adquiriu algumas boas habilidades de vendas. No entanto, ainda sente algumas dúvidas a respeito de si mesmo e questiona se será capaz de ter uma boa atuação em vendas *por conta própria*, sem a sua ajuda ou o apoio de seus colegas. Você acredita em sua competência e acha que ele sabe o que faz, mas ele mesmo não tem tanta certeza. Ainda assim, apresenta um bom domínio do processo de vendas e está trabalhando bem com os clientes, mas hesita em enfrentar as visitas aos clientes contando exclusivamente com seus próprios recursos. Ele pode duvidar de si mesmo, e até relutar em confiar em seus próprios instintos. Nesse estágio ele é um *colaborador capaz, mas cauteloso*, e seu comprometimento em vender varia do entusiasmo à insegurança. Nesse momento, um estilo de liderança de *apoio* é o caminho certo. Como o seu colaborador direto aprendeu as habilidades de vendas muito bem, ele precisa de pouca orientação, mas requer muito apoio para que sua autoconfiança oscilante se fortaleça. Agora, você deve apoiar seus esforços, ouvir suas preocupações e sugestões e estar sempre próximo para incentivar suas interações não somente com os clientes, mas com os outros membros da equipe. Você encoraja e elogia, mas raramente dirige suas atividades. O estilo de apoio é mais colaborativo; nesse momento, o *feedback* é um processo que flui livremente entre ambas as partes. Você o ajuda a chegar a suas próprias soluções de vendas fazendo perguntas que estimulem a reflexão e o estimulem a assumir riscos.

Realizadores autoconfiantes precisam de um estilo "delegação"

À medida que o tempo passa, seu "ex-novato" torna-se um elemento-chave de sua equipe. Não apenas domina tarefas e habilidades de vendas, mas também já lidou com clientes mais exigentes, saindo-se bem. Ele se antecipa aos problemas e oferece soluções oportunas. Demonstra uma confiança plenamente justificada pelo seu sucesso em gerir seu próprio território de vendas. Ele não somente consegue trabalhar por conta própria, mas também inspira os demais com seu exemplo. Nesse estágio, ele é um *realizador autoconfiante* nas suas atividades de vendas. Você pode contar com ele para atingir suas metas. Para uma pessoa nesse nível de desenvolvimento, um estilo de liderança de *delegação* é a melhor escolha. Nessa situação, é adequado deixar que ele assuma a responsabilidade pela tomada diária de decisões e pela solução de problemas, deixando-o gerir seu próprio território. Agora sua função como líder é empoderá-lo, dando-lhe autonomia e demonstrando confiança na sua habilidade de agir de modo independente. É necessário reconhecer seu excelente desempenho e fornecer os recursos apropriados para que ele possa desincumbir-se de suas atribuições de vendas. Nesse estágio, é importante desafiar seu vendedor de alto desempenho para que continue aprimorando cada vez mais suas habilidades e incentivá-lo a atingir resultados mais altos ainda em vendas.

O nível de desenvolvimento varia de meta para meta ou de tarefa para tarefa

O exemplo anterior reenfatiza que o nível de desenvolvimento não é um conceito genérico – é específico de cada tarefa. Poderíamos ter acompanhado o progresso desse vendedor no setor de serviços, de administração ou em como ele contribui para a equipe, o que seria uma jornada diferente. É importante não enquadrar as pessoas em um determinado nível de desenvolvimento. Na verdade, o nível de desenvolvimento não se aplica à pessoa, mas sim à competência e ao empenho que ela demonstra *em atingir uma meta ou cumprir uma tarefa específica.* Em outras palavras, um indivíduo não está em apenas um nível de desenvolvimento de forma global. O nível de desenvolvimento varia de meta para meta e de tarefa para tarefa. Um indivíduo pode estar em um nível de desenvolvimento em determinada meta ou tarefa e em outro nível quando se trata de outra meta ou tarefa. Vejamos um exemplo.

Casey trabalha no ramo de produtos de consumo. Na parte de seu trabalho relacionada com marketing, ela é um gênio em se tratando de lançar novos produtos e abrir novos mercados. É evidente que ela é uma ***realizadora autoconfiante***, como fica demonstrado pelo sucesso que obteve com planos de marketing elaborados no passado. No entanto, quando o assunto é estabelecer uma base de dados para acompanhar padrões demográficos e de compra, a experiência de Casey não vai muito além de enviar e-mails e usar o processador de textos em seu laptop. Dependendo de sua motivação para estas tarefas, ela poderia ser uma ***principiante empolgada*** ou uma ***aprendiz decepcionada.***

Esse exemplo mostra que não somente devem ser usados *tratamentos diferentes para pessoas diferentes,* mas também *tratamentos diferentes para as mesmas pessoas*, dependendo de qual meta, ou parte de seu trabalho, estamos focando em dado momento.

Indo ao encontro das pessoas no ponto em que estão

Muitos consideram que não é coerente lidar com certas pessoas de um jeito e com outras de um jeito diferente. Porém, não definimos coerência como "tratar todos do mesmo jeito". Preferimos a seguinte definição: "usar o mesmo estilo de liderança em situações semelhantes". Para responder ao argumento de que não é justo tratar colaboradores diretos de formas diferentes, usaremos uma frase que o ex-juiz da Suprema Corte dos Estados Unidos Felix Frankfurter proferiu:

Não há nada mais desigual do que tratar igualmente pessoas que não são iguais.

No momento em que estiver se sentindo à vontade com uma variedade de estilos de liderança, você já dominou a ***flexibilidade***. À medida que seus colaboradores diretos passarem de um nível de desenvolvimento para outro, seu estilo deve mudar também. Contudo, nossas pesquisas demonstram que a maioria dos líderes possuem um estilo de liderança preferido.[2] Na realidade, 54% dos líderes tendem a usar somente um estilo, 35% tendem a usar dois estilos, 10% tendem a usar três e apenas 1% usam os quatro estilos. Para serem eficazes, líderes devem usar todos os quatro estilos de liderança.

Amigos nossos vivenciaram o lado negativo da liderança inflexível quando seu filho de 8 anos estava na terceira série. Foram comunicados pela escola que ele estava muito mais adiantado do que seus colegas em leitura, mas atrasado em relação à matemática. De início, seus pais pensaram "Como é possível? Como uma criança pode estar indo tão bem em leitura, mas tão mal em matemática?". Após refletirem um pouco a respeito, eles perceberam que fazia sentido. Algumas crianças são ótimas em estudos sociais, mas fracas em ciências. As pessoas são melhores em algumas áreas do que em outras. Quando o pai dessa criança compreendeu a situação e a explicação possível, reuniu-se com um dos professores de seu filho. Estamos dizendo "um dos professores" já que era uma escola em estilo aberto, com 110 crianças em sala de aula e quatro ou cinco professores trabalhando com elas em um grande espaço físico.

"Não quero causar problemas," ele disse, "mas, gostaríamos de saber por que nosso filho está indo tão bem em leitura e tão mal em matemática? De que forma o ensino da leitura é diferente em relação ao ensino da matemática?".

O professor respondeu: "Aqui, nessa parede, temos alguns arquivos. Cada criança tem sua própria pasta de leitura. Quando está na hora de ler, as crianças pegam suas pastas de leitura, voltam para suas carteiras e continuam lendo de onde haviam parado. Quando têm perguntas, levantam a mão, e um de nós vai até elas".

Nosso amigo perguntou: "E como isso está funcionado com nosso filho?".

O professor respondeu "Super bem. No que concerne à leitura, ele é um de nossos melhores alunos".

Nosso amigo disse: "Excelente, continue assim. Está fazendo um ótimo trabalho ensinando-o a ler".

Qual estilo de liderança estava sendo aplicado junto a esta criança em leitura? Usavam um estilo de liderança de *delegação*. O menino pega sua pasta e decide quando precisa de ajuda. Por que funcionava? Porque a criança era um *realizador autoconfiante* em leitura. Adorava ler e tinha habilidades para isso.

Nosso amigo então disse: "Muito bem, agora, por favor, como está trabalhando com ele na matemática?".

O professor respondeu: "Nessa outra parede temos nossos arquivos de matemática. Quando é hora da matemática, as crianças pegam suas pastas, vão até suas carteiras e continuam a trabalhar com os exercícios de matemática a partir do ponto em que haviam parado. Quando têm alguma pergunta, levantam a mão e um professor vai até lá ver o que necessitam".

Nosso amigo disse: "E como está funcionando com nosso filho?".

O professor disse, "Não muito bem. Ele está atrasado em relação aos demais".

Qual estilo de liderança estava sendo imposto ao menino na matemática? Usavam um estilo de liderança de *delegação*, o mesmo que usavam para ensinar leitura. Na realidade, esse era o estilo de ensino geral usado nessa escola aberta. O problema ao usar um estilo de delegação com essa criança em matemática é que ela estava em um nível de desenvolvimento muito inferior nessa matéria do que em leitura. Ele era um *aprendiz decepcionado*. O menino não tinha a mesma competência, o mesmo interesse, nem a autoconfiança necessária. Os professores o estavam deixando sozinho.

Nosso amigo sabia tudo sobre SLII®, então disse ao professor: "Nunca lhe ensinaram na Faculdade de Pedagogia que, com a mesma criança, em uma matéria diferente, é preciso usar um estilo de liderança, ou de ensino, diferente?". Nosso amigo então perguntou para todos os professores nessa sala de aula aberta: "Qual de vocês tem a reputação de ser um professor tradicional?". Uma senhora mais velha sorriu. Era professora há 35 anos. Nosso amigo ouvira falar a seu respeito. Sua supervisão rigorosa das crianças lhe dera a reputação de ser exigente demais. Sabendo que era exatamente disso que seu filho precisava, nosso amigo perguntou: "Como a senhora lidaria com o problema de matemática do meu filho? Ele não está indo muito bem".

Antes de contarmos o que ela respondeu, vamos falar um pouco dessa professora. Um de nossos colaboradores fora até a escola fundamental em que ela lecionara antes de passar para a escola aberta. Nessa escola, a professora tinha 30 alunos de terceira série somente para ela. As crianças eram obrigadas a comer em sala de aula porque a escola não era grande o suficiente para ter um refeitório. Nosso colaborador passou pela sua sala um dia às 12h15min. A porta estava escancarada e 30 alunos da terceira série estavam sentados almoçando, em silêncio absoluto, enquanto a professora tocava Beethoven no gravador. Nosso colaborador sorriu quando viu essa cena e disse a si mesmo: "É isso que eu chamo de controle".

Do outro lado do corredor havia outra professora de terceira série. A porta da sala de aula estava fechada, mas nosso colaborador podia ver através de uma janela. O lugar parecia um zoológico. As crianças corriam por todo lado, até por cima das mesas, enquanto a professora dançava e os abraçava. Parecia um lugar bem divertido. Será que aquela professora seria boa para ensinar leitura ao filho de nosso amigo? Com certeza absoluta, já que o menino não precisava de uma professora para essa matéria. Se tanto faz ter ou não um gerente, então que esse seja caloroso e apoiador. Será que essa professora faria um bom trabalho ensinando matemática para a criança? De jeito nenhum.

Agora, voltando à resposta da professora diretiva, ela disse: "Teria sido muito mais fácil se eu tivesse lidado com seu filho desde o início. Acho que agora ele está desestimulado, porque é mais difícil do que ele imaginava, e não está indo tão bem. Bem, quando fosse hora de matemática, eu iria até ele e diria, 'é hora de matemática'. O levaria pela mão até o arquivo. Às vezes, acho que ele nem pega sua própria pasta – ele pega a pasta de algum aluno ausente para mexer com ele. Depois, eu o levaria até sua carteira, faria com que se sentasse e diria: 'Resolva as questões 1 a 3. Voltarei em cinco minutos para ver como está indo. Se trabalharmos nisso juntos, sei que vai melhorar em matemática'".

Nosso amigo então disse: "Você é maravilhosa. Poderia ajudá-lo em matemática?". E foi o que ela fez. Você acha que o filho do nosso amigo melhorou com o estilo de *coaching* dessa professora? Pode acreditar. Você acha que o menino gostou? Não muito. É muito mais fácil soltar as rédeas do que disciplinar. Ele estava acostumado a trabalhar sozinho, apesar disso não ser eficaz, e não gostou muito da mudança repentina para um sistema de supervisão mais rigoroso. Porém, quando as pessoas não sabem bem o que estão fazendo e estão desestimuladas, alguém deve guiá-las, orientá-las e incentivá-las. Observe que nossa professora de matemática eficaz *esclareceu quais eram as suas expectativas e as metas, observou e acompanhou seu desempenho* e *forneceu* feedback *ao menino*.

Por sorte, faltavam apenas três meses para o ano letivo terminar. Por que estamos dizendo "por sorte"? Porque era difícil para essa professora passar do estilo **direção/coaching** para o estilo **apoio/delegação**. Ela era ótima com o trabalho inicial, mas, depois que a criança obtivesse as habilidades necessárias, teria dificuldade em deixar que assumisse a responsabilidade por sua própria aprendizagem. Após três meses, o filho do nosso amigo conseguiu sair debaixo da asa dela e passar para uma professora mais apoiadora que conseguiria trabalhar com ele agora que já adquirira boas habilidades em matemática – alguém como a professora calorosa e amigável que havíamos descrito antes. Professoras como essas são absolutamente magníficas em seus papéis específicos, mas é preciso ter certeza de que estão trabalhando com a criança certa no momento certo. Tanto a professora diretiva quanto a apoiadora seriam mais eficazes se pudessem usar uma variedade de estilos de liderança. O mesmo se aplica a gerentes e líderes. Você deve ser flexível o suficiente para variar seu estilo de liderança, dependendo do nível de habilidade de seu pessoal, pois, de outro modo, sua eficácia ficará limitada.

> *Todas as pessoas têm um potencial de desempenho máximo – basta saber em que ponto elas estão e ir ao encontro delas.*

A importância de formar parcerias com as pessoas

O SLII® trata de desenvolver uma relação de parceria com o seu pessoal. As parcerias abrem as vias de comunicação entre você e seus colaboradores diretos e aumentam a qualidade e a quantidade de suas conversas. Chamamos estas de **conversas de alinhamento**, nas quais vocês chegam a um acordo sobre metas, nível de desenvolvimento e estilo de liderança.

Quando começamos a ensinar o SLII®, os gerentes saíam de nossos treinamentos animados e prontos para aplicar e usar os conceitos. No entanto, vimos que alguns problemas surgiam porque as pessoas em que os gerentes aplicavam o modelo não entendiam o que os gerentes estavam fazendo e, com frequência, interpretavam mal suas intenções.

Suponha, por exemplo, que você diagnostique uma de suas colaboradoras como sendo predominantemente uma realizadora autoconfiante. Assim, decide deixar essa pessoa por conta própria, mas não lhe diz por quê. Depois de um tempo – quando quase não a vê mais – ela fica confusa. "Será que fiz alguma coisa errada?", pensa. "Meu gerente quase não fala mais comigo."

Suponha que outro colaborador seja novo no emprego e você decide que ele precisa, no mínimo, de um estilo diretivo. Portanto, a todo momento você passa pela sala dele. Ele começa a pensar: "Por que será que ele não confia em mim? Está sempre no meu pé".

Em ambos casos, você pode até ter feito o diagnóstico certo, mas como seus colaboradores não entenderam seu raciocínio, interpretaram mal suas intenções. À medida que se multiplicava esse tipo de experiência, percebemos que:

> *Liderança não é algo que você faz às pessoas, mas algo que faz com elas.*

É aqui que entra a criação de uma relação de parceria. Trata-se de obter a permissão de seu subordinado direto para usar o estilo de liderança que é adequado ao seu nível de desenvolvimento. Como veremos no próximo capítulo, "Autoliderança: o poder por trás do empoderamento", formar parcerias com as suas pessoas permite que elas solicitem ao seu gerente o estilo de liderança de que precisam. Como esse tipo de parceria envolve essa troca de ideias entre o líder e o liderado, vamos esperar até que você tenha entendido completamente a Autoliderança antes de nos aprofundarmos nesse assunto no Capítulo 6, "Liderança de pessoa a pessoa".

A liderança eficaz é uma jornada transformacional

O SLII® é um conceito integrador. Por quê? Pois com o tempo, vimos que a liderança situacional se aplicava não apenas à liderança de uma pessoa, mas também à liderança de uma equipe, uma organização e, o que é mais importante, à liderança de si mesmo. Descobrimos que a liderança é uma jornada transformacional em quatro etapas que inclui autoliderança, liderança um a um, liderança de equipes e liderança organizacional.[3]

A *autoliderança* vem em primeiro lugar, pois a liderança eficaz começa de dentro para fora. Antes de pensar em liderar os outros, você precisa se conhecer e saber o que precisa para ser bem-sucedido. O autoconhecimento lhe dá essa perspectiva.

É apenas depois de terem obtido experiência em liderar a si mesmos que os líderes estarão prontos para liderar os outros. A chave da *liderança pessoa a pessoa* é ser capaz de desenvolver uma relação de confiança com outros indivíduos. Se não souber quem você é – ou quais são suas forças e fraquezas – e não estiver disposto a se mostrar vulnerável, nunca desenvolverá uma relação de confiança. Confiança entre você e as pessoas a quem lidera é essencial para que possam trabalhar juntos.

A próxima etapa na jornada transformacional de um líder é a *liderança de equipes*. À medida que líderes desenvolvem uma relação de confiança com as pessoas na interação um a um, tornam-se mais preparados para o desenvolvimento de equipes e para criar uma comunidade. Líderes que são eficazes com uma equipe se dão conta de que, para serem bons administradores da energia e dos esforços daqueles comprometidos em trabalhar com eles, precisam respeitar o poder da diversidade e reconhecer o poder do trabalho em equipe. Isso torna o desafio da liderança mais complicado; porém, os resultados podem ser especialmente gratificantes.

A **liderança organizacional** é a última etapa na jornada transformacional. Saber se um líder irá funcionar bem como líder organizacional – alguém que supervisiona mais de uma equipe – irá depender da perspectiva, da confiança e da comunidade que foram desenvolvidas durante as primeiras três etapas da jornada transformacional do líder. A chave para desenvolver uma organização eficaz é criar um ambiente que *valoriza tanto os relacionamentos quanto os resultados.*

Um dos erros mais básicos que os líderes cometem hoje em dia é que, quando são colocados em uma posição de liderança, gastam a maior parte de seu tempo e sua energia tentando melhorar as coisas no nível organizacional antes de se assegurarem que já lidaram bem com sua própria credibilidade no nível pessoal, pessoa a pessoa, e de equipe.

À medida que você se dedica a cada uma das etapas de liderança em sua jornada transformacional, o SLII® exercerá um papel fundamental. O capítulo a seguir examina como esse modelo se aplica à primeira etapa da jornada transformacional: a autoliderança.

5
Autoliderança: o poder por trás do empoderamento

Susan Fowler, Ken Blanchard e
Laurence Hawkins

Como já discutimos no Capítulo 3, "O Empoderamento é a chave", a hierarquia tradicional da liderança evoluiu para uma nova ordem: o empoderamento dos indivíduos. Quando autolíderes tomam a iniciativa de obter o que precisam para serem bem-sucedidos e os líderes são sensíveis a essas necessidades, a tradicional pirâmide vira de cabeça para baixo, e os líderes servem àqueles que estão sendo liderados.

É preciso que os gestores aprendam a abandonar estilos de liderança baseados no comando e no controle, porque em breve não terão outra escolha. Na década de 1980, um gestor supervisionava em média cinco pessoas – ou seja, a amplitude de controle era de um gestor para cada cinco subordinados diretos. Hoje, as empresas têm estruturas organizacionais mais enxutas e eficientes, com amplitudes bem maiores. É comum, hoje em dia, vermos um gestor para cada 25 a 75 colaboradores diretos. Acrescente a isso o advento de organizações virtuais – nas quais os gestores devem supervisionar pessoas com quem raramente, ou quase nunca, se encontram pessoalmente – e temos o surgimento de um ambiente de trabalho completamente diferente. A verdade é que os chefes não podem mais assumir o papel tradicional de determinar aos subordinados tudo que precisam fazer, e como e quando fazê-lo, Eles simplesmente não têm tempo para isso, e, em muitos casos, os subordinados sabem mais do que eles a respeito do trabalho a ser realizado. Mais do que nunca, o sucesso das iniciativas organizacionais depende do comportamento proativo de pessoas empoderadas.[1]

Muitas pessoas estão se adaptando a esse ambiente de empoderamento com a maior facilidade do mundo. Outras, porém, sentem-se bloqueadas, inseguras sobre como devem agir quando não recebem ordens diretas de seu gerente. Qual é a solução? O que deve ser feito para que as pessoas dominem a bola que lhes foi passada e completem a jogada?

Criando uma força de trabalho empoderada

Assim como líderes devem passar do comando e controle para a formação de parcerias com o seu pessoal, os liderados também devem passar de meros receptores passivos das ordens dos outros para uma posição em que tomam a iniciativa e são líderes de si mesmos. Se o papel fundamental de líderes SLII® é formar uma parceria com seu pessoal, o novo papel do pessoal é formar uma parceria com seus líderes. Autoliderança é isso.

> *Se o objetivo é tornar o empoderamento bem-sucedido, organizações e líderes devem desenvolver na força de trabalho autolíderes com as habilidades necessárias para tomar a iniciativa.*

As pessoas precisam ser treinadas em autoliderança. Se, por um lado, muitas organizações ensinam os gestores a delegar e "soltar as rédeas", por outro, há uma ênfase bem menor no desenvolvimento de indivíduos capazes de resolver problemas e tomar decisões. Organizações de ponta, em termos de liderança, aprenderam que desenvolver a autoliderança é uma maneira poderosa de afetar positivamente o resultado quádruplo.

Um de nossos clientes, a Bandag Manufacturing, teve, por exemplo, a oportunidade de avaliar o valor da autoliderança, após uma grave avaria de equipamento. Em vez de dispensar os funcionários afetados pela avaria, a empresa optou por treiná-los em autoliderança. Algo curioso aconteceu. Os subordinados diretos começaram a cobrar de seus gestores uma demonstração de suas habilidades de liderança. Estavam pedindo direção e apoio aos gestores e insistiam para que estes esclarecessem suas metas e expectativas. De uma hora para outra, os gestores estavam revisando habilidades enferrujadas e se esforçando com maior afinco.

Ao comparar o tempo de retomada plena dessa fábrica aos das oito outras fábricas da empresa que tiveram panes semelhantes no passado, constatou-se que a fábrica da Califórnia retomou os níveis de produção pré-pane mais rapidamente do que qualquer outra antes. O fabricante estudou outras medidas também e concluiu que o fator determinante para a recuperação bem-sucedida da fábrica foi o comportamento proativo dos trabalhadores que estavam totalmente empenhados e munidos com as habilidades de autoliderança.

> *Uma organização repleta de autolíderes
> é uma organização que tem uma
> força de trabalho empoderada.*

Criando autolíderes por meio da aprendizagem individual

A aprendizagem individual – um dos elementos-chave de uma organização de alto desempenho – é essencial para a autoliderança.[2] Organizações que não estimulam as pessoas a aprender têm uma probabilidade menor de apresentar alto desempenho, porque as habilidades de uma organização não são maiores do que as habilidades das pessoas que nela trabalham. Se as pessoas não aprendem, a organização não consegue aprender.

As organizações de alto desempenho entendem que apoiar o crescimento, experiência e conhecimento do pessoal não é apenas a coisa certa a fazer, mas também uma vantagem competitiva. Essas organizações usam treinamento formal, aconselhamento e apoio no trabalho para desenvolver as habilidades e competências de seu pessoal.

Embora autolíderes devam ser responsáveis pela própria aprendizagem, não se pode esperar que façam tudo sozinhos: a gerência deve apoiar o desenvolvimento de conhecimentos e habilidades. Felizmente, não faltam exemplos de organizações que apoiam a aprendizagem individual e o desenvolvimento de autolíderes. A Yum! Brands – a empresa que controla a Pizza Hut, a Taco Bell e a KFC, entre outras – mantém a Yum! University. Nela, seus funcionários aprendem as habilidades técnicas, comerciais e interpessoais relacionadas à criação da mania pelos clientes.[3] Já a Johnsonville Foods promove a aprendizagem continuada incentivando seus funcionários a participar de qualquer curso de treinamento, independentemente de sua aplicabilidade direta no trabalho que estão realizando no momento.[4] A iniciativa de aprendizagem da GE derrubou obstáculos anteriormente existentes quanto ao aprendizado por meio de trabalho interfuncional aplicado à realidade.[5] Não faltam outros exemplos.

> *Empoderamento é o que os líderes oferecem ao seu pessoal. Autoliderança é o que as pessoas fazem para que o empoderamento funcione.*

As três habilidades da autoliderança

Não é possível inverter a pirâmide da hierarquia e simplesmente forçar autolíderes a assumirem a responsabilidade. A autoliderança deve ser ativamente desenvolvida através da aprendizagem de habilidades e atitudes mentais que fomentam o empoderamento.[6] Em *Self Leadership and the One Minute Manager*, Ken Blanchard, Susan Fowler e Laurence Hawkins ensinam as três habilidades da autoliderança: **desafie as restrições autoimpostas, ative suas fontes de poder** e **seja proativo**.[7] Essas três habilidades devem ser incentivas nos colaboradores individuais e o comportamento dos gestores deve servir como exemplo delas.

A primeira habilidade da autoliderança: desafie as restrições autoimpostas

A primeira habilidade de um autolíder é *desafiar as restrições autoimpostas*. Mas o que é uma restrição autoimposta?

> *Uma restrição autoimposta é uma crença, baseada em alguma experiência do passado, que limita as experiências atuais e do futuro.*

O exemplo clássico de uma restrição autoimposta é ilustrado pelo treinamento de elefantes. O treinador pega um elefante bebê e o amarra a uma estaca com uma corrente pesada. Mesmo puxando com muita força, o pequeno elefante não consegue quebrar a corrente. Com o passar do tempo, ele nem tenta mais. Passado algum tempo, ele pesa seis toneladas. Agora poderia arrancar a estaca inteira do chão com facilidade, mas nem tenta. Sua incapacidade de se mover além do comprimento da corrente não é real; é uma restrição autoimposta.

Considere como a história do elefante se relaciona com a sua própria experiência de trabalho. Veja se alguma das frases a seguir lhe parece familiar. "Por que deveria me preocupar? Meu chefe não vai aprovar mesmo. Nunca aceita ideias ou sugestões de quem quer que seja. Nenhuma mulher ocupou esse cargo antes. Nunca fui boa nisso." Todas essas frases são exemplos de restrições autoimpostas, e até podem conter alguma dose de verdade dependendo do contexto, mas não devem servir para definir sua experiência.

Indícios de que restrições autoimpostas podem estar lhe mantendo como refém são diálogos internos negativos, desculpas e autocomiseração. Em um momento ou outro de nossas vidas, a maioria de nós supôs que, por não estarmos em uma posição de poder ou de autoridade direta, não poderíamos ser líderes ou influenciar resultados. Essa é uma das restrições autoimpostas mais comuns no ambiente de trabalho. Pessoas que se tornaram lendárias pela sua eficiência – de Bill Gates a Madre Teresa – são aquelas que vão além das restrições autoimpostas para alcançar seus objetivos. Por exemplo, Madre Teresa – uma albanesa minoritária que pouco falava inglês – não começou sua incrível carreira a partir de uma elevada posição e com grande autoridade. Usou seu poder pessoal para alcançar o objetivo de levar dignidade aos desassistidos. O *status* e o reconhecimento vieram depois.

Isso não quer dizer que estejamos todos livres de restrições impostas por forças externas, sejam elas falta de tempo, dinheiro ou de uma posição de autoridade. No entanto, a autoliderança nos ensina que essas restrições não são o problema. O problema é que pensamos que apenas através desses fatores é que conquistaremos poder. Toda pessoa bem-sucedida poderia dizer o dia e a hora exatos nos quais decidiu livrar-se de uma restrição autoimposta e reconhecer seu próprio poder, o que leva à segunda habilidade dos autolíderes.

A segunda habilidade da autoliderança: ative suas fontes de poder

A segunda habilidade da autolíderança é **ativar suas fontes de poder**. Todos nós temos fontes de poder, mesmo que não tenhamos consciência delas.

Pessoas de todas as idades lutam com a simples noção do poder. O abuso de poder, o uso de *status* e da posição para coagir outros, além do egoísmo atribuído a pessoas que têm poder social e político, têm feito com que as pessoas simplesmente rejeitem o poder, quanto mais queiram recorrer a ele diretamente. A autoliderança ensina as pessoas que todos têm fontes de poder. Ao ajudar as pessoas a reconhecer e aceitar suas fontes de poder, sugerimos que "a única vantagem do poder é sua capacidade de fazer mais o bem".[8] Autolíderes conseguem fazer mais bem para si mesmos, suas famílias, suas comunidades, suas organizações e seus colegas quando aceitam e recorrem ao seu poder.

As cinco fontes de poder são: *poder da posição, poder pessoal, poder de tarefa, poder de relacionamento* e *poder do conhecimento* (ver Figura 5.1).

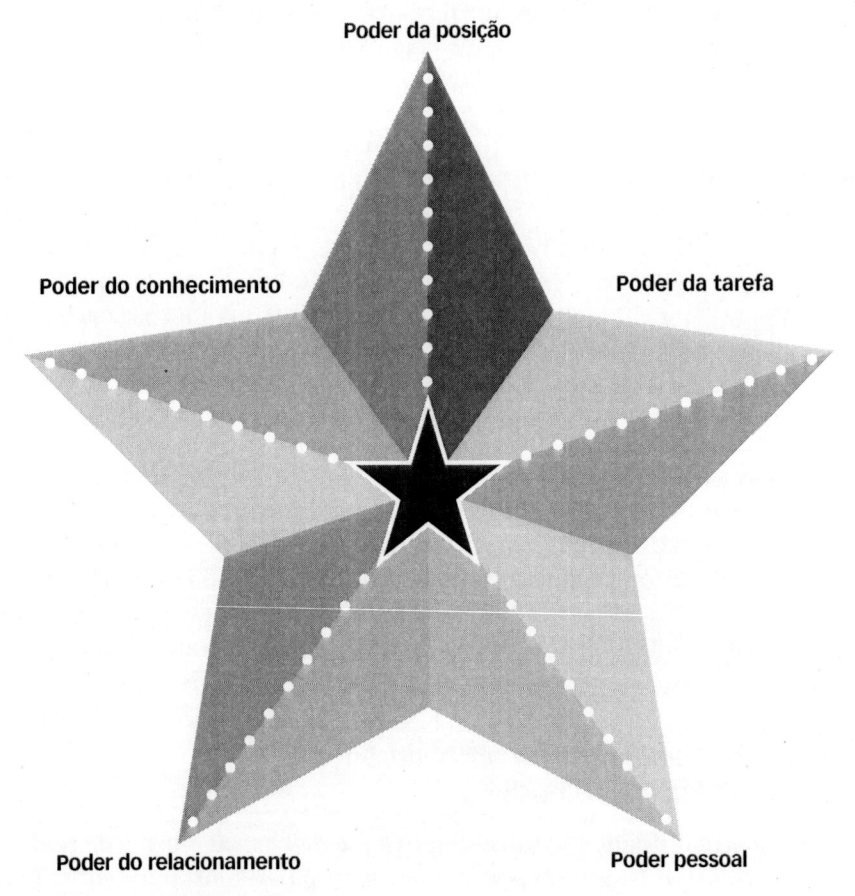

FIGURA 5.1 Pontos de poder.

Poder da posição é a fonte de poder mais reconhecida. É inerente à autoridade de sua posição. Você tem poder da posição quando seu cartão de visitas mostra algum título que indica que possui o poder de gerenciar pessoas ou dispor de recursos.

Poder pessoal advém de atributos pessoais como força de caráter, paixão, persistência, carisma ou sabedoria. O poder pessoal é incrementado por sólidas habilidades pessoais, tais como a habilidade de se comunicar bem e ser persuasivo. Se as pessoas gostam de estar em sua órbita, você tem poder pessoal.

O ***poder da tarefa*** se origina em uma tarefa ou um trabalho específico. Esse é o poder que lhe permite ajudar outros a cumprir um processo ou procedimento ou, ao contrário, impedir ou atrasar as tarefas de outras pessoas. Por exemplo, a assistente executiva de um presidente ou CEO muitas vezes tem o poder de influenciar quem será incluído ou suprimido da agenda desse executivo.

Poder do relacionamento advém do poder de vincular-se a outros – por meio de uma amizade, parentesco, demonstração de compreensão com um colega, cultivar uma relação ou conhecer alguém que lhe deve um favor. Ter um mentor ou defensor pode lhe conferir poder através de um relacionamento, assim como ser parente de alguém poderoso.

O ***poder do conhecimento*** advém de habilidades ou *expertise* especiais, mas também fica evidenciado através de diplomas ou certificados que indicam uma formação especial. É possível, com frequência, transferir o poder do conhecimento de um cargo para outro, ou de empresa para empresa. Sempre existe alguma coisa em que somos bons; portanto, todos temos alguma forma de poder do conhecimento.

Todo mundo possui algum grau de cada uma dessas formas de poder e, geralmente, a distribuição é desigual. Descobrimos que são poucas as pessoas que sequer pensam sobre quais fontes de poder possuem. Um número menor ainda já perguntou aos outros quais eram suas percepções sobre esse assunto. Se tivessem feito isso, talvez ficassem surpresos ao saber como os outros os veem – seu trabalho, sua posição, sua personalidade e suas habilidades.

Receber *feedback* sobre suas fontes de poder pode ser uma experiência esclarecedora. A probabilidade de que você ficará surpreso e gratificado com as respostas que irá receber é alta. Com o despertar de sua consciência e atenção em relação ao seu próprio poder, você se dará conta de como pode utilizar suas fontes de poder com maior vantagem. Também se dará conta de que, embora tenha algumas fontes de poder que lhe parecem óbvias, outras estão sendo ignoradas. A melhor maneira de aumentar sua base de poder é cercar-se de pessoas que possuem fontes de poder que você não tem.

> *Não aceite a restrição autoimposta de que o poder de posição é o único poder que funciona.*

Quando tiver aprendido quais são suas fontes de poder, estará pronto para ativá-las. Se for forte em algumas delas e fraco em outras, não aceite a suposta restrição de que será assim pelo resto da vida. Se, por exemplo, você tem alto poder de conhecimento devido a sua *expertise* em computadores, mas possui baixo poder pessoal devido a habilidades interpessoais deficientes, considere fazer um curso Dale Carnegie sobre "Como Conquistar Amigos e Influenciar Pessoas". Ou talvez você seja uma pessoa com boas habilidades interpessoais, mas carente de habilidades técnicas. Seja um autolíder e peça ajuda para aprender.

Usando o poder do "eu preciso"

Você pode maximizar suas fontes de poder ao combiná-las com duas palavras poderosas: "eu preciso". Em vez de anunciarmos diretamente o que precisamos, muitos de nós entramos em uma sinuca de bico ao fazer perguntas idiotas, como aconteceu com uma mulher no metrô em Nova York. Vamos explicar: um homem embarcou em um vagão e viu que havia apenas um assento sobrando. Havia alguma coisa no assento e, como ele não queria sujar suas calças, pôs o jornal no banco e sentou-se em cima dele. Minutos depois, uma senhora tocou no seu ombro e disse: "Com licença, senhor, está lendo o jornal?". O homem achou que era uma das perguntas mais idiotas que já ouvira. E não se conteve. Ficou de pé, virou a página, sentou-se novamente no jornal e respondeu, "Sim, senhora, estou".

É claro que a história é engraçada, mas nos faz pensar se já fizemos alguma pergunta idiota. Todos nós fazemos. Suponha, por exemplo, que uma colega está correndo para lá e para cá como uma barata tonta, mas você está precisando de ajuda. Então, você pergunta: "Está ocupada?". Essa é uma pergunta idiota. É claro que ela está ocupada! Ela responde algo como: "O dia não tem horas suficientes para o que eu preciso fazer!". Você se sente culpado, fica atrapalhado e a deixa em paz, pois não quer lhe dar ainda mais trabalho.

A alternativa a perguntas idiotas é simplesmente declarar suas necessidades à colega com honestidade: "Preciso de 15 minutos do seu tempo para discutir esse projeto. Se agora não for uma boa hora, posso voltar às 15 horas".

O que torna a expressão "eu preciso" tão poderosa? Quando você diz a alguém que quer alguma coisa, o primeiro pensamento que vem à mente dessa pessoa é: "Todos nós queremos coisas que não podemos ter". Porém, quando usa a expressão "eu preciso", está assumindo uma postura que denota força e convicção. Você refletiu sobre o que é preciso para ser bem-sucedido em alguma tarefa e está pedindo a ajuda de alguém. Os seres humanos adoram sentir que são necessários. Adoram achar que podem ajudar os outros.

Não tenha medo de pedir o que precisa a pessoas que têm fontes de poder que você não possui. Ao ser proativo dessa forma, eliminará de seu vocabulário a expressão "sou uma vítima". Lembre-se de que, ao pedir o que precisa, só haverá duas possibilidades: ou receberá ajuda, ou ficará como estava antes, sem ter perdido nada. Você ficaria animado com a ideia de ir fazer apostas em Las Vegas se tivesse a certeza de ganhar ou, na pior das hipóteses, sair empatado? Claro que sim – pegaria o próximo avião. Se pedir o que precisa e for atendido, já ganhou. Se pedir e não ganhar nada, ficará na mesma – porque já não tinha o que pediu. A maioria das pessoas não tem coragem de pedir o que precisam por medo de rejeição. Lembre-se de que, quando alguém lhe diz não, isso não significa que esteja rejeitando você. A única pessoa que pode rejeitá-lo é você mesmo.

"Eu preciso" é um argumento poderoso. É uma frase fundamental para ser proativo.

A terceira habilidade da autoliderança: seja proativo

A terceira habilidade da autoliderança é *ser proativo*. É aqui que autolíderes tomam a iniciativa de obter a orientação e o apoio de que precisam para alcançar seus objetivos.

No Capítulo 4, "SLII®: o conceito integrador", apresentamos os quatro níveis de desenvolvimento e os estilos de liderança adequados para cada um.

Com a autoliderança, os subordinados diretos podem diagnosticar seus próprios níveis de desenvolvimento em relação a uma meta ou tarefa e tomar a iniciativa de obter de seus gestores o estilo de liderança do qual precisam para ter sucesso (ver a Figura 5.2).

O modelo SLII®

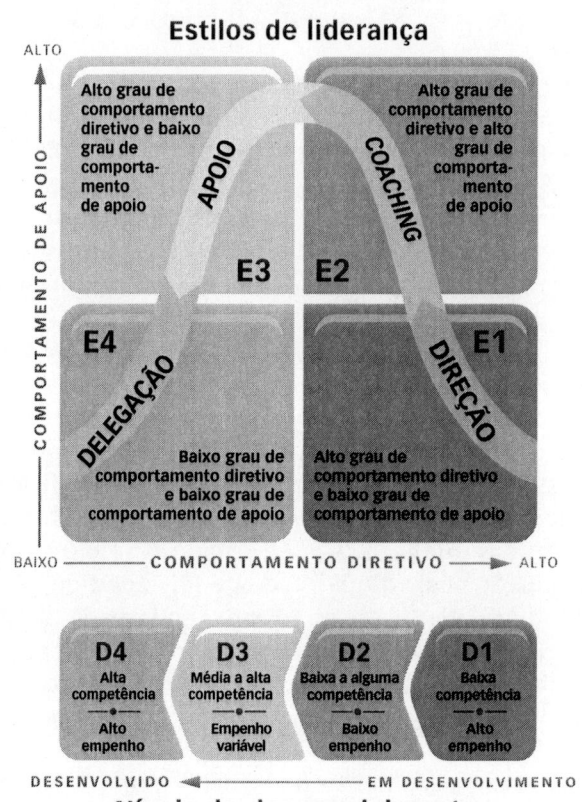

Estilos de liderança

E3 — Alto grau de comportamento diretivo e baixo grau de comportamento de apoio — APOIO

E2 — Alto grau de comportamento diretivo e alto grau de comportamento de apoio — COACHING

E4 — Baixo grau de comportamento diretivo e baixo grau de comportamento de apoio — DELEGAÇÃO

E1 — Alto grau de comportamento diretivo e baixo grau de comportamento de apoio — DIREÇÃO

Eixo vertical: COMPORTAMENTO DE APOIO (BAIXO → ALTO)
Eixo horizontal: COMPORTAMENTO DIRETIVO (BAIXO → ALTO)

Níveis de desenvolvimento

D4	D3	D2	D1
Alta competência	Média a alta competência	Baixa a alguma competência	Baixa competência
Alto empenho	Empenho variável	Baixo empenho	Alto empenho

DESENVOLVIDO ◄──────────── EM DESENVOLVIMENTO

FIGURA 5.2 O modelo SLII®.

A fim de ilustrar o modo como isso funciona, voltemos ao exemplo do Capítulo 4 do vendedor de 22 anos recentemente contratado. Suponhamos que a primeira medida desse gerente tenha sido treinar o vendedor em autoliderança. Agora, quando ele e seu gerente estabelecerem metas em relação às suas quatro áreas principais de responsabilidade – vendas, prestação de serviços, tarefas administrativas e contribuição para a equipe – o jovem vendedor poderá *ser proativo*, assumindo um papel ativo no diagnóstico de seu próprio nível de desenvolvimento. Ele pode determinar o estilo de liderança que precisa para cada uma de suas responsabilidades, em vez de depender de seu gerente para tomar todas as iniciativas. Isso não apenas aumentaria sua autoestima e tornaria sua jornada rumo ao empoderamento mais rápida, como também, ao ser um bom parceiro, aliviaria parte da carga de gerenciamento que seu chefe carrega. Nesse processo, seu gerente pode inverter com maior facilidade a pirâmide hierárquica e tornar-se mais incentivador e apoiador do que diretivo e controlador.

Como nosso vendedor conhece a Autoliderança Situacional, pode autodiagnosticar-se como *principiante empolgado (D1)* na área de vendas para os clientes atuais. Sabe que ainda não demonstrou competência nessa área e que ainda não obteve os conhecimentos e as habilidades de que precisa para alcançar suas metas de vendas. Mesmo assim, a ideia de proporcionar um serviço de alto nível a clientes atuais o anima e seu empenho é grande. O vendedor deverá reconhecer que necessita de um estilo *direcionador (E1)*, com alta direção e baixo apoio. Ele deve *ser proativo*, pedindo que seu gerente lhe ensine tudo sobre essa parte do processo de vendas, desde fazer o primeiro contato até fechar o negócio.

Na área de tarefas administrativas – especificamente na elaboração de relatórios eletrônicos – o vendedor compreende que é um *aprendiz decepcionado (D2)* que necessita de *coaching (E2)*. Após assistir algumas aulas sobre o software de vendas da empresa, achou que estava progredindo na informática. No entanto, usando o software sem o instrutor ao seu lado, sua autoconfiança está diminuindo. O vendedor deve admitir para seu gerente que, apesar de saber lidar bem com algumas funções, está confuso em outras. Sabendo que precisa de muita orientação e apoio nessa área, o vendedor deve *ser proativo*, pedindo ao gerente para conversar com alguém e fazer as perguntas que lhe ocorrem enquanto aprende em tempo real. Também deve pedir que seu gerente lhe dê apoio para que fique mais confiante e para encorajá-lo a continuar aprendendo.

Na área de visitação a clientes, o vendedor está enfrentando algumas dificuldades. Ele foi bem treinado nessa área e conhece o processo de visitação passo a passo. Durante seu treinamento e nas primeiras semanas seguintes, teve alguns acertos. Porém, nas últimas duas semanas, quase não fez nenhuma venda mediante visitação. Sua insegurança voltou e ele começou a ter dúvidas sobre suas qualidades necessárias para ser bem-sucedido nessa abordagem de vendas. Lembrando-se de como se sentira animado e competente apenas poucas semanas antes em relação à visitação, compreende que é um *colaborador capaz, mas cauteloso (D3)* que precisa de um estilo de liderança *apoiadora (E3)*. Deve *ser proativo* pedindo que seu gerente ouça suas preocupações e perguntas e incentive sua autoconfiança, que anda debilitada.

Na área de prestação de serviços ao cliente, o vendedor sabe muito bem que é um *realizador autoconfiante (D4)*. Tendo trabalhado no ramo da hotelaria, ostenta todo tipo de habilidade para agradar aos clientes – deixá-los felizes é tão natural para ele quanto respirar. Já ganhou o coração de alguns dos clientes mais importantes da empresa, antecipando suas necessidades e cumprindo com mais do que esperavam. Nessa área, o vendedor deve *ser proativo*, deixando claro para seu gerente que um estilo de liderança *delegador (E4)* funcionaria melhor para ele. Deve pedir ao gerente que deixe sob sua responsabilidade as decisões cotidianas nessa área. Deve, igualmente, deixar claro que a melhor forma de apoio que este poderia lhe dar é confiar que ele fará bem o seu trabalho e supri-lo com os recursos para tanto necessários, além de desafiá-lo a estabelecer níveis ainda mais elevados de serviços para criar fãs incondicionais.

E não basta ser proativo apenas com seu gerente. Você pode diagnosticar seu nível de desenvolvimento e solicitar o estilo de liderança adequado a qualquer um que possa exercer o papel de líder. *Um líder é qualquer um capaz de lhe dar a direção e o apoio de que precisa para atingir seus objetivos.*

Você supõe que as pessoas não terão o tempo necessário ou a inclinação para ajudá-lo? Supere esse limite, e solicite mesmo assim a ajuda dos outros. Com isso, você libertará o poder da autoliderança.

Agora que você já sabe o que é autoliderança, o próximo capítulo apresentará a liderança de pessoa a pessoa, que lhe ajudará na jornada para se tornar um líder SLII® eficiente.

6
Liderança de pessoa a pessoa

Fred Finch e Ken Blanchard

Naquilo que apresenta de melhor, o SLII® é uma parceria que envolve confiança mútua entre duas pessoas que trabalham juntas para alcançar metas em comum. O líder e o colaborador influenciam um ao outro. A liderança se alterna entre os dois, dependendo da tarefa exigida e de quem tem a competência e o empenho para lidar com ela. Ambas as partes cumprem um papel na determinação de como as coisas serão feitas.

Este capítulo fornece um guia para a criação dessas relações igualitárias de liderança. O que chamamos de liderança de pessoa a pessoa é um processo que aumenta a qualidade e a quantidade dos diálogos entre gestores e seus colaboradores diretos – que são, afinal, as pessoas que os gestores apoiam e de quem dependem. Esses diálogos não apenas ajudam a ter melhor desempenho, mas também fazem com que todos os envolvidos sintam-se melhor a respeito de si mesmos e dos outros.

Estabelecendo um sistema eficaz de gestão de desempenho

Quando bem executada, a liderança de pessoa a pessoa se torna parte essencial de um sistema de gestão de desempenho eficaz.

Esse sistema é composto de três partes:

- **Planejamento do desempenho.** Após todos terem sido esclarecidos quanto à visão e à direção organizacionais, tem início o planejamento do desempenho. Nesse período, os líderes devem estabelecer com seus colaboradores diretos as metas e os objetivos nos quais irão se concentrar. Nesse estágio, não chega a ser problema se a hierarquia tradicional prevalecer, porque, em havendo discordância entre um gerente e um colaborador direto a respeito de metas, quem ganha a discussão? O gerente, já que é a pessoa que representa os objetivos e as metas da organização.

- **Coaching do desempenho.** É nessa etapa que a hierarquia é virada de cabeça para baixo no dia a dia. Os gestores fazem tudo ao seu alcance para ajudar os assessores diretos a serem bem-sucedidos. Os gestores trabalham para os colaboradores, exaltando o progresso e redirecionando o desempenho inadequado.
- **Avaliação do desempenho.** Ocorre quando o gerente e o assessor direto se reúnem a fim de avaliar o desempenho do segundo em determinado período.

A qual dessas três partes – planejamento do desempenho, *coaching* do desempenho do desempenho ou avaliação do desempenho – dedicam as empresas, em sua esmagadora maioria, suas atenções? Infelizmente, à avaliação do desempenho. Em praticamente todas as organizações que visitamos, somos informados de que "vocês vão adorar nosso novo formulário de avaliação de desempenho". Sempre damos risada, porque achamos que boa parte poderia ser jogada fora. Por quê? Pois, em geral, esses formulários se propõem a medir coisas que ninguém sabe avaliar. Por exemplo, "iniciativa" ou "disposição para assumir responsabilidades". Ou então "potencial de promoção" – essa é boa! Quando ninguém sabe bem como ganhar pontos em uma avaliação de desempenho, o foco da energia se volta para o topo da hierarquia. Afinal, se você tiver uma boa relação com seu chefe, maior será a maior probabilidade de obter uma boa avaliação.

Algumas organizações se saem muito bem em planejamento do desempenho e estabelecem metas muito claras. No entanto, após estabelecidas, o que em geral acontece com essas metas? Ficam arquivadas e ninguém mais volta sua atenção para elas, até chegar a hora da avaliação de desempenho. Nesse momento, todos saem batendo cabeça em busca das tais de metas.

Dos três componentes que fazem parte de um sistema de gestão de desempenho eficaz, qual é menos observado? O *coaching* do desempenho. Não deixa de ser paradoxal, pois este é o aspecto mais importante na gestão do desempenho das pessoas, pois é durante o *coaching* do desempenho que o *feedback* – elogios ao progresso alcançado e o redirecionamento de comportamentos inadequados – se faz presente de maneira continuada.

No livro *Helping People Win at Work: A Business Philosophy Called "Don't Mark My Paper: Help Me Get an A"*, Ken Blanchard e Garry Ridge, CEO da WD-40 Company, discutem detalhadamente como funciona um sistema de gestão de desempenho eficaz.[1] O livro se inspira na experiência de dez anos de Ken como professor universitário. Ele estava sempre em conflito com o corpo docente. Ocorre que, já no início de cada semestre, entregava aos alunos o exame final. Quando os outros professores se deram conta disso, começaram a cobrar: "O que você pensa que está fazendo?".

Ken respondeu: "Eu pensei que fosse nossa tarefa ensinar os alunos".

"Claro que sim, mas não lhes dê a prova final antes do tempo!".

Ao que Ken retrucou: "Não apenas vou entregar o exame antes do tempo, mas o que acham que vou fazer durante o semestre? Vou ensinar-lhes as respostas para que quando fizerem o exame final todos possam tirar A. Entendam, a vida é uma questão de tirar A – não de fazer uma curva idiota de distribuição normal".

Você contrata perdedores? Você anda por aí dizendo: "perdemos alguns de nossos melhores perdedores no ano passado, então, vamos contratar outros iguais para preencher aquelas posições com menor desempenho"? Não! Você contrata vencedores, ou vencedores em potencial. Você não contrata pessoas que possam se encaixar em uma curva de distribuição normal. Contrata os melhores profissionais que puder e quer que eles tenham o melhor desempenho possível.

Entregar o exame final aos alunos antes do tempo é como planejar o desempenho: deixa claro exatamente o que se espera deles. *Coaching* de desempenho é exatamente como ensinar aos colaboradores diretos as respostas necessárias. Quando você vê alguém fazendo a coisa certa, lhe diz "é isso aí garoto!". Quando vê alguém fazendo a coisa errada, não sai gritando com ele ou guarda seu *feedback* para a avaliação de desempenho. Você diz: "Resposta errada. Qual seria a resposta certa?". Ou seja, redireciona essa pessoa. E, por último, entregar às pessoas na avaliação de desempenho o mesmo exame que receberam no início do ano os ajuda a ganhar – a ter uma boa avaliação. Não deve haver surpresas durante uma avaliação de desempenho semestral ou anual. Todos devem saber como será a prova e devem obter ajuda durante o ano para alcançar uma nota alta. Quando existe uma curva de distribuição forçada – na qual uma certa porcentagem de seu pessoal está necessariamente na média ou abaixo da média – você perde a confiança de todos. O resultado disso é que as pessoas passam a se importar apenas em parecer melhor que os demais e ficar de bem com o chefão.

Após aprender sobre essa filosofia, Garry Ridge, presidente da WD-40, implementou como tema central de sua empresa a frase: "Não encha meu trabalho de correções – ajude-me a tirar um A". Ele enfatiza esse conceito a tal ponto que prefere demitir o gerente de um funcionário com mau desempenho, em vez do próprio funcionário, caso descubra que o gerente nada tem feito para ajudar aquela pessoa a tirar um A.

Nem todos os executivos são como Garry Ridge. Muitos ainda pensam que é necessário usar uma curva de distribuição normal que estabelece algumas pessoas acima da média, outras abaixo e o restante na média. O motivo desses gestores e suas organizações muitas vezes relutarem em descartar a curva de distribuição normal é que não sabem como lidar com o planejamento de carreiras se algumas pessoas não ficarem de fora, em um nível abaixo da média. Se avaliarem uma porcentagem maior de seu pessoal com alto desempenho, não saberão como recompensar a todos. À medida que as pessoas ascendem na pirâmide hierárquica, as oportunidades de promoção não se tornam mais escassas? Consideramos essa pergunta um tanto quanto ingênua. Se você tratar as pessoas bem e as ajudar a sair-se bem em sua posição atual, com frequência elas usarão sua criatividade para desenvolver novas ideias de negócios que expandirão sua visão e farão com que sua organização cresça. Proteger a hierarquia não é algo positivo nem para o seu pessoal nem para a sua organização.

Ralph Stayer, que escreveu *Flight of the Buffalo* com Jim Belasco, conta uma história maravilhosa que prova o que acabamos de dizer. Stayer trabalhava no ramo de embutidos. Sua secretária apresentou, certo dia, uma ótima ideia: sugeriu que começassem a vender por catálogo, pois na época vendiam suas salsichas diretamente apenas para armazéns e outros distribuidores. Ele se entusiasmou: "Que grande ideia! Por que não organiza um plano de negócios e o gerencia?". Em pouco tempo, a então ex-secretária estava na chefia de uma nova e importante divisão da empresa e criando todo tipo de oportunidades de trabalho, sem esquecer a nova fonte de receitas para a empresa.[2]

Uma liderança que dá importância ao discernimento, à crítica e à avaliação é coisa do passado. Liderar em um alto nível atualmente significa ajudar as pessoas a ganhar notas A, proporcionando-lhes a direção, o apoio e o incentivo necessários para que deem o melhor de si.

Liderança de pessoa a pessoa e o sistema de gestão de desempenho

Para que você tenha uma ideia melhor de como tudo isso funciona, apresentaremos um roteiro que irá ajudá-lo a entender como a liderança de pessoa a pessoa se encaixa no sistema de gestão de desempenho formal que foi descrito. Apesar de ser possível colocar esse roteiro em ação sem nenhum treinamento anterior, é muito mais poderoso quando todos os envolvidos – líderes e subordinados diretos – conhecem o SLII® e a Autoliderança. Dessa forma, todos estarão falando a mesma língua.

Planejamento do desempenho: a primeira parte do sistema de gestão de desempenho

Como pode ser visto na Figura 6.1, o Roteiro de Gestão do Desempenho tem quatro passos: ***estabelecer metas, diagnosticar, adequar*** e ***entregar***. Observe que os três primeiros são iguais às três habilidades necessárias para ser um bom líder SLII®, como descrito no Capítulo 4.

Estabelecer metas é o primeiro passo do Roteiro de Gestão do Desempenho. É um conceito tão importante que será discutido em detalhes no Capítulo 7, "Habilidades essenciais para a liderança de pessoa a pessoa". Resumindo, o bom estabelecimento de metas garante que as pessoas tenham clareza sobre as tarefas pelas quais são responsáveis e sobre os padrões frente aos quais o seu trabalho será mensurado.

Diagnóstico é o segundo elemento do Roteiro de Gestão do Desempenho. Ele começa quando o líder e o colaborador, individualmente, diagnosticam o nível de desenvolvimento deste último para cada uma das metas acordadas. Fazê-lo individualmente significa que cada um irá a um local calmo para diagnosticar, sozinho, o nível de desenvolvimento para cada meta. Ambos determinam o nível de competência e empenho fazendo duas perguntas:

- Para determinar a ***competência***, cada um deles deve perguntar: "Essa pessoa sabe/eu sei mesmo cumprir esta tarefa?":
- Para determinar o ***empenho***, cada um deve perguntar: "Qual o nível de satisfação do meu colaborador direto ou meu com a realização dessa tarefa?".

COMECE COM

ESTABELECIMENTO DE METAS
(é necessário acordo com o colaborador)

1. Área de responsabilidade/Meta
2. Medida/Padrão de desempenho

PERGUNTE
1) Que área de responsabilidade ou meta quero influenciar?
2) Como saberei que o trabalho está sendo feito? (medida)
3) O que constitui um bom desempenho para essa meta? (padrão)

DEPOIS AVANCE PARA

DIAGNÓSTICO DO NÍVEL DE DESENVOLVIMENTO
(é necessário acordo com o colaborador)

COMPETÊNCIA **EMPENHO**

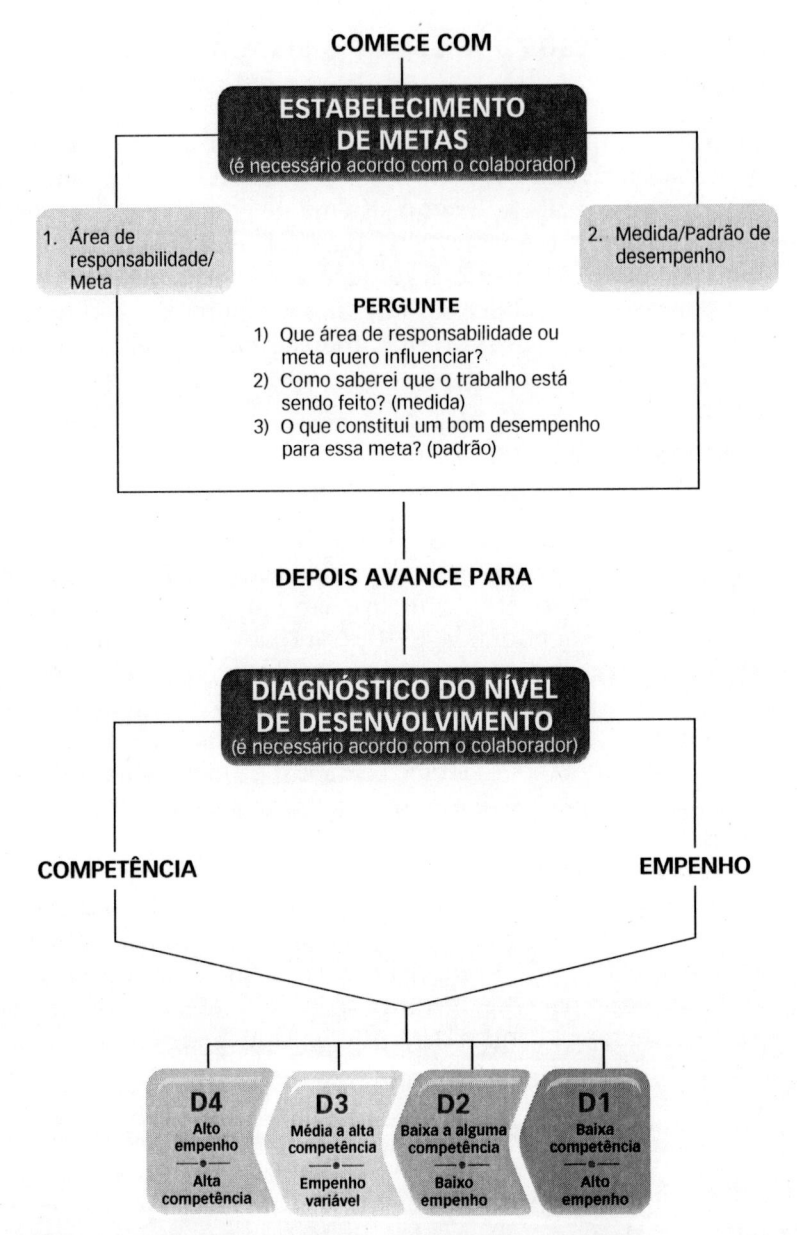

D4	D3	D2	D1
Alto empenho	Média a alta competência	Baixa a alguma competência	Baixa competência
Alta competência	Empenho variável	Baixo empenho	Alto empenho

FIGURA 6.1 O Roteiro de Gestão do Desempenho (*continua*).

DEPOIS IDENTIFIQUE

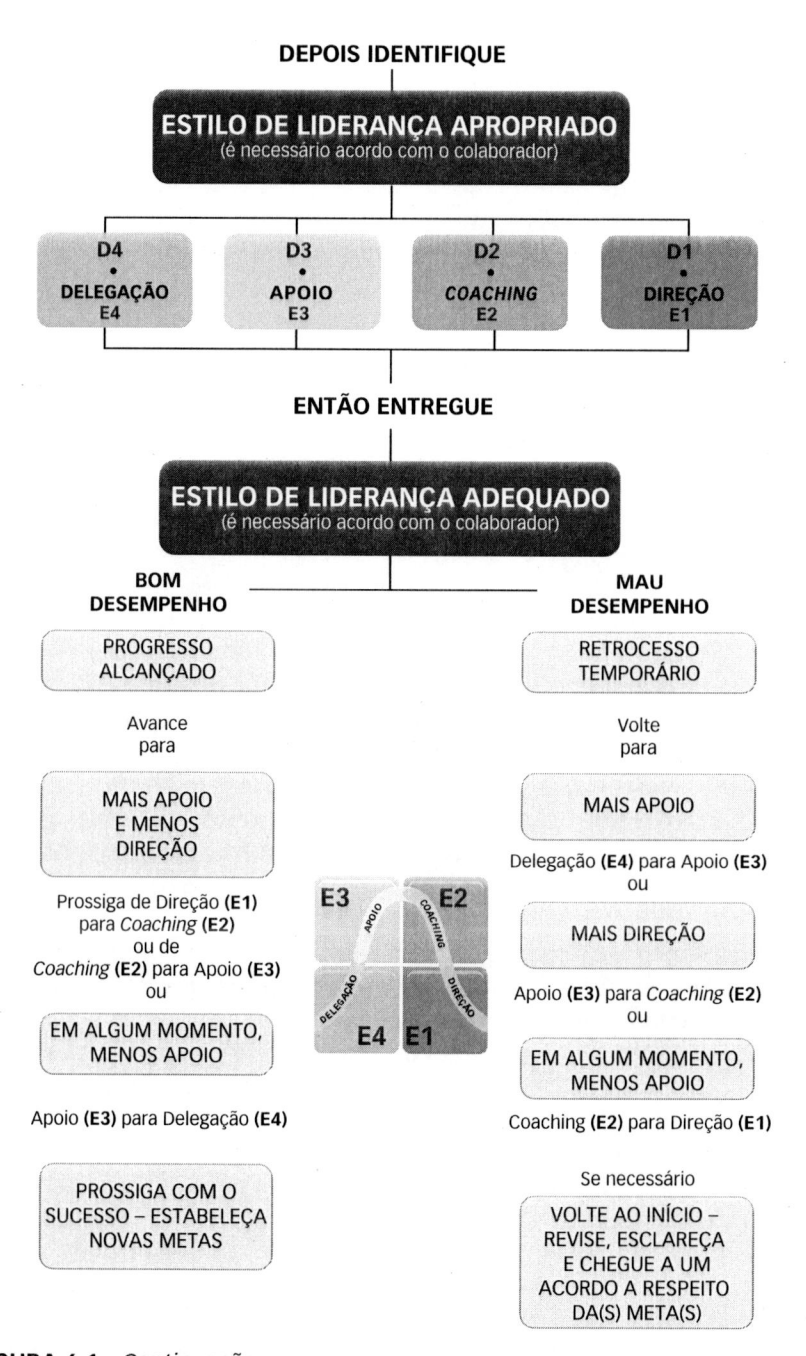

ESTILO DE LIDERANÇA APROPRIADO
(é necessário acordo com o colaborador)

D4	D3	D2	D1
•	•	•	•
DELEGAÇÃO	APOIO	COACHING	DIREÇÃO
E4	E3	E2	E1

ENTÃO ENTREGUE

ESTILO DE LIDERANÇA ADEQUADO
(é necessário acordo com o colaborador)

BOM DESEMPENHO	MAU DESEMPENHO
PROGRESSO ALCANÇADO	RETROCESSO TEMPORÁRIO
Avance para	Volte para
MAIS APOIO E MENOS DIREÇÃO	MAIS APOIO
Prossiga de Direção (**E1**) para *Coaching* (**E2**) ou de *Coaching* (**E2**) para Apoio (**E3**) ou	Delegação (**E4**) para Apoio (**E3**) ou
	MAIS DIREÇÃO
EM ALGUM MOMENTO, MENOS APOIO	Apoio (**E3**) para *Coaching* (**E2**) ou
	EM ALGUM MOMENTO, MENOS APOIO
Apoio (**E3**) para Delegação (**E4**)	*Coaching* (**E2**) para Direção (**E1**)
PROSSIGA COM O SUCESSO – ESTABELEÇA NOVAS METAS	Se necessário
	VOLTE AO INÍCIO – REVISE, ESCLAREÇA E CHEGUE A UM ACORDO A RESPEITO DA(S) META(S)

FIGURA 6.1 *Continuação.*

Depois que as duas pessoas envolvidas nesse processo de parceria concluem seu trabalho de diagnóstico, elas devem voltar a se reunir e concordar quanto a quem iniciará a conversa. Se o colaborador for o primeiro, o líder deve ouvir o seu diagnóstico. Depois, antes de dizer qualquer coisa, o líder deve repetir para o colaborador o que ouviu dele para que este confirme o que foi dito. Quando for a vez do líder, ele dirá qual é o seu diagnóstico do nível de desenvolvimento do colaborador para cada uma de suas áreas de responsabilidade. É nesse instante que o colaborador deve escutar e dar *feedback* sobre o que ouviu para que o gerente concorde com o que foi dito. Por que sugerimos esse processo? Pois garante que ambas as pessoas sejam ouvidas. Sem esse tipo de estrutura, se uma das pessoas envolvidas for mais verbal do que a outra, ela dominará a conversa.

Depois que os dois participantes forem ouvidos, devem ser discutidas as semelhanças e diferenças em seus diagnósticos e tentar chegar a algum acordo. Se houver alguma discordância não resolvida entre o líder e o subordinado direto quanto ao nível de desenvolvimento, quem deve ganhar? O subordinado. Não é papel do gestor brigar por níveis de desenvolvimento. Contudo, o gerente deve fazer com que o colaborador se responsabilize. Isso significa que irá lhe perguntar: "O que poderá me mostrar em uma ou duas semanas que demonstrará que seu diagnóstico do seu nível de desenvolvimento estava certo e o meu estava errado?". Você quer ajudar seu pessoal a vencer, mesmo que não haja um acordo. Descobrimos que as pessoas esforçam-se muito para provar que estão certas, exatamente o que você quer que elas façam. Se o desempenho não contemplar as expectativas anteriormente acordadas, ficará claro para o colaborador direto que o diagnóstico deve ser refeito e mais direção e/ou apoio devem ser dados.

A **adequação** é o terceiro passo do Roteiro de Gestão do Desempenho. Quando o nível de desenvolvimento for esclarecido, ambos os lados, se tiverem conhecimento de SLII®, devem estar prontos para discutir qual estilo de liderança será necessário. A adequação garante que o líder fornecerá os tipos de comportamento – um estilo de liderança – que o subordinado direto precisa para desempenhar bem a sua função e, ao mesmo tempo, elevar seu empenho.

Mesmo que o estilo de liderança apropriado a ser usado seja esclarecido no momento em que o nível de desenvolvimento for determinado, isso é apenas o início. Quando estamos praticando liderança de pessoa a pessoa, não basta apenas você dizer que usará um estilo de delegação ou de *coaching*. É preciso ser mais específico. Isso dá uma oportunidade para o líder obter o que chamamos de "permissão para usar um estilo de liderança".

Obter a permissão para usar um estilo de liderança é importante por dois motivos. O primeiro deles, a confirmação de que o colaborador direto concorda com o estilo proposto estabelece uma transparência. Em segundo lugar, a obtenção de permissão assegura que o colaborador direto aceitou o uso daquele estilo, o que aumenta o seu empenho. Se, por exemplo, o subordinado for um **principiante empolgado** que não tem muito conhecimento ou as habilidades necessárias para uma tarefa, mas está entusiasmado em assumi-la, é evidente que ele precisa de um estilo de liderança de **direção**. O líder poderá dizer: "O que acha de eu estabelecer uma meta para a tarefa que poderá lhe exigir mais, mas que é alcançável, e depois desenvolver um plano de ação que possibilitará que você atinja essa meta? Então, gostaria de me reunir com você regularmente para discutir seu progresso e proporcionar qualquer ajuda que você venha a precisar nesta fase inicial. Isso faz sentido como forma de ajudá-lo a progredir o mais rápido possível?". Se o colaborador direto concordar, podem começar imediatamente.

Por outro lado, suponha que um subordinado direto é um **realizador autoconfiante** quanto a uma meta específica e, portanto, pode receber um estilo de liderança de **delegação**. O líder poderá dizer: "Certo. A bola está com você, mas me mantenha informado. Se tiver qualquer problema, ligue para mim. A não ser que eu tenha alguma notícia sua, ou informações que me digam o contrário, vou partir do pressuposto de que está tudo bem. Se não estiver, ligue logo. Não espere até o problema ficar gigantesco. O que lhe parece?". Se o colaborador concordar, estará por conta própria até seu desempenho ou sua comunicação sugerir o contrário. Se, em qualquer um dos casos – do principiante empolgado ou do realizador autoconfiante – o subordinado direto não concordar, o que deve acontecer? Deve haver mais discussão até que ambos concordem quanto a uma abordagem de liderança.

Como pode ver pelos exemplos, uma vez acordado o estilo adequado de liderança, o líder ainda precisará fornecer orientação para o trabalho. O *fornecimento das orientações* pode exigir o estabelecimento de expectativas claras de desempenho, a criação de um plano de ação, a elaboração de um processo para verificar o progresso e a expressão de confiança de que a pessoa pode cumprir o plano de desempenho.

Como parte desse processo, é importante estabelecer um sistema de acompanhamento baseado no estilo de liderança que foi acordado. É nesse ponto que o líder e o subordinado direto se comprometem a manter as reuniões agendadas – as chamadas reuniões para verificação de progresso – a fim de ver como o desempenho está avançando.

Se, por exemplo, você aceitar que o seu subordinado direto precisa de um estilo de ***direção***, será preciso encontrar-se mais frequentemente com ele, e talvez fazer com que o colaborador direto frequente algum tipo de treinamento formal. Se a escolha recair em um estilo de ***coaching***, você poderá determinar: "Vamos marcar duas reuniões por semana, de pelo menos duas horas, para trabalhar naquele problema em que você precisa de ajuda. Que tal segunda e quarta-feira, das 13h às 15h?". Com um estilo de liderança de ***apoio***, você poderá perguntar: "Qual é a melhor forma para eu reconhecer e elogiar o progresso que você está obtendo? No almoço, uma vez por semana mais ou menos?". Se concordarem em almoçar juntos, seu papel será o de ouvir e apoiar suas ações. Com um estilo de ***delegação***, ficaria a cargo do colaborador direto determinar o momento de pedir ajuda, em se tratando de um realizador autoconfiante.

Coaching *do desempenho:*
a segunda parte do sistema de gestão de desempenho

Uma vez estabelecido, o estilo de liderança escolhido estabelece o número, a frequência e o tipo de reuniões para verificação do progresso que haverá entre líderes e seus subordinados diretos. A implementação dessas reuniões dá início ao *coaching* do desempenho. É nesse momento que os líderes fazem elogios ao progresso e/ou redirecionam os esforços de seus parceiros – seus subordinados diretos.

Muitas vezes, os líderes supõem que suas orientações para o trabalho são tão claras que não há necessidade de um acompanhamento, ou que estão tão ocupados que não podem destinar um pouco de seu tempo para isso. Se quiser poupar tempo e evitar aborrecimentos posteriores, marque e realize as reuniões de verificação do progresso. Desta forma, você poderá detectar os problemas antes que se tornem maiores, e aumentará consideravelmente as probabilidades de que o desempenho de seu colaborador direto em relação à meta atinja suas expectativas. Quando deixam de marcar reuniões para verificar o progresso, os líderes podem levar seu pessoal ao fracasso. É por isso que um de nossos ditados favoritos é:

Você pode esperar mais se inspecionar mais.

Isso pode soar intrusivo, mas não é. Em *Whale Done!: The Power of Positive Relationships*, Ken Blanchard, Thad Lucinak, Chuck Thompkins e Jim Ballard deixam muito claro que a inspeção serve para flagrar as pessoas no que estão fazendo certo, e não errado. O elogio do progresso e/ou o redirecionamento de esforços começa com o destaque dado ao que é positivo. O redirecionamento vem no encalço do elogio para que se progrida sempre. Se não estiver ocorrendo progresso – em outras palavras, se o desempenho não estiver melhorando – os líderes devem partir imediatamente para o redirecionamento, impedindo, assim, que o desempenho esmoreça ainda mais.

Entrega é o estilo de liderança apropriado no quarto passo do Roteiro de Gestão do Desempenho. Vejamos o modelo novamente para termos ideia do que acontece quando o desempenho melhora.

Ao reexaminar a Figura 6.2 e o SLII®, você pode estar se perguntando o que representa a curva que passa pelos quatro estilos de liderança. Nós a chamamos de curva de desempenho, e por uma boa razão.

> *Desempenho é aquilo que provoca uma mudança no estilo de liderança.*

Estilos de liderança

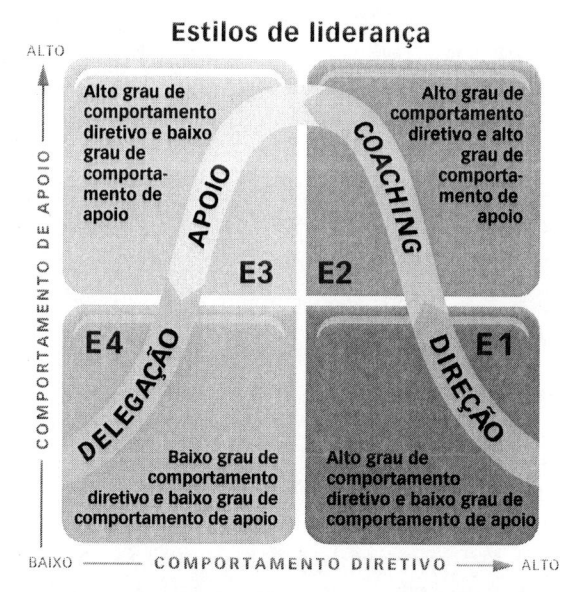

E3 – Alto grau de comportamento diretivo e baixo grau de comportamento de apoio — APOIO	**E2** – Alto grau de comportamento diretivo e alto grau de comportamento de apoio — COACHING
E4 – Baixo grau de comportamento diretivo e baixo grau de comportamento de apoio — DELEGAÇÃO	**E1** – Alto grau de comportamento diretivo e baixo grau de comportamento de apoio — DIREÇÃO

Eixos: COMPORTAMENTO DE APOIO (BAIXO–ALTO) × COMPORTAMENTO DIRETIVO (BAIXO–ALTO)

FIGURA 6.2 Estilos de liderança SLII®.

À medida que o nível de desenvolvimento vai de *principiante empolgado (D1)* até *realizador autoconfiante (D4)*, a curva mostra como o estilo de liderança de um gerente vai de *direção (E1)* a *delegação (E4)*, passando primeiramente por um aumento no *apoio (E2)*, e, depois, por uma diminuição na *direção (E3)*, até que, com o tempo, há uma diminuição também no *apoio (E4)*. Quando alcança o nível de *realizador autoconfiante (D4)*, uma pessoa pode dirigir e apoiar seu próprio trabalho cada vez mais. Seu objetivo como gerente deve ser ajudar seu subordinado direto a melhorar seu desempenho pela mudança gradual do estilo de liderança.

Para que, como líder, você entenda melhor como fazer isso, imagine que a curva de desempenho seja como os trilhos de um trem. Cada um dos estilos de liderança representa uma estação na curva de desempenho. Se começar com um *principiante empolgado (D1)* usando um estilo *dirigente (E1)* e quiser chegar finalmente ao estilo de *delegação (E4)*, que é apropriado para um *realizador autoconfiante (D4)*, por quais estações deverá passar ao longo do caminho? Por *coaching (E2)* e *apoio (E3)*.

Não existe um trilho que leva diretamente de *direção (E1)* para *delegação (E4)*. O que acontece com um trem em alta velocidade quando sai dos trilhos? Há pessoas feridas. É importante que os gestores não pulem nenhuma estação à medida que administram a jornada das pessoas para o alto desempenho. Mantendo-se nos trilhos e parando em todas as estações no caminho, você poderá levar seus colaboradores diretos a um bom desempenho, sob pouca ou nenhuma supervisão. Lao Tsé afirmou:

> *Quando termina o trabalho do melhor dos líderes, as pessoas dizem: "Fomos nós que fizemos!".*

Um experimento que fizemos na University of Massachusetts alguns anos atrás ilustra o poder do SLII® na liderança de pessoa a pessoa. Trabalhávamos com quatro instrutores em um curso básico sobre gestão. Os primeiros dois instrutores trabalhavam com preleções ou conduzindo discussões – em outras palavras, usavam estilos de *direção* e de *coaching*. Esses dois instrutores tradicionalistas passaram a ser nosso grupo de controle.

Ensinamos aos outros dois instrutores o método SLII® e mostramos como mudar seu estilo de lecionar no espaço de oito semanas. Nas duas primeiras semanas, pedimos que usassem um estilo de *direção*: palestras. Nas duas seguintes, pedimos a eles que comandassem as discussões usando principalmente um estilo de *coaching*. Ao longo das outras duas semanas, mostramos a eles como avançar para um estilo de *apoio*, limitando seu envolvimento em aula; eles ficavam sentados e faziam somente comentários sobre os processos, do tipo "todos tiveram oportunidade de se manifestar?", ou intervenções de incentivo do tipo "esta é uma aula realmente interessante". Ao longo das duas últimas semanas, mostramos a eles como chegar a um estilo de liderança de *delegação*: pedindo aos alunos para conduzir as aulas, sempre deixando claro que estariam na sala ao lado, trabalhando em um artigo para uma publicação especializada.

No último dia do curso, uma secretária foi a todas as quatro salas e escreveu uma nota no quadro de avisos: "O instrutor está doente e não poderá comparecer. Sigam a aula como de costume".

O que aconteceu com os alunos das duas primeiras turmas, nas quais os instrutores do grupo de controle apenas faziam preleções ou conduziam discussões? Em cinco minutos, todos haviam ido embora. Sem a presença do instrutor, eles simplesmente não sabiam o que fazer.

Nas turmas em que o estilo de ensino mudara, ninguém foi embora. Os alunos faziam comentários do tipo: "grande coisa, faz duas semanas que o instrutor não aparece. O que você achou do caso?". Uma das duas turmas até mesmo permaneceu em sala meia hora a mais além do horário estipulado.

No fim do semestre, as turmas experimentais com o estilo pedagógico alterado superaram as outras duas. Os alunos sabiam mais, gostavam mais do curso e não chegavam atrasados, nem faltavam às aulas. Mas como, se os seus instrutores nem mesmo haviam comparecido nas últimas duas semanas? Porque os instrutores se mantiveram nos trilhos e modificaram gradualmente seu estilo de ensinar, de direção para *coaching* daí para apoio e então delegação, e os alunos com o tempo avançaram da dependência para a independência, de principiantes empolgados para realizadores autoconfiantes.

Desempenho em declínio

É raro constatar declínios em desempenho resultantes de um declínio da competência. A não ser que existam casos de Alzheimer no trabalho, ninguém perde uma competência que sempre demonstrou ou que desenvolveu mediante constante treinamento. Mudanças no desempenho ocorrem ou porque o trabalho e as habilidades necessárias para desempenhá-lo mudaram, ou porque as pessoas perderam seu empenho.

> *Lidar com a falta de empenho – uma mudança na motivação ou na confiança – é um dos maiores desafios que os gestores enfrentam.*

Em geral, os líderes evitam lidar com os liderados que perderam o empenho, principalmente por ser um assunto difícil do ponto de vista emocional e porque eles não sabem como abordá-lo. Quando decidem enfrentar o assunto, pioram as coisas: transformam os não engajados em ativamente desengajados. O sentimento principal daqueles que deixam de demonstrar empenho é que os líderes ou a organização trata-os de maneira injusta.

Acreditamos que o principal motivo para a perda de comprometimento é o comportamento do líder ou o da organização. Muitas vezes, alguma coisa que o líder ou a organização fez, ou deixou de fazer, é a causa principal para a erosão do comprometimento.

Pessoas desmotivadas não recebem o tipo de liderança que combina com as suas necessidades – ou recebem supervisão excessiva ou insuficiente. O descomprometimento tem inúmeras outras causas possíveis: falta de *feedback*, falta de reconhecimento, falta de expectativas claras quanto ao desempenho, padrões injustos, ser tratado agressivamente ou levar a culpa de tudo que sai errado, descumprimento de promessas, estar com excesso de trabalho ou estressado. A erosão do comprometimento pode afetar a funcionalidade pessoal, parcial ou totalmente.

Parece haver uma convicção generalizada de que o descomprometimento ocorre principalmente no nível mais baixo da organização, com colaboradores individuais. Não é verdade. Ele surge em todos os níveis da organização.

A literatura atual e os programas de treinamento que tratam da chamada "abordagem dos problemas de desempenho" dão um enfoque prioritário aos supervisores de primeira linha. Essa literatura e esses programas partem do pressuposto que o colaborador do atendimento é o problema. A própria linguagem usada – "como lidar com problemas de desempenho" – deixa implícito que a pessoa que tem o problema é o problema. As publicações e os programas de treinamento enfatizam temas como o comportamento ou o desempenho inaceitável dos colaboradores, o registro de problemas de desempenho, o desenvolvimento de políticas organizacionais que lidem com eles, o aconselhamento de colaboradores, a remoção de pessoas com baixo desempenho, o aconselhamento corretivo e a disciplina.[3]

Em geral, essas são estratégias que não têm chance de sucesso, pois intensificam o descomprometimento e, portanto, devem ser usadas somente em último caso. Essa abordagem é conhecida como "culpar a vítima". Um processo que não lida com todas as causas do problema está fadado ao fracasso, especialmente se a própria pessoa que reprova o colaborador com mau desempenho contribuiu de alguma forma para esse desempenho. Se o líder, ou a organização, de alguma forma contribuiu para causar o problema, seu papel em tudo isso precisa ser identificado e resolvido como parte da solução.

Procurar culpados: uma péssima estratégia

Em primeiro lugar, vamos supor que o líder ou a organização tenham contribuído para causar o descomprometimento de uma pessoa. Não é o que acontece sempre, mas evidências sugerem que é o que ocorre na maioria substancial dos casos. Em segundo lugar, vamos supor que essa situação esteja acontecendo há algum tempo. Novamente, as evidências corroboram essa suposição. Quando pedimos para os líderes nas organizações identificarem seus liderados que estejam apresentando "problemas de desempenho", e que nos digam há quanto tempo isso vem ocorrendo, as respostas variam desde seis meses até 10 anos. Essas respostas por si só já indicam que o líder é parte do problema – ou seja, as dificuldades não estão sendo enfrentadas.

Enfrentar o descomprometimento é tarefa difícil e, em geral, de pesada carga emocional. Se a situação já vem ocorrendo há algum tempo, é provável que exista um alto nível de tensão emocional na relação entre o líder e o colaborador direto. O líder põe a culpa no colaborador, e este põe a culpa no líder e/ou na organização.

É necessário possuir um conjunto de habilidades interpessoais sofisticadas, além da capacidade de não deixar que seu ego interfira, para que o problema seja tratado de forma eficaz. Se não houver de sua parte a disposição de assumir que algum comportamento seu, ou da sua organização, contribuiu para causar o problema, é improvável que haja uma solução.

Enfrentando a falta de empenho

A falta de empenho ocorre quando há uma lacuna entre o desempenho ou atitude do subordinado direto e as expectativas do líder. Essas lacunas ocorrem por dois motivos principais. Primeiro, quando uma pessoa já demonstrou que tem a habilidade para desempenhar ou se comportar de forma adequada e agora seu desempenho esmoreceu ou seu comportamento mudou de forma negativa. Em segundo lugar, uma lacuna ocorre quando alguém não se dispõe a adquirir conhecimentos ou habilidades que produziriam uma melhoria de desempenho ou de comportamento.

Estabelecemos três estratégias possíveis para enfrentar o descomprometimento:

- Continue fazendo o que sempre fez.
- Detecte o problema logo.
- Use um estilo de liderança de apoio (alto grau de apoio e baixo grau de direcionamento).

A primeira alternativa – continuar fazendo o que sempre fez – terá como resultado o mesmo de sempre: um aumento progressivo de irritação e frustração e nenhuma solução.

A alternativa mais eficaz é enfrentar o descomprometimento o mais cedo possível – assim que é detectado, antes de fugir do seu controle e começar a crescer. A detecção precoce facilita a identificação das causas e a resolução do problema.

Da mesma forma que melhorias no desempenho provocam avanços nos estilos ao longo da curva, quedas no desempenho exigem um recuo no estilo de liderança pela curva de desempenho. Se uma pessoa a quem você está delegando responsabilidades começa a mostrar uma queda de desempenho, você deve procurar descobrir o porquê. Portanto, passaria de um estilo de delegação para um estilo de apoio, em que possa ouvir e coletar dados. Se vocês dois concordarem que o colaborador está a par do problema, pode explicar seu declínio no desempenho e é capaz de voltar a ter o desempenho de antes, você poderá, em breve, voltar a um estilo de liderança de delegação. Porém, se ambos concordarem que essa situação de desempenho requer mais a sua atenção, você poderá adotar um estilo de *coaching*, supervisionando a situação mais de perto. É altamente improvável que você tenha de voltar ao começo, para um estilo de direção.

A terceira alternativa para enfrentar o descomprometimento quando o problema está ocorrendo há algum tempo é retornar cautelosamente a um estilo de apoio. Isso pode parecer inadequado para gestores impacientes que gostariam de voltar direto para um estilo de liderança de direção. Examinemos por que e como um estilo de liderança de apoio é uma escolha melhor.

1º passo: prepare o terreno

A preparação deve incluir a seleção de um desempenho ou comportamento específico que, na sua opinião, vocês têm condições de resolver em conjunto. Não tente tratar tudo de uma vez.

Quando tiver escolhido o desempenho ou atitude em que pretende se concentrar, reúna todos os dados que constituem evidência de que o desempenho ou o comportamento realmente exista, do seu ponto de vista. Se for uma questão de desempenho, quantifique a queda no desempenho. Se for uma questão de atitude, limite suas observações àquilo que efetivamente observou. Não faça suposições, nem mencione as percepções de outras pessoas. Essa é uma forma garantida de criar uma atitude defensiva. E você provavelmente não conseguirá identificar exatamente quem essas "outras pessoas" são, porque elas em geral não querem que seus nomes sejam mencionados. Além disso, use as informações mais recentes possível. Em seguida, identifique qualquer coisa que você ou a organização possam ter feito para contribuir para o descomprometimento. Seja honesto: assumir responsabilidades é a parte mais importante de achar uma solução.

Faça perguntas a si mesmo para determinar o seu papel na situação. As expectativas de desempenho eram claras? Você alguma vez conversou com essa pessoa sobre seu desempenho ou atitude? Ela sabe o que vem a representar um bom trabalho? Existe alguma coisa que esteja interferindo no desempenho? Você tem usado o estilo de liderança apropriado? Está dando *feedback* ao desempenho ou comportamento? A pessoa está sendo recompensada por um desempenho ou comportamento inadequado? (Com frequência, pessoas em organizações são recompensadas por um mau desempenho – ou seja, ninguém diz nada.) A pessoa está sendo punida por um bom desempenho ou comportamento? (Muitas vezes, as pessoas são punidas por um bom desempenho ou comportamento – ou seja, cumpre bem o seu trabalho e outro recebe o reconhecimento.) As políticas da empresa apoiam o desempenho desejado? Por exemplo, há disponibilidade de treinamento ou tempo para que sejam aprendidas as habilidades necessárias?

Quando tiver feito um trabalho completo na parte de preparação, você estará pronto para o segundo passo.

2º passo: marque uma reunião, diga qual é o objetivo e estabeleça as regras básicas

Marcar uma reunião é fundamental. É importante começar a reunião dizendo qual o seu objetivo e estabelecendo regras básicas para garantir que ambas as partes serão ouvidas de forma a não criar uma postura defensiva. Pessoas descomprometidas, com problemas sérios de desempenho ou comportamento, têm uma propensão a argumentar ou se tornar defensivas quando confrontadas. Você poderia, por exemplo, começar a reunião assim:

> Jim, quero falar de uma questão séria, a sua reação a pedidos de informações. Gostaria de estabelecer algumas regras básicas para nossa discussão a fim de que nós dois possamos falar livremente sobre nossos pontos de vista nesse caso. Quero que trabalhemos juntos para identificar o problema e suas causas, e para que possamos definir uma meta e desenvolver um plano de ação para resolvê-lo.
>
> Em primeiro lugar, gostaria de lhe falar sobre minha percepção do problema e de suas causas. Quero que me ouça sem responder, a não ser que precise de esclarecimentos sobre as questões. Depois, gostaria que você repetisse o que eu acabei de dizer, para que eu tenha certeza que entendeu o meu ponto de vista. Quando eu tiver terminado, gostaria de ouvir o seu lado da história, usando as mesmas regras básicas. Vou repetir o que disse até que você tenha certeza de que eu entendi seu ponto de vista. O que você acha desse processo, como uma maneira razoável de começar?

Usando as regras básicas que foram estabelecidas, vocês devem começar a entender o ponto de vista de cada um quanto à questão de desempenho que está sendo discutida. Garantir que ambos tenham sido ouvidos é uma ótima forma de reduzir posturas defensivas e caminhar em direção a uma resolução.

Quando tiver estabelecido as regras básicas da reunião, estará preparado para o terceiro passo.

3º passo: trabalhe para chegar a um acordo mútuo quanto ao problema de desempenho e suas causas

O próximo passo é identificar os pontos de concordância e de discordância quanto ao problema e suas causas. Sua tarefa é analisar até que ponto um entendimento mútuo pode ser alcançado para que a solução conjunta do problema possa ser alcançada. Na maioria das situações de conflito, é improvável que ambas as partes concordem em tudo. Descubra se há um número suficiente de pontos em comum para viabilizar uma solução. Se não houver, revejam os aspectos que estão interferindo e reformulem seus pontos de vista para ver se há como chegar a um entendimento e acordo entre vocês.

Quando achar que é possível ir adiante, pergunte: "Está disposto a colaborar comigo para chegarmos a uma solução?".

Se, mesmo assim, não conseguir o comprometimento de que haverá um avanço, precisará passar a usar um estilo de liderança de direção. Estabeleça expectativas de desempenho claras e prazos para que sejam alcançadas. Defina padrões de desempenho claros e específicos e um cronograma para acompanhar o progresso do desempenho. Também devem ser citadas as consequências no caso de não cumprimento. Tenha em mente que essa é uma estratégia usada como último recurso e que poderá resolver o problema de desempenho, mas não o problema de comprometimento.

Quando for possível obter o comprometimento de trabalharem juntos para resolver o problema, é normal que você sinta um grande alívio e suponha que o assunto está resolvido. Não se precipite.

Se você ou a organização contribuíram para causar o problema, é necessário tomar medidas para corrigir o que foi feito. Qualquer coisa que você tenha realizado para causar ou piorar o problema precisa ser tratada e resolvida. Às vezes, você não tem controle sobre o que a organização fez, mas o fato de reconhecer o impacto da organização muitas vezes libera a energia negativa e reconquista o comprometimento do colaborador.

Se, finalmente, tiver obtido um comprometimento de trabalharem juntos para resolver o assunto, poderá passar ao quarto passo e formar uma parceria para o desempenho.

4º passo: parceria para o desempenho

Nesse momento, você e seu colaborador direto precisam estabelecer uma parceria para discutirem o desempenho e, juntos, decidir o estilo de liderança que você usará para proporcionar orientação para o trabalho ou *coaching*. Deve-se estabelecer uma meta, definir um plano de ação e marcar uma reunião para verificação do progresso. Esse passo é crucial.

A resolução de problemas de descomprometimento requer habilidades de gestão de desempenho e interpessoais sofisticadas. A primeira tentativa de ter uma dessas conversas provavelmente não será tão produtiva quanto você gostaria. No entanto, se conduzir a conversa com honestidade e franqueza, ela reduzirá o impacto das habilidades interpessoais não tão perfeitas e estabelecerá a base para uma relação produtiva construída a partir do comprometimento e da confiança.

Avaliação de desempenho:
a terceira parte do sistema de gestão de desempenho

A terceira parte de um sistema de gestão de desempenho eficaz é a *avaliação de desempenho*. É nesse momento que se avalia o desempenho que a pessoa apresentou durante o ano. Não incluímos a avaliação de desempenho, no sentido tradicional, em nosso Roteiro de Gestão do Desempenho. Por quê? Pois acreditamos que a avaliação de desempenho não é um evento anual, mas um processo contínuo que acontece durante todo o período de desempenho. Quando reuniões para verificar o progresso são marcadas de acordo com o nível de desenvolvimento, discussões abertas e honestas sobre o desempenho do colaborador direto acontecem de forma contínua, criando entendimento e concordância mútuos. Se essas reuniões forem bem conduzidas, a avaliação de desempenho de final de ano será apenas uma revisão daquilo que já foi discutido. Não haverá surpresas.

Formação de parcerias como um sistema informal de gestão de desempenho

Temos falado até agora de como a liderança de pessoa a pessoa poderia ser encaixada em um sistema formal de gestão de desempenho. Infelizmente, a maioria das organizações não conta com um sistema formal de gestão de desempenho. Metas organizacionais são geralmente estabelecidas, mas, com frequência, não há um sistema estabelecido para seu cumprimento. Como resultado disso, a gestão do desempenho das pessoas é deixada à decisão e à iniciativa de gestores individuais. Ainda que sejam normalmente realizadas avaliações anuais de desempenho, em muitas organizações elas são, na melhor das hipóteses, aleatórias. Gestores que trabalham nesse tipo de ambiente podem implementar a liderança de pessoa a pessoa informalmente em suas próprias áreas, mesmo nas avaliações de desempenho. Como já deixamos claro, acreditamos que a avaliação eficaz de desempenho é um processo contínuo que deve ocorrer durante todo o período de análise do desempenho, e não somente uma vez por ano. Se os gestores fizerem um bom trabalho com um sistema informal de avaliação de desempenho, talvez, através de seu bom exemplo, um sistema formal de gestão de desempenho surja em toda a organização, com a liderança de pessoa a pessoa como elemento central.

Reuniões cara a cara: fundamentais para que a liderança de pessoa a pessoa funcione

Como as pessoas podem levar para a prática toda a teoria que aprenderam a respeito da liderança de pessoa a pessoa?

Margie Blanchard e Garry Demarest desenvolveram um processo cara a cara que requer que os gestores façam reuniões de 15 a 30 minutos, no mínimo de duas em duas semanas, com cada um de seus subordinados diretos.[4] O gestor é responsável por marcar a reunião, mas o subordinado direto determina a pauta. É nessa hora que as pessoas podem falar sobre o que quiserem com seus gestores – a reunião é delas. O propósito desses encontros cara a cara é fazer com que gestores e subordinados diretos se conheçam melhor como seres humanos de verdade.

Antigamente, a maioria dos empresários mantinha uma atitude militar tradicional que determinava: "Não se aproxime demais de seus subordinados diretos – não dá para tomar decisões difíceis se houver uma ligação emocional com seu pessoal". Hoje, porém, suas concorrentes costumam sair a caça de seus melhores funcionários; por isso, conhecê-los e dar provas contínuas desse conhecimento é uma vantagem competitiva.

> *Com muita frequência, pessoas talentosas relatam que os executivos que os contrataram sabem mais a seu respeito e dão mais importância às suas esperanças e aos seus sonhos que os seus gestores.*

Não permita que digam isso a seu respeito. Reuniões cara a cara não apenas fortalecem o poder da liderança de pessoa a pessoa, como também criam relacionamentos verdadeiros e satisfação no trabalho. No próximo capítulo, revelaremos os segredos definitivos de como liderar de pessoa a pessoa.

7
Habilidades essenciais para a liderança de pessoa a pessoa

Ken Blanchard e Fred Finch

Somos crentes convictos da regra dos 80/20: 80% dos resultados que os líderes precisam concretizar no trabalho com seu pessoal advêm de 20% das atividades de liderança por eles realizadas. Os três segredos de *The New One Minute Manager*[1] são um exemplo perfeito dessa certeza. Nessa nova edição do livro, Ken Blanchard e Spencer Johnson concentram o foco em três conceitos básicos: os objetivos-minuto, os elogios-minuto e as reorientações-minuto. Embora essas três habilidades provavelmente representem somente 20% das atividades nas quais os gestores se empenham, elas podem proporcionar os resultados por eles desejados (os 80%). Essas três habilidades são peças fundamentais de uma eficaz parceria para o desempenho.

Estabelecimento de objetivos-minuto

Sem metas claras, o SLII® não funciona. Por quê? Pois os níveis de desenvolvimento são específicos de cada tarefa. Como já mencionamos, as pessoas não são sempre principiantes empolgados, aprendizes desanimados, colaboradores capazes mas cautelosos, ou realizadores autoconfiantes. Tudo depende de quais metas específicas dentro de suas funções estamos falando.

De acordo com pesquisas, o estabelecimento de metas é o instrumento motivacional mais poderoso na caixa de ferramentas de um líder.[2] Ele garante propósito, desafios e sentido. Metas são os sinais de trânsito que tornam uma visão arrebatadora uma realidade. Metas dão energia às pessoas. Metas específicas, claras e desafiadoras levam a um maior esforço e a uma maior realização do que metas fáceis ou vagas.

É claro que as pessoas devem ter o conhecimento, as habilidades e o empenho necessários para cumprir essas metas. É nisso que se concentra o SLII®. Quando se lida com principiantes empolgados ou aprendizes decepcionados, é provavelmente melhor estabelecer metas de aprendizagem do que metas de resultados. É melhor, por exemplo, que jogadores de golfe iniciantes dêem tacadas contra uma rede do que na área de treinamento do campo de golfe, pois, se os resultados de seus esforços se tornarem evidentes, cada tacada será motivo para desistirem do jogo. Quando jogam bolas contra a rede, concentram-se apenas em aprender o movimento certo. Quando esses jogadores começam a exibir uma tacada competente, poderão ir para a área de treinamento do campo de golfe.

A distinção entre metas de aprendizagem e metas de resultados é importante, já que algumas pessoas afirmam que nunca passam pelo estágio de aprendiz decepcionado. Isso ocorre porque estão mais concentradas em aprender do que em cumprir as metas. Ainda assim, é correto passar de um estilo de direção para um de *coaching*, então para apoio e, finalmente, de delegação à medida que as pessoas melhoram seu nível de desenvolvimento, estejam elas focadas no aprendizado ou no cumprimento de metas.

Se todo bom desempenho começa por uma meta clara, como identificá-la? Para que a meta seja clara, as pessoas precisam saber o que está sendo solicitado (dentro de suas áreas de responsabilidade) e o que representa um bom desempenho (os padrões de desempenho pelos quais serão avaliadas).

Áreas de responsabilidade

Um dos maiores obstáculos à melhoria da produtividade é o problema da indefinição das expectativas e responsabilidades na organização. Por exemplo, perguntando aos colaboradores e aos gestores o que cada um faz, as respostas divergem amplamente, sobretudo se for pedido ao grupo para listar suas responsabilidades por ordem de prioridade. O resultado é que, com frequência, as pessoas nas organizações são punidas por não fazerem o que nem sequer sabiam que deveriam fazer.

Às vezes, as pessoas às quais os gestores atribuem maior responsabilidade por uma atividade específica sequer têm consciência desse papel. Por exemplo, perguntou-se a um grupo de gestores de restaurantes preocupados com as vendas em seus estabelecimentos quem eles consideravam responsáveis por gerar vendas em suas organizações. A resposta foi garçons e garçonetes. Mas quando se perguntou aos garçons e garçonetes quais seriam suas principais responsabilidades, as respostas foram, em sua maioria: "Anotar os pedidos e servir a comida". Não fizeram referência alguma a vendas. Portanto, mesmo que isso pareça bastante óbvio, os gestores precisam ter certeza de que seu pessoal sabe o que se espera deles.

Padrões de desempenho

As pessoas precisam saber também o que representa um bom desempenho. Os padrões de desempenho fornecem essa informação. Eles ajudam os gestores e os colaboradores diretos a monitorar o desempenho mais facilmente e servem como base para a avaliação. Saber se uma organização possui padrões de desempenho claros pode ser constatado com a pergunta: "Você está fazendo um bom trabalho?". A maioria das pessoas responderá: "Não sei", ou "Acho que sim". Se disserem "sim, acho que sim", a próxima pergunta reveladora seria "como você sabe disso?". Respostas típicas são "meu chefe não tem me dado 'bronca' ultimamente", ou "se o chefe tivesse alguma reclamação, eu já estaria sabendo". Essas respostas indicam que as pessoas recebem pouco *feedback* sobre seu desempenho até cometerem um erro. É uma situação lamentável. Essa prática habitual de gestores leva ao estilo de gestão mais usado nos Estados Unidos: deixe que se virem para depois cair em cima! Esse estilo de gestão também pode ser chamado de "gestão gaivota". Quando alguém erra, gestores-gaivota chegam voando, fazem bastante barulho, espalham sujeira em todo mundo e saem voando. Como esse é o estilo de gestão predominante nas organizações, não é de se estranhar que a motivação de pessoas seja o maior problema organizacional atual.

Scott Meyers, um consultor de longa data na área de motivação, afirmou a mesma coisa usando uma analogia inovadora.[3] Meyers ficou estarrecido com o número de pessoas desmotivadas nas organizações. No entanto, jamais viu uma pessoa desmotivada depois do horário de trabalho. Todos pareciam motivados a fazer alguma coisa.

Uma noite, quando Meyers foi jogar boliche, viu algum dos "colaboradores-problema" da última empresa onde trabalhara. Uma das pessoas menos motivadas – alguém de quem lembrava muito bem – pegou a bola de boliche, aproximou-se da linha e fez a jogada, começando então a gritar e a pular. Por que será que estava tão feliz? A resposta ficou óbvia para Meyers: ele fizera um *strike*. Sabia que tivera ótimo desempenho.

Lembre-se que as metas precisam ser claras. A razão para não se ver gente gritando de alegria nas empresas, Meyers afirmou, é, em parte, a falta de clareza sobre o que se espera delas. Ou seja, fazendo uma analogia com o boliche, quando as pessoas se aproximam da pista, notam que não há pinos no final; isto é, ficam sem saber quais são suas metas. Por quanto tempo você estaria disposto a jogar boliche se não houvesse pinos? No entanto, todos os dias no trabalho as pessoas estão jogando boliche sem os pinos e o resultado disso é que não sabem como estão se saindo. Os gestores sabem o que querem que seus colaboradores façam – só esquecem de contar isso a eles, pois pressupõem que todos saibam disso. Nunca parta de pressupostos quando o assunto for o estabelecimento de metas.

Para atingir suas metas, as pessoas precisam de *feedback*. Quando os gestores pressupõem que seu pessoal sabe o que se espera deles, estão criando uma segunda forma ineficaz de jogar boliche. Eles colocam os pinos no lugar, mas quando o jogador vai lançar a bola, vê que há um lençol atravessando a pista. Portanto, quando lança a bola, e essa passa por baixo do lençol, ele ouve um barulho, mas não sabe quantos pinos derrubou. Quando lhe é perguntado como se saiu, ele diz: "Não sei, mas a sensação foi boa".

É como jogar golfe à noite. Muitos de nossos amigos desistiram de jogar golfe. Quando perguntamos por que, respondem: "Os campos estão lotados demais". Quando sugerimos que joguem à noite, dão risada; quem jogaria golfe sem poder enxergar as bandeirinhas? O mesmo acontece quando assistimos futebol. Quantas pessoas se sentariam na frente de suas TVs num sábado ou domingo à tarde, ou numa quarta à noite, para ver dois times correndo pelo campo se não houvesse como fazer gols? Para atingir suas metas, as pessoas precisam de *feedback* quanto ao seu desempenho.

---

*O principal motivador das pessoas é
o* feedback *sobre os resultados.*

Como dizia nosso antigo colega Rick Tate: "*feedback* é o alimento dos campeões". Você consegue imaginar treinar para uma Olimpíada sem ninguém a conferir a rapidez do seu *sprint* ou a altura do seu último salto? A ideia pode parecer absurda, mas a verdade é que, nas organizações, há muitos funcionários operando num vácuo, sem saber como estão fazendo seu trabalho.

O dinheiro motiva as pessoas somente se isso representar um *feedback* sobre resultados. Você já recebeu um aumento que o alegrou e depois descobriu que outra pessoa, a qual, no seu entendimento, não fez por merecer, havia recebido um aumento igual, ou maior ainda, que o seu? Nesse contexto, esse aumento salarial não só deixou de *motivá-lo* como passou a ser *desmotivador* quando você percebeu que nada tinha a ver com resultados. De repente, todo aquele seu esforço para chegar a esse estágio perdeu qualquer significado.

Quando os gestores finalmente se convencem de que o principal motivador das pessoas é o *feedback* sobre os resultados, criam uma terceira forma de jogar boliche. Quando o jogador vai até a linha para lançar a bola, os pinos estão de pé e o lençol está no lugar, mas, agora, há um terceiro elemento no jogo: um supervisor parado junto ao lençol. Quando o jogador lança a bola, ouve o barulho dos pinos caindo. O supervisor levanta dois dedos e diz: "Você acertou dois". Para falar a verdade, a maioria dos chefes nem daria um *feedback* tão positivo. Eles diriam, pelo contrário, "você errou oito!".

Avaliações de desempenho podem minar o desempenho

Por que os gestores não levantam o lençol para que todos possam ver os pinos? Porque as empresas têm uma forte tradição chamada *avaliação de desempenho*. Nós a chamamos de ATPSFDP (Agora Te Peguei, seu FDP). Infelizmente, muitos gestores usam a avaliação de desempenho como uma oportunidade anual para acertar as contas com o seu pessoal.

Como explicamos no último capítulo, o processo de avaliação de desempenho muitas vezes é usado para colocar as pessoas em uma curva de distribuição normal, dessa forma enquadrando e distorcendo seu desempenho. O estabelecimento de um orçamento ou uma porcentagem fixa para os aumentos salariais de um grupo muitas vezes estimula essa prática. Na maioria das empresas, quando seis ou sete pessoas se reportam a você, a prática de dar a todas elas avaliações favoráveis – mesmo que todas mereçam – é desestimulada. Os gestores acreditam que se avaliarem bem o seu pessoal receberão uma má avaliação de seus gestores. Entendem que a única forma de serem bem avaliados é dar notas baixas a alguns dos seus subordinados.

Uma das tarefas mais difíceis de um gerente é decidir quem deve ficar com as notas mais baixas. Em sua maioria, os americanos são criados com essa mentalidade de ganhar ou perder, na qual todos os grupos precisam ter seus perdedores. Essa mentalidade permeia nosso sistema educacional. Uma professora da 5ª série, por exemplo, ao aplicar uma prova sobre as capitais dos estados, não pensará em disponibilizar alguns mapas para que os alunos possam pesquisar as respostas durante a prova. Por quê? Pois todos tirariam 10. Alguém se atreve a imaginar o que aconteceria com a educação americana se as crianças pudessem consultar o dicionário ao fazer uma prova de vocabulário? Seria um escândalo!

Limite o número de metas

De três a cinco metas é o número ideal em que pessoas com desempenho superior conseguem se concentrar, de acordo com a maioria das pesquisas.[4] Uma vez estabelecidas essas metas, devem ser registradas de forma acessível para possibilitar frequentes consultas destinadas a comparar o desempenho real com o desempenho pretendido.

Muitas vezes, a definição de metas é considerada uma atividade burocrática – um mal necessário para que se consiga realizar uma tarefa. Quando isso acontece, as metas são arquivadas e as pessoas fazem o que bem entendem até a próxima avaliação de desempenho. Com o estabelecimento de objetivos-minuto, a filosofia é manter as metas à mão para poder lê-las em um minuto ou menos.

Metas bem-formuladas são metas SMART

Embora a maioria dos gestores concorde com a importância da definição de metas, poucos são os que encontram tempo para estabelecê-las transparentemente com seu pessoal, fazendo o devido registro. A consequência é que as pessoas tendem a cair na "armadilha da atividade", circunstância em que estão sempre fazendo alguma coisa – embora não necessariamente a coisa certa. Para se concentrar no que é realmente importante, você deve ter metas SMART, estabelecidas junto com seu pessoal. SMART é uma sigla que resume os fatores mais importantes no estabelecimento de metas de qualidade:

- **Específicas e mensuráveis (*Specific and measurable*).** Você deve ser específico quanto à área que precisa melhorar e o que vem a representar um bom desempenho. Ser específico reforça o velho ditado:

"se você não pode medir, não poderá administrar". Assim, metas devem ser específicas, observáveis e mensuráveis. Se alguém disser, "mas meu trabalho não pode ser medido", sugira que seja eliminado para ver se fará falta.

- **Motivadoras (*Motivating*).** Nem toda tarefa será superanimadora, mas ter metas estimulantes ajuda. Às vezes, a única coisa que as pessoas precisam saber é por que a tarefa é importante. As pessoas querem saber que aquilo que fazem tem verdadeira importância. Isso é estimulante.

- **Alcançáveis (*Attainable*).** O que realmente motiva as pessoas são metas razoavelmente difíceis, mas alcançáveis. Isso foi provado inúmeras vezes com o velho jogo de argolas. Pede-se que as pessoas joguem argolas na direção de uma estaca a qualquer distância que queiram. Descobriu-se que pessoas desmotivadas param bem perto da estaca, onde a meta é facilmente alcançável, ou bem longe, onde as chances de sucesso são mínimas. De acordo com pesquisas clássicas sobre motivação para a realização, conduzidas por David McClelland, pessoas de alto desempenho encontram a distância adequada até a estaca pela experimentação.[5] Se jogarem as argolas de um local específico e acertarem a maioria das jogadas, elas recuam. Por quê? Por se tratar de tarefa fácil demais. Se errarem a maioria das jogadas, dão um passo à frente. Por quê? A tarefa está difícil demais. McClelland observou que pessoas de alto desempenho gostam de estabelecer metas de dificuldade moderada, mas alcançáveis – ou seja, metas que as desafiem, mas que não sejam impossíveis. É isso que queremos dizer com alcançáveis.

- **Relevantes (*Relevant*).** Como já mencionamos antes, acreditamos na regra dos 80/20. Oitenta por cento do desempenho que o gerente almeja das pessoas provêm de 20% das atividades nas quais elas podem se envolver. Portanto, uma meta é relevante se incluir uma atividade dentro dos 20% que fazem a diferença no desempenho total.

- **Rastreáveis e com um limite de tempo (*Trackable and time-bound*).** Como gerente, você deve elogiar o progresso e redirecionar um comportamento inadequado. Para que possa fazer isso, deve ser capaz de medir ou verificar o desempenho com frequência, o que significa que deve ter um sistema de registro para rastrear o desempenho. Se uma meta for a entrega de um relatório até 1º de junho, as chances de receber um relatório aceitável, ou até excelente, aumentarão se relatórios parciais forem requeridos e o progresso for elogiado ao longo da jornada.

Elogios-minuto

Quando seus colaboradores entenderem o que está sendo pedido a eles e o que representa um bom comportamento, você estará pronto para a segunda etapa-chave na obtenção do desempenho desejado: o elogio-minuto. Elogiar é a atividade mais poderosa que um gerente pode desempenhar. Na verdade, é essencial para treinar pessoas e transformar todos que trabalham para você em vencedores. Elogios visam reforçar comportamentos que conduzem as pessoas para mais perto de suas metas.

De todas as ferramentas do gerente-minuto, os elogios-minuto são as mais poderosas.

Olhe ao seu redor, na sua empresa, e veja se consegue "flagrar as pessoas fazendo as coisas certas". Nessa hora, dê a elas um elogio-minuto que seja imediato, específico e que demonstre o que está sentindo.

Seja imediato e específico

Para que um elogio seja eficaz, deve ser *imediato* e *específico*. Diga às pessoas exatamente o que fizeram certo assim que for possível. Por exemplo: "Você entregou seu relatório no prazo na sexta-feira e estava bem escrito. Eu o usei em uma reunião hoje. Aquele relatório elevou tanto o meu conceito quanto o seu e o de todo o departamento". Comentários genéricos demais, como "gostei do seu empenho" e "muito obrigado", têm menos chances de parecerem sinceros e, portanto, provavelmente não serão eficazes.

Diga como se sente

Após elogiar as pessoas, diga a elas como as suas ações o impactaram. Não tente racionalizar. Diga o que verdadeiramente sente: "Deixe eu lhe dizer o que sinto. Fiquei muito orgulhoso depois de ouvir sua apresentação do relatório financeiro na reunião do conselho de administração. É realmente importante contar com você em nossa equipe. Muito obrigado". Elogios podem ser breves, mas têm um efeito duradouro.

Elogios são universalmente poderosos

Os elogios impulsionam todas as interações humanas eficazes. Os mesmos conceitos se aplicam a qualquer relacionamento, não somente para tornar as pessoas melhores gestores, mas também para torná-las melhores pais, cônjuges, amigos e clientes. Considere o casamento, por exemplo.

Na primeira vez em que você se apaixona, tudo é maravilhoso. Você dificilmente identifica as falhas ou limitações da pessoa amada. O amor é cego – você só vê o lado positivo. Quando decide se casar ou estabelecer um relacionamento mais permanente, é comum que comece a ver coisas erradas no seu cônjuge. Logo estará dizendo "não acredito que você possa fazer isso!". Sua ênfase se desloca para aquilo que está errado com a outra pessoa, em vez de para aquilo que é bom. O sinal definitivo de que um relacionamento amoroso não vai nada bem é quando você faz alguma coisa certa e mesmo assim é repreendido por não ter feito aquilo ainda mais certo. Você ouve coisas como "eu não deveria ter que te pedir isso", ou "você já deveria ter feito isso".

Como é que duas pessoas conseguem transitar da paixão para o enlouquecimento mútuo? A resposta, na verdade, é bem simples. Bons relacionamentos dependem inteiramente da frequência com que você se dá conta de que seu cônjuge está fazendo algo realmente bem.

Estar por perto faz a diferença

Essa discussão traz à tona um dos pontos mais importantes sobre os elogios: não espere por um comportamento absolutamente correto para elogiar. Flagre as pessoas quando estiverem fazendo as coisas mais ou menos certas. Queremos o comportamento absolutamente certo, mas, se esperarmos que ocorra para somente então reconhecê-lo, talvez nunca deparemos com ele. Vale lembrar que o comportamento totalmente correto é formado por toda uma série de comportamentos aproximadamente certos. Sabemos que isso é assim com animais e crianças – só que esquecemos que é assim com adultos também.

Imagine-se, por exemplo, tentando ensinar uma criança que está aprendendo a falar: "dê-me um copo de água, por favor". Se esperar até a criança dizer a frase correta para lhe dar água, a criança morrerá de sede. Portanto, você começa dizendo "Água! Água!". De repente, um dia a criança diz "áua". Você sai pulando de alegria, abraça e beija a criança e telefona para a vó para que a criança possa lhe dizer "áua, áua". Não foi "água", mas chegou perto.

Contudo, ninguém gostaria que um jovem de 21 anos entrasse em um restaurante pedindo um copo de "áua". Portanto, depois de algum tempo, você aceita somente a palavra "água", e em seguida quer as palavras "por favor". Sendo assim, quando treinar alguém, deve dar importância a flagrar a pessoa fazendo algo de certo – no início pode ser aproximadamente certo – e gradualmente conduzi-la ao comportamento desejado.

Bob Davis, ex-presidente da Chevron Chemical, escolheu como um de seus lemas favoritos a frase "Elogie o progresso – pelo menos é um alvo em movimento". O que precisamos fazer em todas nossas interações no trabalho e em casa é destacar o positivo e flagrar as pessoas fazendo as coisas certas, mesmo que sejam apenas aproximadamente certas.

Quando você está enfrentando dificuldades com seu cônjuge, filho, membro de equipe, chefe ou amigo, a primeira coisa que faz é se perguntar: "Quero mesmo que esse relacionamento funcione?". Analise seus sentimentos mais íntimos. Se lá no fundo não quiser que o relacionamento funcione, não vai funcionar. Por quê? Pois você tem o controle da ressalva – o "sim, mas". Se quiser que o relacionamento funcione, flagrará a outra pessoa fazendo as coisas certas ou aproximadamente certas. Porém, se não quiser que funcione, seja lá por qual motivo, pode facilmente minar os esforços que ela faz para lhe agradar. Não importa o que ela faça certo, você dirá: "Sim, mas você não fez isso ou aquilo direito".

Reserve um tempo para elogiar

Quando visitamos empresas costumamos perguntar: "Quantos entre vocês já estão fartos de tanto elogio que recebem em casa ou no trabalho?". Todo mundo ri, porque a verdade é que não temos o costume de elogiar uns aos outros. No entanto, todos nós conhecemos pessoas que levam consigo, na carteira ou na bolsa, um bilhete de louvor que receberam anos atrás. Parece que o "te peguei!", flagrar alguém fazendo algo de errado, é bem mais fácil de dizer do que "muito bem!". Como romper esse padrão? Talvez tenhamos de nos programar para isso.

Você deve reservar pelo menos duas horas por semana para incentivar as pessoas. Anote isso em sua agenda, como faria com qualquer outro compromisso. Em seguida, use a filosofia Hewlett-Packard do

"Management by Wandering Around" ("administração por perambulação").[6] Percorra todos os cantos de sua fábrica, encontre pessoas fazendo as coisas certas, ou aproximadamente certas, e diga isso a elas. Tente repetir esse procedimento com seu cônjuge, filhos e amigos. Em casa, talvez não seja preciso duas horas por semana, mas dez minutos certamente não lhe tirariam pedaço.

Reorientações-minuto

Se elogios-minuto se concentram em acentuar o ponto positivo de flagrar as pessoas fazendo o que é certo, surge inevitavelmente a pergunta: "Muito bem, isso só pode ter efeito positivo. Mas o que fazer quando o desempenho da pessoa não é de bom nível?".

Existem duas estratégias para lidar com o mau desempenho: repreensões e reorientação.

A repreensão funciona melhor com pessoas que se recusam a colaborar ou apresentam problemas de atitude. Essas pessoas são vencedoras e sabem fazer o que lhes está sendo pedido, mas, por algum motivo, não o estão fazendo. Já a reorientação é apropriada para pessoas pouco capazes ou inexperientes. Essas pessoas são aprendizes e, portanto, ainda não sabem como fazer o que lhes é pedido.

Quando *The One Minute Manager* foi publicado originalmente em 1982, o terceiro segredo do gerente-minuto era a Repreensão-Minuto. Era um nome adequado quando o mundo do trabalho era menos complexo e a liderança organizacional era considerada um processo de cima para baixo. Hoje, entretanto, a liderança é um processo mais lateral. Além disso, o mundo está mudando tão rapidamente na maioria das áreas que a competência de um indivíduo de realizar um trabalho costuma não durar muito. O aprendizado contínuo é necessário para todos nós nos mantermos atualizados. Você pode até ser um *expert*, mas amanhã sua área pode ser eliminada. A reorientação ajuda as pessoas a aprender nesse ambiente em constante mutação. Refletindo sobre essas mudanças, o terceiro segredo do gerente-minuto foi rebatizado de Reorientação-Minuto.

Como funcionam as reorientações-minuto?

Quando uma pessoa comete um erro ou seu desempenho está abaixo do esperado, uma reorientação-minuto é apropriada.

Antes de examinarmos como realizar uma reorientação-minuto, é importante que o gestor confirme que a meta na qual a pessoa estava trabalhando era clara. Se não era, o gestor precisa aceitar responsabilidade por isso e esclarecer a meta.

Se a meta era clara e existe um problema de desempenho, o líder deve prosseguir com uma reorientação.

As reorientações se dividem em duas partes. A primeira metade enfoca o desempenho, a segunda, o colaborador.

A primeira metade de uma reorientação:

1. Assim como nos elogios-minutos, reoriente assim que puder após um incidente. Não guarde seus sentimentos. Quanto mais você esperar para passar um *feedback*, maior carga emocional ele assumirá; por isso, dê *feedback* assim que possível.
2. Confirme os fatos e repasse com a pessoa o que deu errado. Seja específico. Por exemplo, se um cliente não recebeu o pedido correto, explicite isso para o responsável.
3. Expresse o que sente em relação ao engano e seu impacto sobre os resultados. Você poderia dizer: "Estou preocupado. Uma de nossas melhores clientes ficou realmente chateada. Ela precisava daquele material para uma apresentação de vendas, e, como não chegou no prazo, o evento ficou muito aquém do esperado".

Pause. Neste ponto, pode ser interessante ficar em silêncio por um momento para deixar a pessoa sentir o impacto do seu erro.

A segunda metade de uma reorientação:

4. Lembre-se de informar a pessoa que ela é maior do que o erro que cometeu e que você ainda a respeita enquanto ser humano. "Todo mundo erra. Ainda considero você um grande colaborador nesta equipe".
5. Lembre-a que você tem confiança nela e não espera que venha a repetir o mesmo erro. "Confio muito em você, tenho certeza que isso não vai acontecer de novo."

O objetivo da reorientação não é derrubar a pessoa, mas reforçá-la de tal forma que ela volte a ter um desempenho superior e continue motivada a aprender.

Matt Peterson, diretor-executivo do Aethos Consulting Group, nos dá um excelente exemplo de reorientação e por que ela funciona. Um atendente normalmente competente do famoso Hotel del Coronado, em San Diego, Califórnia, apesar de muito ciente dos padrões de excelência do hotel, havia errado um pedido e respondido com tanto desdém que uma cliente de longa data reclamara que nunca mais voltaria ao hotel. Seu gerente precisava decidir: demitia o atendente ou só dava uma bronca gigante nele?

O gerente não fez nenhum dos dois. Em vez disso, sentou-se com o funcionário, repassou o que ele fizera de errado exatamente e o reorientou a alterar seu comportamento no futuro. A seguir, puxou uma folha de papel e, juntos, gerente e funcionário escreveram um pedido de desculpas para a hóspede. A carta foi entregue a ela naquela noite.

Matt conta que, no dia seguinte, o atendente por acaso encontrou a hóspede no saguão. Sentindo-se mal com o efeito negativo do seu descuido junto à hóspede e para a reputação do hotel, o atendente abordou a hóspede. Com lágrimas nos olhos, ele pediu desculpas pela baixa qualidade do atendimento. A hóspede aceitou o pedido de desculpas e os dois formaram uma ligação genuína. Antes de fazer *check-out*, a hóspede fez uma nova reserva.

Essa história ilustra o efeito cascata de uma reorientação eficaz. Ao tratar o lapso de desempenho do atendente como um momento de aprendizado, não uma ofensa a ser punida, o gestor conseguiu impactar positivamente colaborador, cliente e organização. A abordagem que combinava firmeza e compaixão não colocou o colaborador na defensiva, então ele se mostrou aberto a aprender uma lição valiosa. Mais importante ainda, o colaborador conseguiu comunicar essa compaixão para a cliente, que por sua vez permaneceu fiel à marca.

A história também demonstra como a liderança de pessoa a pessoa pode afetar a lucratividade. Quando são bem atendidas pelo seu superior direto, as pessoas atendem bem seus clientes. Um cliente bem atendido é um cliente que volta, o que produz um resultado financeiro positivo.

Elogios e reorientações são essenciais à liderança de pessoa a pessoa

O quarto passo da liderança de pessoa a pessoa eficaz é proporcionar o estilo de liderança mais apropriado. Mais uma vez, na condição de líder você está constantemente procurando oportunidades para avançar em seu estilo de liderança para que possa, com o tempo, passar a delegar tarefas. À medida que o desempenho das pessoas melhora, elogiar o seu progresso é fundamental para dar apoio a seus esforços. Se, a qualquer momento, seu desempenho emperrar ou recuar, em vez de repreendê-

-las ou puni-las, a melhor estratégia é reorientá-las e recolocá-las no caminho certo. Quando os gestores atuam em contato direto com as pessoas no local de trabalho, cabe-lhes elogiar o progresso ou redirecioná-las. É assim que você ensina seu pessoal a cumprir suas metas e viver de acordo com a visão da organização.

O quarto segredo do gerente-minuto

Logo após o lançamento do livro *The One Minute Manager*, de Ken Blanchard e Spencer Johnson, um gerente de alto escalão escreveu para Ken comentando o quanto havia gostado dos três segredos do gerente-minuto. Deu a entender, porém, que nem sempre os gestores estão certos. Na verdade, insistiu, os gestores cometem erros o tempo todo. "Acho que o quarto segredo do gerente-minuto deveria ser o pedido de desculpas-minuto", complementou.

Aquilo calou fundo em Ken, pois sua mãe sempre dizia: "Existem duas palavras que nunca são suficientemente usadas no mundo, e que poderiam torná-lo um lugar bem melhor: 'obrigado' e 'desculpe'". O elogio-minuto tratava do "obrigado", mas os três segredos não tratavam do pedido de desculpas. Foi então que Ken Blanchard e Margaret McBride decidiram escrever *The Fourth Secret of the One Minute Manager: A Powerful Way to Make Things Better*.[7]

A desculpa-minuto

Assim como acontece com elogios e reorientações, a desculpa-minuto apresenta alguns aspectos básicos:

- A desculpa-minuto *começa pela rendição*. Isso ocorre quando você é sincero e admite que fez realmente algo errado e precisa se responsabilizar por isso. O fundamental aqui é a vontade de se responsabilizar completamente por suas ações e por qualquer dano que tenha causado a outrem.
- A desculpa-minuto *termina pela integridade*. Isso significa reconhecer que o que você fez, ou deixou de fazer, é errado e não condizente com quem você quer ser. Durante o processo, é importante que você reafirme que é melhor do que seu mau comportamento e se desculpe.
- Depois desses dois passos, seu foco deve voltar-se para a outra pessoa e como irá retificar o dano que a ela causou.

- Por último, comprometa-se consigo mesmo e com os outros a não repetir o erro, e mantenha esse compromisso ao mudar de comportamento.

Como seria um bom pedido de desculpas? Imagine que em uma reunião você tenha interrompido constantemente uma colega, não permitindo que ela concluísse sua linha de raciocínio. Quando outro colega chamou sua atenção para o fato, depois da reunião, você se deu conta da burrada e de que aquilo foi errado e inteiramente contrário aos interesses de sua equipe.

Assim que possível, dirija-se à pessoa ofendida e diga algo do tipo: "tive um *feedback* sobre o fato de ter, na reunião, interrompido você constantemente, impedindo que concluísse seu raciocínio. Quero pedir desculpas, pois aquele *feedback* foi verdadeiro, e me sinto mal a respeito. Não é assim que pretendo ser. Na verdade, acho que sou melhor do que aquilo. Prometo nunca mais agir daquela forma. Como poderei me redimir por aquilo que fiz na reunião?".

Um pedido de desculpas-minuto pode ser uma forma eficaz de corrigir um erro que você tenha cometido e restaurar a confiança necessária para um bom relacionamento. Acrescentar o pedido de desculpas-minuto ao estabelecimento de objetivos, elogios e reorientação transforma a liderança de pessoa a pessoa um verdadeiro processo de trocas no qual admitir sua vulnerabilidade seja mais a regra do que a exceção. Os relacionamentos de liderança cara a cara eficazes dependem de confiança, e só pode haver confiança quando conseguimos nos superar e nos tornarmos autênticos quando trabalhamos com as pessoas.

No próximo capítulo, veremos que a confiança, uma habilidade passível de ser ensinada, é essencial para os relacionamentos interpessoais e também para as equipes e organizações.

8
Construção da confiança

Ken Blanchard, Cynthia Olmstead e Randy Conley

A confiança é o alicerce de todos os relacionamentos saudáveis, então não chega a ser surpresa que a capacidade do líder de construir confiança é o segredo das parcerias de pessoa a pessoa, em equipes e em organizações eficazes.

Sem confiança, é impossível que uma organização funcione de modo eficaz. Estudos mostram que produtividade, renda e lucros são impactados negativa ou positivamente pelo nível de confiança no ambiente de trabalho.[1]

Infelizmente, os níveis de confiança estão em decadência nas organizações. Uma pesquisa da Maritz indica que apenas 7% dos trabalhadores concorda muito que "confia na equipe de liderança sênior para que esta trabalhe em prol dos seus interesses".[2] Uma pesquisa da MasteryWorks indica que a falta de confiança tem forte correlação com a rotatividade dos funcionários.[3]

O alto custo da baixa confiança

As pesquisas de Blanchard confirmam que funcionários abandonam organizações em que falta confiança. Em um estudo com mais de mil líderes, 59% dos respondentes indicaram que haviam deixado uma organização devido a problemas de confiança, citando a falta de comunicação e a desonestidade como os principais fatores a contribuírem para a decisão.[4]

Os líderes não confiáveis fazem com que uma organização perca aquilo de melhor que os funcionários têm a oferecer. Quando consideram que uma organização (ou seus líderes) não são honestos, os colaboradores se tornam menos dispostos a contribuir sua energia pessoal ou se empenhar com o bem-estar da organização além do mínimo absoluto.

Como precisam do contracheque, os funcionários quase sempre permanecem na organização e seguem trabalhando, mas não muito mais do que isso. O trabalho se torna um relacionamento puramente transacional, com os funcionários se perguntando: "Se a organização não joga limpo comigo, por que vou eu jogar limpo com ela?".

Os benefícios da confiança

Quando acreditam que estão trabalhando para líderes íntegros e confiáveis, as pessoas se dispõem a investir seu tempo e seus talentos em fazer a diferença dentro da organização. Elas se sentem mais conectadas e investem mais de si mesmo no trabalho. Altos níveis de confiança levam a um senso maior de autorresponsabilidade, *insights* interpessoais mais profundos e mais ações coletivas em direção à conquista de metas em comum.

Os líderes confiáveis são recompensados por funcionários que se esforçam, testam seus limites e se prontificam a ir sempre mais longe. Quando os líderes criam um ambiente de alta confiança, a colaboração aumenta e as organizações dão um salto adiante.

Reconhecendo os benefícios de um ambiente de trabalho de alta confiança, os decisores organizacionais estão priorizando a construção da confiança.

Os quatro elementos da confiança

Construir confiança é uma habilidade que pode ser ensinada, e o primeiro passo é a comunicação. Como confiança significa coisas diferentes para pessoas diferentes, os decisores precisam antes identificar o idioma comum da confiança – qualidades que concordam ser consistentes com a confiança e a integridade. Em *Trust Works!: Four Keys to Building Lasting Relationships*, Ken Blanchard, Cynthia Olmstead e Martha Lawrence identificam quatro qualidades que os líderes podem usar para definir e discutir a confiança com os liderados.[5] Essas quatro qualidades compõem o Modelo de Confiança ABCD™.

Able (Hábil) diz respeito à demonstração de competência. Os líderes sabem como fazer o trabalho? Eles conseguem produzir resultados? Têm as habilidades para fazer as coisas acontecerem, inclusive conhecer a organização e munir as pessoas com os recursos e informações de que precisam para fazer o seu trabalho?

Believable (crível) significa atuar com integridade. Os líderes devem ser honestos nas suas relações. Na prática, isso significa criar e seguir processos justos. As pessoas precisam sentir que estão sendo tratadas corretamente. Isso não significa necessariamente que todos devem ser tratados da mesma maneira em todas as circunstâncias, mas isso significa *sim* que as pessoas estão sendo tratadas correta e justamente com base nas suas circunstâncias específicas. Credibilidade também envolve atuar com consistência e orientado por valores, garantindo às pessoas que podem confiar nos seus líderes.

Connected (conectado) trata de demonstrar cuidado e preocupação com outras pessoas. Isso significa enfocar as pessoas e identificar suas necessidades, apoiado por habilidades de comunicação de alto nível. Os líderes precisam compartilhar abertamente informações sobre a organização e sobre si mesmos. Isso permite que os subordinados diretos vejam seus líderes como pessoas reais e se identifiquem mais facilmente com eles. Quando os líderes são vulneráveis e compartilham informações sobre si mesmos, isso cria uma ideia de conexão.

Dependable (confiável) trata de honrar comprometimentos ao dar seguimento ao que os líderes dizem que vão fazer. Isso significa se responsabilizar pelas suas ações e reagir às necessidades dos outros. Quando prometem alguma coisa, os líderes precisam cumprir. Isso também exige ser organizado e previsível para que as pessoas enxerguem que os líderes têm tudo em ordem e são capazes de cumprir suas promessas.

Criando um ambiente de alta confiança

Usando o Modelo de Confiança ABCD™ como guia, os líderes podem criar ambientes de alta confiança que promovem o envolvimento e a energia em quatro passos:

1. Conhecer os comportamentos que apoiam os ABCDs da confiança.
2. Avaliar o nível de confiança atual.
3. Diagnosticar áreas que exigem trabalho.
4. Ter uma conversa para restaurar a confiança.

Passo um: conhecer os comportamentos que apoiam os ABCDs da confiança

Usando o Modelo de Confiança ABCD™, definimos a confiança em termos comportamentais. Os líderes que entendem como os seus comportamentos afetam os outros têm muito mais facilidade para conquistar o respeito e a confiança e atingir metas mútuas. Em consonância com o Modelo de Confiança ABCD™, os seguintes comportamentos incentivam, constroem e sustentam confiança:

Able (hábil)	Connected (conectado)
Obtenha resultados de alta qualidade.	Escute com atenção e peça opiniões.
Resolva problemas.	Elogie e demonstre interesse nos outros.
Desenvolva habilidades.	
Seja bom no que faz.	Conte sobre si mesmo.
Use habilidades para auxiliar os outros.	Trabalhe bem com os outros.
	Demonstre empatia pelos outros.
Believable (crível)	**Dependable (confiável)**
Guarde segredos.	Cumpra o que prometeu.
Admita quando está errado.	Seja sensível e cumpra prazos.
Seja honesto e sincero.	Seja organizado e responda pelo que faz.
Não fofoque pelas costas de ninguém.	Dê seguimento.
Demonstre respeito e não julgue ninguém.	Seja consistente.

A definição de confiança em termos comportamentais permite que todos falem abertamente sobre esse tema delicado. Agora, em vez de destacar indivíduos e dizer que "desconfia" deles, as pessoas podem usar o modelo para identificar os comportamentos que sabotam a confiança.

Passo dois: avaliar o nível de confiança atual

O segundo passo é avaliar a si mesmo nas áreas Hábil, Crível, Conectado e Confiável (ABCD, respectivamente). Para fazer o teste online (em inglês), visite http://leadership.kenblanchard.com/trustworks/.

Como a confiança é uma rua de mão dupla, sua autoavaliação é apenas parte da história. Peça que outras pessoas o avaliem nas áreas ABCD. Mais uma vez, você encontra o teste "How Trustworthy Do You Think I Am?" ("O quanto você acha que eu mereço confiança?") em http://leadership.kenblanchard.com/trustworks/.

É importante montar os processos corretamente para que as pessoas possam ser francas nas suas avaliações e não temer retaliação pelas suas respostas. Incentive-as a não colocar seus nomes na avaliação a menos que escolham ser identificadas com o seu *feedback*. Explique que as suas respostas o ajudarão a se conscientizar de como o seu próprio comportamento é visto pelos outros. Lembre-se de agradecê-las pelas suas respostas e contar o que aprendeu sobre si mesmo.

Passo três: diagnosticar áreas que exigem trabalho

O próximo passo é aprender a diagnosticar situações de baixa confiança para descobrir quais comportamentos estão causando a desconfiança. Sua autoavaliação e as avaliações de terceiros devem lhe dar uma boa ideia sobre quais são seus pontos fortes e fracos, ou seja, quais dos seus comportamentos estão construindo, e quais sabotando, a confiança.

É importante observar que muitos dos comportamentos que sabotam a confiança não são intencionais ou mesmo conscientes. Por exemplo, quando Ken Blanchard foi avaliado pela sua equipe no trabalho, sua maior pontuação foi nos comportamentos de **Connected (Conectado)** e sua menor, nos comportamentos **Dependable (Confiável)**. Quando ele e sua equipe analisaram por que as pessoas achavam que ser confiável era seu ponto mais fraco, determinou-se que era porque Ken nunca ouviu uma má ideia – em outras palavras, ele diz "sim" muito fácil. Apesar das boas intenções, ele se comprometia demais, o que estressava a equipe e ele mesmo.

Passo quatro: ter uma conversa para restaurar a confiança

Pode parecer que debater questões de confiança será constrangedor, e que ignorá-las fará com que sumam. Em muitos casos, evitar os problemas apenas piora a situação. Uma conversa franca e honesta alivia a tensão e também serve de catalisador para melhorar os resultados e relacionamentos.

Para ajudar Ken a se tornar mais confiável (**Dependable**), ele e a equipe conversaram sobre diversas estratégias para atenuar sua tendência ao excesso de comprometimento. Margery Allen, sua assistente executiva na época, sugeriu que quando Ken viajasse a negócio, repassasse o cartão de visitas dela, não o seu próprio, para que ela o ajudasse a filtrar as chamadas e conversasse com Ken sobre quais propostas eram realistas, levando em consideração seu tempo, sua energia e os recursos da equipe. A estratégia foi muito bem-sucedida e ajudou a tornar Ken mais confiável (*Dependable*).

Os líderes com um estilo administrativo autocrático podem ficar desconfortáveis com essa estratégia, talvez achando que ela concede aos subordinados diretos autoridade demais. Mas, para serem eficazes, os líderes precisam admitir que também são humanos e cometem erros. A capacidade de reconhecer e dirimir quebras de confiança forma relacionamentos mais fortes e, mais do que isso, serve de modelo de comportamentos eficazes para os líderes do futuro.

Os líderes devem refletir sobre os quatro elementos fundamentais do Modelo de Confiança ABCD™ e como as pessoas em sua organização os avaliariam nessas áreas. Se acharem que têm espaço para melhorar em uma área específica, esse é o ponto que precisam confrontar diretamente.

Mais uma vez, o segredo é demonstrar os comportamentos de construção de confiança que as pessoas procuram em seus líderes. Isso é fundamental, pois as pessoas precisam ver a confiança em ação mais do que precisam ouvir falar dela. Por exemplo, líderes que são francos e diretos, que falam abertamente até sobre as más notícias, desenvolvem a confiança que é essencial para relacionamentos sólidos a longo prazo, dentro e fora da empresa.

Também é importante demonstrar confiança nos outros. Estabelecer regras, políticas e procedimentos para se proteger contra alguns maus indivíduos transmite a mensagem errada para a maioria das pessoas na sua organização, que precisam e merecem confiança.

Steve Jobs, cofundador da Apple, enfatizou a importância da confiança em uma entrevista para a revista *Rolling Stone*: "A tecnologia não é nada. O importante é ter fé nas pessoas, acreditar que elas são inerentemente boas e inteligentes, e que munidas das ferramentas certas, as usarão para fazer coisas maravilhosas".[6]

O desafio da transparência

Informação é poder. Uma das melhores maneiras de criar um senso de confiança nas pessoas é compartilhando informações. Essa é a alma da transparência. Mas saber isso e agir assim podem ser duas coisas diferentes.

Compartilhar informações às vezes significa divulgar dados considerados sigilosos, incluindo temas sensíveis e importantes, como as atividades da concorrência, estratégias e planos de negócios futuros, dados financeiros, áreas problemáticas ou questões do setor, melhores práticas dos concorrentes, o modo como atividades coletivas contribuem para as metas organizacionais e *feedback* sobre desempenho. Oferecer às pessoas informações mais completas comunica confiança e a ideia de que "estamos todos no mesmo barco". Isso ajuda as pessoas a pensarem de forma mais ampla sobre a organização e a inter-relação dos diversos grupos, recursos e metas.

A Berrett-Koehler Publishers, de Oakland, Califórnia, divulga, por exemplo, todos os seus contratos com autores e memorandos de publicação usando uma licença Creative Commons disponível no site da editora.[7]

Outro exemplo famoso de transparência é a Patagonia, uma empresa de vestuário para atividades ao ar livre. A *newsletter* da empresa, batizada *Footprint Chronicles*, revela as fazendas, indústrias têxteis e fábricas que abastecem a cadeia logística da empresa, além dos materiais utilizados que podem ser nocivos ao meio ambiente. No *site* da Patagonia, lê-se que "é incrivelmente difícil reduzir o impacto ambiental associado a equipamentos técnicos, especialmente nossas jaquetas *shell*. Ao contrário de outros produtos que fabricamos, tal jaqueta é um equipamento que salva vidas e deve ter desempenho absoluto sob as piores condições climáticas do mundo. Infelizmente, para estar à altura desse padrão de funcionalidade, é preciso depender de combustíveis fósseis".[8]

A transparência da Patagonia pode não agradar todas as partes interessadas, mas conquista confiança. O desafio da liderança com a transparência é se comportar de modos que apoiam a vulnerabilidade e compartilhar informações a um nível que seja confortável para a sua organização.

Ao decidir sobre questões de transparência, os líderes organizacionais devem considerar as seguintes perguntas: o que significa transparência na sua organização? Os funcionários deveriam estar recebendo todas as informações? Quem deve ser incluído nas reuniões? Se você sempre guardou segredo sobre a organização no passado, é preciso responder essas perguntas e comunicar com franqueza o que pretende fazer para se tornar uma organização mais transparente.

Os líderes em organizações de baixa confiança e com pouca transparência enfrentam um desafio. Para dar a volta por cima, é preciso se olhar no espelho e analisar seus próprios comportamentos. Eles estão sendo dignos de confiança? Há transparência e honestidade com as pessoas em todos os níveis da organização?

Bipul Sinha, cofundador e CEO da Rubrik, uma *start-up* de gestão de dados na nuvem, opera sob um código estrito de transparência radical. As reuniões do conselho da empresa, por exemplo, são abertas para todos os 600 funcionários, e a maior parte deles as assiste física ou virtualmente. Exceto por informações confidenciais dos clientes, nenhuma questão empresarial relevante é proibida, e os funcionários são incentivados a questionar e interrogar o conselho.

Essa abertura "pode ser assustadora", Sinha admite. "Mas se você for honesto e transparente, isso cria confiança. Cria empoderamento."[9]

Reconstruindo confiança

Apesar das nossas melhores intenções, em algum momento, todos nós traímos a confiança alheia. Na verdade, mal-entendidos e estresses de relacionamento causados por questões de confiança são relativamente comuns. A boa notícia é que, quando ocorre quebra de confiança, seu relacionamento pessoal ou profissional ainda pode se recuperar. É preciso se esforçar bastante para construir a confiança, especialmente para reconstruí-la, mas a missão é possível.

Ter uma conversa usando o Modelo de Confiança ABCD™ como guia, como vimos com Ken e sua equipe, pode ajudar nessas circunstâncias. Mas o que fazer quando uma quebra de confiança é tão grave que o relacionamento fica insustentável – ou mesmo desmorona completamente? É o que chamamos de confiança quebrada. Se você está evitando uma outra pessoa por sentir que não existe uma maneira segura de se comunicar com ela abertamente, provavelmente houve quebra de confiança. Se a simples ideia de abordar essa pessoa o enche de terror, raiva ou medo, este é outro sinal de que você está lidando com problemas.

Enfrentar a quebra de confiança exige firmeza e previdência. Uma conversa com a pessoa em questão tende a ser um desafio. As emoções serão voláteis, os riscos, altos. Além disso, a conversa pode ter consequências que você preferiria evitar. Se você acha que a situação é tão explosiva, ou os riscos tão terríveis, que uma conversa poderia prejudicar ainda mais a confiança, provavelmente é necessário contratar os serviços de um terapeuta ou mediador qualificado. Se, por outro lado, você avaliou os desafios e decidiu que os riscos são aceitáveis, poderá aplicar o seguinte processo em cinco passos criado por Randy Conley para começar a reconstruir o relacionamento e restaurar a confiança.

Passo um: reconheça e assegure

Para começar o processo de reconstrução, o primeiro passo é reconhecer que existe um problema que precisa ser abordado. Ao dar o primeiro passo na conversa sobre confiança, é preciso coragem. Reconhecendo o problema, você garante à outra pessoa que a sua intenção é restaurar a confiança entre vocês dois e que está disposto a dedicar o tempo e o esforço necessários para recolocar o relacionamento nos trilhos. É importante descobrir se a meta de reconstruir o relacionamento é mútua. Se não for, não há nada a fazer além de agradecer a pessoa pela sua honestidade. Você pode ou não querer informar a pessoa que, se ela mudar de ideia, você estará aberto para uma conversa no futuro.

Passo dois: admita

O próximo passo é admitir a sua parte na quebra de confiança. Admita suas ações e se responsabilize pelos danos que possam ter sido causados. Mesmo que não se sinta totalmente culpado, admita a sua parte na situação. Nos casos em que acha que a outra pessoa é a principal culpada, a sua parte pode ser simplesmente "admito que não lhe disse o que anda me incomodando". Admitir a sua parte na situação é um passo crucial e que não pode ser ignorado. Recusar-se a admitir seus erros prejudica a sua credibilidade.

Passo três: peça desculpas

O terceiro passo para reparar a confiança prejudicada é pedir desculpas pelo seu papel na situação. É preciso ter humildade. Mais uma vez, mesmo que ache que não é totalmente culpa sua, peça desculpas pela sua parte na situação. Expresse arrependimento por quaisquer danos que possa ter causado e garanta para a outra pessoa que você irá alterar o seu comportamento indesejável ("Desculpe-me por evitar você. No futuro, vou dizer imediatamente quando tiver um problema.") É importante que o pedido de desculpas seja sincero e o seu remorso, autêntico. Se for artificial ou forçado, a outra pessoa perceberá o fato e questionará a sua credibilidade. Não tente dar desculpas, culpar os outros ou usar frases condicionais, pois tudo isso atenua o seu pedido de desculpa.

Passo quatro: avalie

Peça *feedback* da outra pessoa sobre como ela enxerga a situação. Juntos, avaliem quais elementos do Modelo de Confiança ABCD™ foram violados. Conversar sobre os comportamentos que prejudicaram o relacionamento certamente produzirá emoções desconfortáveis, então esteja preparado. Vale a pena reafirmar que o propósito desse passo não é culpar ninguém, mas apenas identificar comportamentos problemáticos para que estes possam ser evitados no futuro. Quanto mais específico você for sobre os comportamentos que prejudicaram a confiança, mais fácil será reparar a violação, pois ambos terão uma ideia mais clara sobre o que precisa mudar.

Passo cinco: concorde

O último passo na reconstrução da confiança prejudicada é trabalhar juntos para criar um plano de ação. Agora que vocês conversaram sobre as percepções um do outro e identificaram os comportamentos negativos específicos na raiz do problema, é possível identificar mutuamente os comportamentos positivos que usarão no futuro. Esse é o momento de esclarecer suas metas compartilhadas para o relacionamento e solicitar o que vocês querem que aconteça mais, e menos, futuro.

O efeito cascata

Os líderes de mais alto nível são a personificação da confiança. Ao modelarem comportamentos dignos de confiança, eles dão um exemplo a ser seguido. Os funcionários que percebem a sua preocupação pelo seu próprio bem-estar observam como devem tratar as outras pessoas, o que cria um efeito cascata de confiança em toda a organização. O resultado é uma organização na qual as pessoas presumem o melhor umas das outras. Essa atmosfera de confiança é comunicada para os clientes, o que produz resultados e relacionamentos melhores.

Os líderes devem avaliar regularmente os níveis de confiança nas suas organizações e ficar atentos a sinais de que a confiança está esmorecendo. Se determinarem uma queda de confiança, eles precisam descobrir onde estão ocorrendo as fissuras e começar imediatamente um processo de reconstrução da confiança.

A Synovus Financial, um banco que sempre está entre os primeiros na lista de Empresas Financeiras Mais Confiáveis dos EUA, segundo o

Survey of Bank Reputations e a *Forbes*, passou níveis de confiança flutuantes após a recessão de 2007. Ao ser transparente sobre as árduas escolhas que precisou fazer para manter a viabilidade do negócio, incluindo fechar agências e demitir funcionários, Kessel Stelling, CEO da Synovus, e sua equipe de gestão conseguiram restaurar rapidamente a reputação do banco. Mantendo em mente o valor declarado da empresa de "colocar as pessoas em primeiro lugar em todas as decisões", a equipe de liderança da Synovus decidiu trabalhar com diversos clientes endividados que haviam perdido seu emprego ou tido outros problemas, dando mais tempo para que pagassem suas dívidas.

"Vi pessoas perderem suas economias, seus negócios, suas casas", Stelling contou à revista *American Banker*. "Vi boas pessoas em maus bocados e ainda se esforçando ao máximo para honrar suas obrigações. Fazemos empréstimos para pessoas com bom crédito na praça, mas preciso analisar as circunstâncias e estar dispostos a dar a elas uma segunda chance."[10] É assim que os líderes de alto nível preservam tanto os resultados quanto os relacionamentos.

A capacidade de inspirar confiança é uma competência fundamental para qualquer posição de liderança, mas especialmente para os *coaches*. No próximo capítulo, exploramos como o *coaching* pode ser utilizado para fortalecer o "banco de reservas" de uma organização.

9

Coaching: uma competência fundamental para o desenvolvimento de lideranças

Madeleine Homan Blanchard e Linda Miller

Pesquisas realizadas em empresas do mundo inteiro comprovam que há uma escassez de lideranças no horizonte. Há necessidade de líderes em setores e áreas funcionais de todos os ramos, e em todos os níveis organizacionais. O desenvolvimento de novos líderes está concentrando as atenções de executivos e gestores. Cada vez mais, o *coaching* é reconhecido como uma das principais competências para o desenvolvimento eficaz de futuros líderes.

Um estudo de 2008 da American Management Association (AMA) comprovou que o *coaching* está associado ao desempenho de qualidade nas empresas, e, ainda assim, é utilizado por apenas metade delas. O *coaching* segue conquistando adeptos e apoios, tratando-se de um campo que oferece consideráveis oportunidades de crescimento profissional.[1] A AMA concluiu o estudo proclamando: "Esperamos que o *coaching* se transforme em uma das chaves para o desenvolvimento e a retenção de talentos no futuro, e consideramos que as empresas que vierem a utilizá-lo da maneira adequada tenderão a conquistar significativa vantagem competitiva no mercado global".

Definição de *coaching*

Neste contexto, nossa definição de *coaching* vai muito além do estilo de liderança de *coaching* descrito em SLII®. Na definição mais estrita, um estilo de liderança de *coaching* significa oferecer orientação e apoio necessários quando em alguma organização se instala o desalento, seja porque uma meta se mostra muito mais complicada do que o previsto, seja porque surgiram circunstâncias que causaram uma mudança de atitude. Já o *coaching* como o descrevemos neste capítulo é um termo mais abrangente que inclui diversas aplicações. Definimos este termo mais abrangente da seguinte forma:

> Coaching é um processo deliberado que utiliza diálogos focados para criar um ambiente que resulte em desempenho e desenvolvimento acelerados.

Não importa a função ou posição das pessoas, o *coaching* bem-sucedido as incentiva a tomar decisões, serem objetivas e plenamente alinhadas com as metas da equipe e da organização, à medida que encaminham ações práticas. Aspectos fundamentais do *coaching* são o foco na autorresponsabilidade, a tomada de decisão e as atitudes intencionais.

Cinco aplicações do *coaching*

O *coaching* pode ser oferecido aos líderes nas organizações mediante a contratação de *coaches* ou gerentes externos, e também profissionais de RH treinados para proporcionar o *coaching* como uma de suas funções. Em nossa discussão, todos os exemplos basearam-se em *coaches* internos. Quem quer que comande o *coaching*, ele tem cinco aplicações comuns:

- ***Coaching* de desempenho** é usado quando há indivíduos carentes de ajuda para fazer com que seus desempenhos voltem a padrões aceitáveis.
- ***Coaching* de desenvolvimento** é usado quando indivíduos de alto desempenho estão prontos para um aumento de responsabilidades em suas posições.
- ***Coaching* de carreira** é empregado quando os indivíduos estão prontos para planejar seus movimentos seguintes nas respectivas carreiras.
- ***Coaching* de apoio à aprendizagem** ocorre quando gerentes ou colaboradores diretos precisam de apoio, incentivo e responsabilidade para a manutenção de treinamentos recentes e para transformar *insights* em ações.
- **Criação de uma cultura de *coaching* interno** é o que ocorre quando os líderes reconhecem o valor do *coaching* e fazem uso dele para desenvolver os membros da organização.

Tendo trabalhado com milhares de pessoas em inúmeras organizações, constatamos que muitos gerentes e líderes passam a maior parte do tempo lidando com desafios relacionados a desempenho. Com a prevista escassez de lideranças, torna-se, portanto, ainda mais importante deixar de lado o gerenciamento do desempenho para concentrar-se no desenvolvimento. Como mostra a Figura 9.1, embora o *coaching* às vezes envolva discussões ou diálogos sobre desempenho e carreira, o ponto ideal do *coaching* tem seu foco no desenvolvimento.

Lancemos um olhar mais aprofundado sobre as cinco aplicações do *coaching*.

Primeira aplicação: coaching *de desempenho*

O *coaching* de desempenho é recomendável quando lidamos com indivíduos com um histórico de realização de tarefas com alta capacidade e confiança, mas que, no presente, apresentam desempenho que não mais reflete essas qualidades. Muitas vezes, eles parecem até estar regredindo. Isso normalmente é resultado de uma mudança de atitude, não de habilidades.

Examinemos o exemplo de Erin e Max.

> Ao longo dos últimos dois anos, Erin acompanhou o trabalho de Max e pode constatar que ele tinha a capacidade necessária para cuidar das áreas pelas quais era responsável. No entanto, nos últimos três meses, Erin passou a notar que Max deixou de completar projetos com a

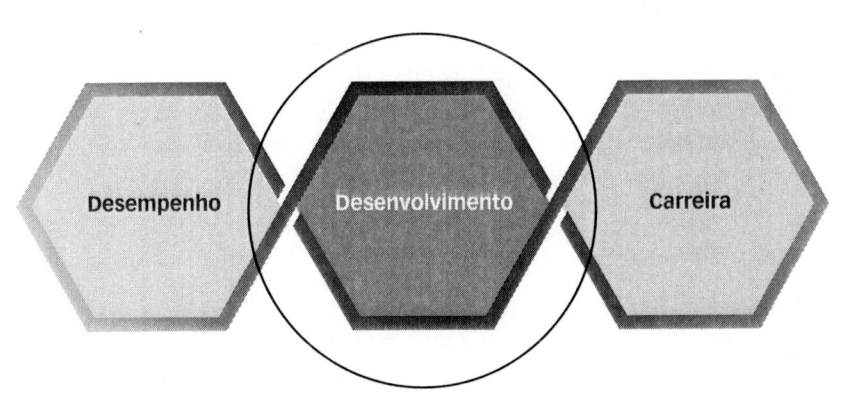

FIGURA 9.1 O ponto ideal do *coaching*.

habitual eficiência. Por estar com a agenda cheia, Erin não conseguiu programar sessões regulares cara a cara com Max, para averiguar qual seria seu problema. Finalmente, ela o chamou ao seu escritório.

"Você não cumpriu o mais recente prazo final", disse Erin a Max, sem subterfúgios. "O que está acontecendo?".

Dando de ombros, ele retrucou: "Qual é o problema de descumprir um prazo? Temos muito tempo para cuidar disso. Vai ficar tudo pronto na próxima semana".

Surpresa com esse comentário, Erin perguntou a Max em que estágio do desenvolvimento do projeto ele estava, e do que precisava para completá-lo. Mais uma vez, a única reação dele foi encolher os ombros.

O objetivo do *coaching* de desempenho é reatar competências e confianças passadas em termos de objetivos ou tarefas, com isso retomando o embalo e melhorando o desempenho. A SLII® é útil para diagnosticar o nível de desenvolvimento e para conferir o estilo de liderança necessária.

Erin ficou preocupada com a reação de Max. Depois de observá-lo por alguns meses, decidiu que era chegada a hora de dar-lhe algum *feedback*.

"Max, permita que eu compartilhe com você aquilo que venho notando nos últimos meses. Até janeiro, você parecia entusiasmado com sua equipe e com o trabalho que estamos fazendo. Na maioria dos projetos e metas, você se mostrava ou um participante capaz, mas cauteloso, ou um realizador autoconfiante. E certamente não precisou de muita orientação da minha parte. Você tem sido um dos principais colaboradores do trabalho desta equipe há anos, mas tem descumprido prazos e mantido sua porta fechada." Erin fez uma pausa para olhar nos olhos dele. "O que está havendo com você?", perguntou, finalmente.

Max não respondeu.

Erin continuou: "Muita coisa está em jogo para nós neste projeto. Terei muita satisfação em orientá-lo, se é disso que você precisa para continuar em frente. Se não conseguirmos concluir o projeto esta semana, nossa unidade atrasará outras que estão dependendo de nós para o próximo passo. Preciso que você retome a dedicação anterior, ou terei de colocar mais alguém nesta parada".

Max levantou os olhos e encarou Erin. "Você não precisa chegar a esse ponto. Admito que fiquei um tanto desiludido com o projeto, mas agora que estou ouvindo de você o quão importante ele é, sinto-me pronto para arregaçar as mangas e dar conta do recado."

Erin então comentou: "Maravilha! Você é um grande colaborador dos sucessos da equipe, e valorizo muito o seu trabalho. Vamos nos manter em contato a respeito das medidas que você adotará esta semana, porque meu desejo é que tanto você quanto nós tenhamos sucesso com os prazos. Quando você acha que seria oportuno marcarmos a nossa próxima reunião?".

Dicas para *coaching* de desempenho

Gerentes e profissionais de RH que usam o *coaching* quando o desempenho está em queda precisam de toda a naturalidade possível na transmissão precisa e objetiva de *feedback*. Acima de tudo, precisam ser muito claros quanto ao que está em jogo e sobre quem é responsável por qual setor/ação.

É importante manter a neutralidade ao transmitir *feedback* e falar sobre consequências. É igualmente importante deixar claro que a pessoa terá a oportunidade de fazer as mudanças necessárias. Chegue a um acordo sobre as mudanças que são realmente necessárias. Este passo pode levar tempo, e nem sempre é tão fácil quanto pode parecer.

Além disso, tome cuidado para não ter o foco desviado. Permaneça no rumo com os pontos que precisam ser abordados. Evite a todo custo ser visto como carrasco. Até onde for possível, seja positivo e encorajador. Certifique-se também de definir claramente as consequências se os objetivos acertados em conjunto não forem alcançados. A fim de evitar confusão e mal-entendidos, o importante é ter sua própria clareza de ideias sobre as consequências antes de dar início às discussões no *coaching* de desempenho.

Segunda aplicação: coaching *de desenvolvimento*

São incontáveis os gestores assoberbados com a necessidade de "apagar incêndios" que acabam negligenciando as conversas sobre desenvolvimento. Com isso, arriscam-se a esquecer que os membros das equipes, como os próprios gestores, são energizados e incentivados sempre que seu desenvolvimento é mantido em foco.

O *coaching* de desenvolvimento é útil quando os colaboradores próximos estão trabalhando corretamente e se mostram prontos para os próximos passos. Eles podem funcionar no nível do **realizador autoconfiante** (D4) na maior parte dos seus projetos e objetivos. Estão prontos para ser mais amplamente envolvidos em sua função atual. A responsabilidade continua sendo principalmente dos colaboradores próximos pela manutenção do nível máximo de desenvolvimento. Ainda assim, quando o gestor também tem seu foco neste objetivo, ele transmite uma mensagem subjacente de confiança e apoio aos integrantes da equipe.

> Becca adorava seu emprego. Estava no cargo havia quatro anos, seguidamente assumindo novas responsabilidades e projetos. Sabia também que precisava de desafios mais frequentes, pois do contrário se cansaria da situação. Um dia ela notou que Oliver, seu gerente, havia solicitado espaço na agenda dela para uma reunião. Como a empresa em que trabalhavam tinha muitos departamentos, ela telefonou para Oliver para saber quando seria a reunião.
>
> "Alô, Becca. Obrigado por ligar e pela disponibilidade. São coisas que sempre apreciei em você. Estive pensando em você, faz pouco, e me dei conta de que faz tempo que não conversamos sobre o seu desenvolvimento. Você é sempre uma realizadora tão autoconfiante, com todos os seus projetos e responsabilidades, que eu acabo esquecendo de conversar com você sobre o seu próximo estágio nesta função. Podemos conversar a respeito por alguns minutos?".
>
> Becca ficou entusiasmada com a oportunidade. "Seria muito bom", foi sua pronta resposta.

O *coaching* de desenvolvimento tem por objetivo incentivar e aumentar oportunidades que levem a um melhor desenvolvimento na função que cada um exerce. Para manter as pessoas estimuladas e crescendo, é importante que os gestores continuem a expandir a capacidade dessas mesmas pessoas sempre que possível. Isto ajuda a desenvolvê-las como futuros gestores ou líderes.

Quando se utiliza o *coaching* de desenvolvimento, um estilo de apoio é o mais útil. Tome as providências para ouvir aquilo que é mais importante à pessoa em questão e para fazer-lhe perguntas reveladoras. Verifique se aquilo que o integrante da equipe tem em mente é realmente uma oportunidade de desenvolvimento, e quais são essas ideias. Entenda o diálogo como um meio de desafiar e inspirar a pessoa a pensar com maior abrangência.

Quando Oliver sentiu o entusiasmo na voz de Becca, ele continuou: "Becca, o que você vê como algumas oportunidades de desenvolvimento para o futuro?".

Becca respondeu: "Bem, eu adoraria saber mais a respeito do processo orçamentário para a nossa equipe. Há muito tempo sou simplesmente fascinada por essa área".

Oliver gostou de ouvir que Becca estivera pensando a respeito do próprio desenvolvimento, mesmo que não tivesse colocado o assunto em primeiro lugar nesse diálogo. "Becca, é muito oportuno o seu interesse por orçamento, especialmente agora que estamos prestes a dar andamento ao nosso processo orçamentário para o ano que vem. Conheço algumas pessoas com as quais seria muito interessante você fazer contato."

Dicas para *coaching* de desenvolvimento

Quando pensar em *coaching* para desenvolver outras pessoas, não esqueça que as conversas a respeito podem ser iniciadas tanto pelo integrante quanto pelo gestor da equipe. Ao identificar os pontos fortes e as debilidades de uma pessoa, mantenha a ênfase na maximização dos pontos fortes. Centralize o assunto com mais abrangência nas oportunidades de desenvolvimento para a pessoa, mas tome cuidado para não fazer promessas específicas. Não esqueça que apresentar relatórios diretos à sua rede de profissionais pode ser quase tão importante quanto encontrar um novo projeto para eles.

Terceira aplicação: coaching *de carreiras*

O *coaching* de carreiras vem ganhando impulso nas organizações, à medida que novos líderes se fazem necessários. Trata-se de uma estratégia que retém talentos e aumenta a força da equipe com o passar do tempo. Mesmo numa organização enxuta que não apresenta grande índice de mobilidade em termos de ascensão funcional, é algo estimulante para as pessoas falar a respeito do seu futuro.

Qual é a melhor oportunidade para que um gerente aborde essas discussões? Quando um colaborador direto está atuando consistentemente em um nível de realizador autoconfiante, é o momento certo de começar as conversas a respeito da carreira dessa pessoa. O *coaching* nesse momento pode ajudar o colaborador direto a olhar para frente, estabelecendo onde gostaria de estar nos próximos anos, e o líder, na condição de *coach*, pode prestar assistência no planejamento dos próximos movimentos dessa carreira.

Diversos sinais podem indicar que chegou a hora de empreender uma discussão sobre a carreira. Quando os colaboradores diretos continuadamente excedem as expectativas, podem estar prontos para crescer. Algum dos seus colaboradores diretos chegou a dizer-lhe que gostaria de ter maiores responsabilidades? Esse também pode ser um dos sinais. Outro sinal óbvio é quando um colaborador direto aborda a questão. Mas só porque um eficiente realizador não lhe pediu para falar sobre a carreira dele não significa que ele não pretenda fazer isso. Na maioria dos casos, eles querem exatamente isso: discutir o futuro.

Líderes e gerentes podem divisar algo de assustador nas conversações de *coaching* de carreiras, já que poderiam conduzir à perda de um importante integrante das respectivas equipes. O importante é superar essa ansiedade ante a perspectiva de perder o concurso da pessoa e avançar bravamente na discussão. A pesquisa de Marshall Goldsmith mostra que uma das razões pelas quais realizadores de destaque deixam uma empresa é o fato de ninguém lhes pedir para que fiquem.[2] Conversas sobre carreira representam oportunidades de mostrar aos seus colaboradores diretos o quanto são apreciados e valorizados. No final das contas, é importante pensar sobre o que é melhor para o colaborador direto e também para a organização.

Não fuja das conversas sobre *coaching* de carreiras só pelo fato de pensar que ocupam tempo demais. Essas conversas são exatamente o que os elementos mais eficientes querem manter a fim de permanecer na organização. Uma transição suave é em geral mais econômica em termos de tempo gasto do que a necessidade de preencher uma posição que ficou vaga exatamente pela falta de discussão.

Conversas sobre carreira são um momento para desafiar e incentivar funcionários de alto potencial a continuarem em seu desenvolvimento enquanto olham para frente. O foco no futuro beneficia a organização e ao mesmo tempo o colaborador direto. Quando parte da estratégia da carreira inclui preparar pessoas para a função que possa vir a ficar vaga, isso também cria um benefício para o executivo.

Como mostra o exemplo a seguir, muitos colaboradores espelham-se em seus líderes na busca por orientação e apoio na área da carreira:

> Hannah estava na empresa havia oito anos quando começou a
> pensar sobre suas oportunidades futuras. Tinha certeza de que havia
> chegado a hora de conversar com Niki, seu gerente. Niki, por sua
> vez, também vinha pensando a respeito do desenvolvimento de

Hannah, mas nada havia ouvido ainda da parte dela, exceto em conversas com outros colegas.

Hannah trouxe o assunto à baila no próximo encontro entre as duas. "Nikki, eu gostaria muito de conversar com você a respeito do que posso esperar aqui na empresa. Trabalho com você há quatro anos, e na maior parte do tempo sinto que posso me considerar uma realizadora autoconfiante em minhas tarefas e metas. O que eu poderei esperar?"

Nikki sabia que essa conversa estava a caminho. Também sabia que não queria perder Hannah. Ainda assim, sabia que ficar com Hannah ao seu lado só iria retardar o crescimento da colaboradora, e isso, no final das contas, não seria bom para a própria empresa.

"Hannah", disse Niki, "fico contente de saber que você está pensando a respeito disto. Eu também sempre pensei a respeito, e inclusive peço desculpas por não ter falado com você mais cedo. Gostaria bastante de ouvir a respeito das suas metas e de como elas sustentam as metas da corporação. Obrigada por ter iniciado a conversa."

Hannah passou então a detalhar para Niki tudo aquilo que vinha realizando, fazendo questão de deixar claro que sentia estar pronta para novos desafios e oportunidades.

Niki ouviu com toda a atenção, pensando especialmente a respeito de como e onde as habilidades e a dedicação de Hannah se alinhavam com as necessidades da organização. "Hannah, estou pensando que um projeto multisetorial seria perfeito para você, e certamente iria expandir suas habilidades e seus contatos." Niki então dedicou-se a detalhar o projeto.

"Gostaria muito de participar desse projeto", foi o comentário de Hannah.

"Quem você poderia começar a treinar para assumir sua função se este projeto conduzir realmente a uma mudança na sua carreira?", Niki perguntou.

Hannah pensou por uns momentos. "Tenho uma ou duas pessoas em mente para isto."

"Muito bem", disse Niki. "Você terá de conversar com elas e descobrir se estão preparadas e dispostas a assumir a função que era sua. Vamos continuar conversando a respeito, certo?"

"Certamente", respondeu Hannah. Tanto ela quanto Niki estavam muito satisfeitas ao final da reunião.

Dicas para *coaching* de carreira

Mantenha conversas regulares de *coaching* de carreira com seus colaboradores diretos de alto desempenho. Uma vez mais, quando um gerente aborda o assunto das carreiras, está fazendo um movimento proativo que deixa os colaboradores diretos com o sentimento de que estão sendo levados em consideração. Ao longo de tais conversas, é importante explorar o que o funcionário pretende da vida, e como suas ideias se alinham com os objetivos organizacionais. Familiarize-se com os serviços de orientação de carreiras que o seu departamento de RH oferece, e quais as informações disponíveis sobre responsabilidades de cada função e suas correspondentes competências. Compartilhe essas informações com seus colaboradores diretos quando conversar sobre todos os aspectos dos próximos passos que os esperam: quando, onde e como a carreira de uma pessoa poderá ter um avanço. Por fim, trate de oferecer recursos e fazer apresentações sempre que necessárias.

Quarta aplicação: coaching *para apoiar aprendizado*

As pessoas aprendem por meio do treinamento, e o treinamento é uma das melhores formas de desenvolver pessoas em sua organização. O treinamento pode melhorar praticamente todas as áreas: gerência, liderança, habilidades, processos, comunicação e um rol de outras áreas relacionadas ao trabalho. Como observado no final do capítulo anterior, um grande desafio em relação ao treinamento é conseguir estreitar a lacuna aprendizado/ação – fazer com que as pessoas possam utilizar aquilo que aprenderam depois do treinamento. Uma das melhores formas de maximizar o investimento da organização em treinamento é realizar o *coaching* de acompanhamento.

Constatamos que o *coaching* para apoio de aprendizado é mais efetivo quando o processo de ensino é seguido por um mínimo de três conversas de *coaching* de acompanhamento. Trata-se de conversas que os gerentes, profissionais de RH e *coaches* internos ou externos podem manter imediatamente após o treinamento.

Com o mínimo de três sessões de *coaching* durante um período de oito semanas subsequentes ao evento de treinamento, os participantes aplicam consistentemente o que aprenderam. Organizar a primeira sessão de *coaching* de acompanhamento dentro de duas semanas após o treinamento e continuar com uma sessão de *coaching* a cada duas ou três semanas é o esquema que gera os melhores resultados. Cada conversa de *coaching* deve se concentrar em como aplicar as informações obtidas no treinamento ao lugar de trabalho.

Eis um exemplo daquilo que poderia ser o treinamento de acompanhamento com *coaching*:

> Morgan gostava muito de aprender como parte de seu novo treinamento como gerente. A empresa na qual trabalhava oferecia excelente treinamento. Ela ficou satisfeita quando sua gerente lhe disse que poderia participar de um curso avançado de gerenciamento centrado no SLII®. O que ela não sabia é que esse curso seria diferente, pelo fato de incluir seis meses de *coaching* de acompanhamento com um *coach* profissional externo.
>
> Durante o primeiro encontro, seu *coach*, Kyle, perguntou a Morgan o que ela havia aprendido que pudesse ter utilidade como implementação no emprego. Isso a levou a pensar sobre o material do curso e a revisar suas anotações. Constatou então que algumas das interações com os integrantes de sua equipe não se desenvolviam muito bem. Kyle perguntou-lhe o que ela poderia imediatamente aplicar, do treinamento, que viesse a ajudar com aquelas conversas. Em primeiro lugar, Morgan entendeu que tendia a usar o mesmo estilo de liderança com todos os seus subordinados. Diagnosticar os níveis específicos de desenvolvimento dos integrantes de sua equipe e determinar o estilo de liderança apropriado para cada um deles foi um resultado muito bom para ela. Ela aprendeu que manter reuniões cara a cara com os funcionários ajudaria não apenas a melhorar suas relações, mas também a ajudaria a aplicar o que havia aprendido no treinamento.
>
> Kyle perguntou a Morgan quais ações ela estava disposta a adotar entre aquela primeira reunião e a seguinte como forma de avançar nessas áreas. Morgan aceitou programar reuniões cara a cara com seus subordinados antes do próximo encontro com Kyle.

Dicas para *coaching* de apoio ao aprendizado

É importante começar com o *coaching* assim que possível depois do evento de treinamento. Tenha em ação um sistema para coordenar as pessoas com sua primeira sessão e as subsequentes. Foque em como seus colaboradores diretos poderão aplicar o novo aprendizado aos seus procedimentos. Ajude-os a identificar itens de facilitação e de obstáculo à ação.

Não caia na armadilha de debater o objetivo do treinamento. O objetivo do *coaching* é ajudar seus subordinados a aplicarem o aprendizado, e não o de debaterem o aprendizado propriamente dito. Concentre-se na ação. O *coaching* de apoio ao aprendizado é uma época para conversar sobre a melhor maneira de usar o material no mundo real.

Por fim, não recorra à desculpa de que você não tem tempo para fazer o *coaching* de apoio ao aprendizado. Lembre que todo o tempo investido no *coaching* maximiza o investimento em treinamento, garante mais autonomia a você e a seus colaboradores diretos e poupa tempo no futuro.

Quinta aplicação: criar uma cultura interna de coaching

A melhor forma de garantir que o *coaching* tenha impacto positivo em uma organização consiste em criar uma cultura interna, própria, de *coaching*. Isso só acontece quando líderes e executivos reconhecem o valor do *coaching* e dele fazem uso para desenvolver pessoas visando às futuras funções de liderança que ainda apresentam lacunas.

No livro *Coaching in Organizations*, Madeleine Blanchard e Linda Miller sustentam que a criação de um ambiente de *coaching* interno é um fator capaz de gerar vários efeitos benéficos.[3] O *coaching* não apenas enfatiza o desenvolvimento de lideranças como também promove uma mentalidade voltada a assumir a responsabilidade pelo trabalho que é realizado. Uma cultura de *coaching* é aquela em que se assume a responsabilidade, em vez de culpar ou lançar suspeitas sobre outros quando a situação foge do controle. Embora leve algum tempo até poder ser tida como implantada, esse tipo de cultura cria um ambiente de trabalho modelar que dá sustentação à produtividade e alento ao ânimo geral.

Uma cultura interna de *coaching* pode levar de 12 a 18 meses até se estabelecer. O processo de reforço e implementação pode incluir treinamento de *coach* para gerentes e líderes, *coaching* de instrutores para aqueles que estão aprendendo a trabalhar como *coaches* de outros, e tempo para desenvolver os sistemas de apoio e estratégias de mensuração que garantam o sucesso do projeto.

O exemplo a seguir mostra a extensão de mentalidade que precisa ser desenvolvida antes do estabelecimento de uma cultura interna de *coaching*:

> Quando Rob se deu conta do quanto apreciava o *coaching* e da importância que isso poderia ter para seu ramo, não perdeu tempo

em recorrer a empresas de *coaching* com as quais fosse possível estabelecer uma parceria. A companhia que ele contratou destinou um líder de equipe, Alec, para trabalhar com Rob porque Alec conhecia *coaching* e tinha experiência na instalação de sistemas de *coaching* em outras empresas. Quando Rob e Alec tiveram seu primeiro encontro pessoal, Alec logo começou a fazer perguntas.

"Rob, precisamos avaliar diversas áreas antes de podermos avançar neste projeto. Em primeiro lugar, o que o *coaching* significa para você, e o que você espera que o *coaching* venha a significar para a sua empresa?".

Rob respondeu: "Desde o momento em que passei a trabalhar com meu *coach* ao longo do ano passado, experimentei um processo de crescimento geral. Minha equipe tornou-se mais produtiva do que antes, e isto chamou a atenção da liderança sênior. Tanto que os executivos passaram a me perguntar o que eu estava fazendo de diferente. A única coisa que passei a fazer de maneira distinta foi o *coaching* da minha equipe. Acho que este é o momento para que outros tenham a mesma experiência, e eu quero ser o líder deste processo na nossa empresa".

"Como você pretende conseguir o apoio da cúpula administrativa e clareza dela sobre os objetivos para o *coaching*?", perguntou Alec.

Rob respondeu: "Nosso CEO e nosso diretor financeiro já encamparam o projeto. Sua pergunta a respeito dos objetivos é interessante. Creio que precisamos trabalhar um pouco mais neste sentido. Ainda não sei se estamos suficientemente esclarecidos em relação aos objetivos".

Alec destacou. "Quando você falar sobre os objetivos, estabeleça com a maior certeza a maneira pela qual eles querem fazer a mensuração desses objetivos. Em muitas organizações, a avaliação do sucesso do *coaching* é feita pensando em termos de retorno sobre o patrimônio (ROE), retorno de expectativas, em vez de em ROI, o retorno sobre o investimento."

Rob concordou: "Você tem razão, seria uma boa decisão definir tudo isso agora. Nossa empresa tem um grande ROI, e por isso vou começar falando sobre a diferença. Sei que mensurar esse tipo de retorno pode ser complicado, e nós precisaremos conversar mais a respeito ao longo do processo".

"Pode contar comigo", disse Alec. "Quanto mais claro você conseguir ser em relação àquilo que pretende medir e como você trabalhará para concretizar esse processo, melhor. Você também precisará definir com os líderes seniores as informações que poderão ser compartilhadas e quais delas deverão ser mantidas em sigilo. Manter a confidencialidade do conteúdo das conversas de *coaching* é uma parte crucial do próprio *coaching*."

Rob concordou. A partir de sua própria experiência com o *coaching*, ele soube de imediato o significado dos conceitos de Morgan.

Dicas para a criação de uma cultura de *coaching* interno

Na criação de uma cultura de *coaching* interno, é importante, em primeiro lugar, definir a finalidade e os objetivos da cultura de *coaching*, e certificar-se de que eles se ajustam às finalidades e valores da organização. Depois disso, procure na cúpula executiva defensores do processo que possam inclusive servir como modelos da cultura de *coaching*, e certifique-se de contar com a ajuda administrativa para lançar a iniciativa. Recompense comportamentos e atividades de *coaching*, e estabeleça uma comunicação interna sobre o *coaching* para ajudar a difundi-lo na organização. Dependendo de quem estiver disponível, pode ser aconselhável contratar *coaches* profissionais fora dos quadros da organização.

À medida que você der novos passos para criar uma cultura interna de *coaching*, precisará prestar atenção a vários detalhes. Em primeiro lugar, defina e garanta a confidencialidade. Uma quebra da confidencialidade a partir das conversas de *coaching* tem o potencial de causar danos quem sabe irreparáveis a todo o projeto. Em segundo lugar, não esqueça que uma cultura de *coaching* nunca é estabelecida da noite para o dia. Dedique boa parte do tempo disponível ao lançamento do projeto. Em terceiro lugar, não esqueça de continuar se mostrando flexível. Se alguma coisa por acaso não funcionar a contento, você sempre poderá mudá-la.

*****

Quando falam sobre *coaching*, as pessoas muitas vezes indagam sobre mentoria e como os dois elementos se encaixam. No próximo capítulo, respondemos essa pergunta.

10
Mentoria: o segredo do planejamento de vida

Ken Blanchard e Claire Díaz-Ortiz

Quando as pessoas refletem sobre suas vidas e os sucessos que tiveram, quase sem exceção falam sobre quem os guiou pela sua jornada. Isso ocorre porque pessoas de sucesso não atingem suas metas sozinhas. Por trás do vencedor mais independente há uma pessoa ou grupo de pessoas que o ajudou nessa conquista.

Assim como o *coaching*, a mentoria é um processo interpessoal. Porém, o relacionamento entre um indivíduo e um *coach* apresenta metas e objetivos específicos centrados em desenvolver o potencial, melhorar relacionamentos e aprimorar o desempenho. A mentoria, por outro lado, tem objetivos e metas em maior escala. Como sugere o subtítulo deste capítulo, a mentoria não se atém ao cumprimento de metas; trata do planejamento de vida.

A mentoria funciona? Absolutamente sim. Como afirma Michael Hyatt: "Nada promove o sucesso mais rapidamente do que a relação de mentoria certa".

A mentoria é uma relação mutuamente benéfica. Contudo, quando a maioria das pessoas pensa sobre mentoria, o foco tende a se concentrar no impacto que o mentor tem sobre o pupilo – em outras palavras, na pessoa que deveria estar ensinando. Quase não se fala sobre o impacto que o pupilo pode ter sobre o mentor. Na verdade, a maioria das relações entre mentor e pupilo são mutuamente benéficas: ambas as partes aprendem e ganham com a experiência.[1]

Outra percepção comum é que os mentores são pessoas mais velhas, com carreiras estabelecidas e habilidades avançadas, que orientam pupilos mais jovens. Não é sempre o caso. Um mentor pode ser mais velho ou mais jovem. O segredo do sucesso é selecionar o mentor ou pupilo que melhor se adapte ao que você precisa, seja qual for a sua idade.

Como determinar se a mentoria é a opção certa para você? Considere as três perguntas a seguir:

- Em que estágio você se encontra na sua vida? Está em ascensão ou estagnado?
- Você tem certeza sobre o seu rumo atual?
- Está aberto a aprender com os outros?

São perguntas importantes de se fazer, seja qual for a sua idade.

Digamos que seu instinto lhe diz "sim, eu deveria ser um mentor" ou "sim, eu deveria ser um pupilo". Quais preocupações poderiam impedi-lo de desenvolver uma relação de mentoria?

Obstáculos ao início de uma relação de mentoria

As pessoas têm três preocupações principais quanto a se envolver com mentoria.

A primeira é o **tempo**. Muita gente acredita que a mentoria ocupa muito do seu tempo. Mas ser um mentor ou pupilo não é um emprego. Se você for um pupilo, o mentor certo pode impedi-lo de cometer erros caros, que poderiam atrasar sua carreira em anos. Ter um mentor melhora a qualidade das suas decisões e oferece oportunidades que simplesmente não estariam disponíveis sem ele.

Para o mentor, um pupilo pode oferecer uma nova perspectiva sobre sua posição atual na própria carreira.

A segunda preocupação tem a ver com o **medo**. Muita gente tem medo de procurar mentores em potencial, enquanto muitos possíveis mentores têm medo de não saberem exatamente como atuar como tal. É natural ficar ansioso com a ideia de iniciar uma relação de mentoria, mas isso não é motivo para perder as vantagens potenciais da mentoria.

A terceira preocupação com relação à mentoria tem a ver com **confusão**. Incerteza sobre o que é a mentoria e o que significa ser um mentor ou pupilo impede muita gente de buscar esse tipo de relacionamento. Em *One Minute Mentoring: How to Find and Work with a Mentor — and Why You'll Benefit from Being One*, Ken Blanchard e Claire Díaz-Ortiz esclarecem o que é a mentoria e o que ela envolve.[2]

Escolhendo um parceiro de mentoria

Antes de selecionar um parceiro de mentoria, é preciso determinar o tipo de relação de mentoria que se está buscando. A seguir, apresentamos uma lista parcial de diversos relacionamentos entre mentor e pupilo:

Mentoria de novos funcionários: Muitas organizações têm programas formais de mentoria para funcionários recém-contratados. O conceito é simples: parear um novo funcionário com alguém experiente e de alto desempenho e então assistir o novato aprender e crescer.

Mentoria entre pares: Essas relações envolvem parcerias entre pessoas com o mesmo *status* ou habilidade, que se tornam mentores e melhoram a eficácia um do outro.

Mentoria intergeracional: Envolve duas pessoas de gerações diferentes que formam pares para o crescimento e benefício mútuo. O mais velho pode servir de modelo, com sabedoria a ser passada para o mais jovem, ou o mais jovem pode ensinar ao mais velhos habilidades de ponta – como tecnologia.

Essência *versus* forma

É importante manter em mente que trabalhar com alguém em uma relação de mentoria possui dois aspectos: essência e forma. A *essência* envolve conversar com franqueza e intimidade e descobrir valores em comum. A *forma* é a estrutura, o modo como os dois trabalharão juntos.

Após identificar um possível mentor ou pupilo, reúna-se com essa pessoa para descobrir se o par é apropriado em termos de *essência*. Seus valores estão alinhados? Suas personalidades combinam? A conversa flui?

Se o mentor ou pupilo em potencial foi aprovado no teste de essência, você pode passar para o aspecto da *forma* de trabalhar juntos – o que pretendem realizar, como pretende cumprir sua missão, quando se comunicarão e onde trabalharão juntos.

A importância de essência *versus* forma ficou evidente para Ken Blanchard antes dele desenvolver uma relação de autoria e mentoria com Norman Vincent Peale. Inicialmente, Ken tivera a ideia de escrever um livro chamado *The Power of Positive Management* e se reunira para discutir sua coautoria com um autor considerado líder no campo do pensamento positivo. Na reunião, o possível coautor só queria falar sobre forma: quem faria o que, como dividiriam os *royalties*, etc. Ele redirecionava qualquer conversa sobre essência de volta para a forma. Assim, Ken decidiu que preferia não trabalhar com ele.

Logo a seguir, Ken recebeu uma ligação do seu editor. "Me disseram que a conversa com o possível coautor foi decepcionante. Já considerou escrever um livro com Norman Vincent Peale?". A reação de Ken foi: "Ele ainda está vivo?". Antes de Ken nascer, seus pais haviam frequentado a igreja de Norman. "Não só está vivo aos 86 anos", respondeu o editor, "como também é um ser humano fabuloso."

Depois que Ken concordou em conhecer Norman e Ruth, sua esposa, ficou impressionado em perceber que toda a conversa fora sobre essência. Norman e Ruth logo contaram a Ken sobre quem eram e quais eram os seus valores, e fizeram perguntas sobre os mesmos temas. Ao fim de um almoço de três horas, Norman se voltou para a esposa e disse: "Ora, Ruth, você acha que deveríamos escrever um livro com este jovem?". Foi a primeira vez que o assunto forma, os negócios, surgia. "Sim, absolutamente", ela respondeu. "Mas com uma condição. Que daqui para a frente, sempre que nos reunirmos, ele sempre traga Margie, a mulher dele".

Não só Ken escreveu *The Power of Ethical Management* com Norman como os dois desenvolveram uma relação de mentoria intergeracional maravilhosa: Ken e Margie estavam na casa dos 40 anos de idade, enquanto Norman e Ruth estavam mais próximos de 90 do que 80.

O modelo MENTOR: elementos de uma parceria de mentoria bem-sucedida

Depois que você e seu mentor ou pupilo decidem trabalhar juntos, a estruturação da relação tornará seu tempo juntos mais produtivo. Foi por isso que Ken Blanchard e Claire Díaz-Ortiz desenvolveram o modelo MENTOR, seis diretrizes para uma relação de mentoria eficaz.[3] A observação dessas três diretrizes ajudará a manter sua parceria de mentoria nos trilhos.

Mission (Missão)

Dedique algum tempo à elaboração de uma declaração de missão para a mentoria. O que cada um pretende obter da relação? Uma missão de mentoria é um retrato de como o mundo será caso tudo siga como o planejado. No início, pode parecer exagero, mas você ficará surpreso em ver como o processo de criar uma missão esclarece pressupostos e torna seu tempo juntos mais produtivo.

Engagement (Envolvimento)

Chegue a um acordo sobre como se relacionar que funcione para as suas personalidades e cronogramas. Especialmente no início da mentoria, comprometa-se com reuniões regulares, mesmo que virtuais. Decidindo sobre a frequência e o meio pelo qual se comunicarão um com o outro, vocês constroem a estrutura que transformará sua parceria de mentoria em realidade.

Networking (Redes)

Tanto o mentor quanto o pupilo emprestam uma rede de conexões um para o outro. Essas conexões fornecem novos conhecimentos, habilidades e oportunidades. Contudo, é preciso tomar cuidado para não ser irresponsável com as conexões do parceiro. Há uma diferença sutil entre acionar um contato oferecido e se aproveitar injustamente das pessoas na rede do seu parceiro. Tome cuidado para ficar no lado certo dessa linha.

Trust (Confiança)

É preciso tempo para estabelecer uma comunicação profunda e o intercâmbio que acontece em uma relação de mentoria madura. A confiança pode ser destruída em um instante, então aborde todos os erros e problemas de comunicação assim que surgirem. Contar a verdade, manter-se conectado e ser confiável permitem que você construa a relação de confiança necessária para produzir um crescimento pessoal e profissional significativo.

Opportunity (Oportunidade)

Para ambos, a relação abrirá novas oportunidades: eventos, experiências de aprendizado, conexões e opções de carreira. As mídias digitais tornam as redes em potencial ainda maiores, permitindo mais oportunidades para os parceiros. Mantenha-se de olhos abertos para possíveis oportunidades que possam ser compartilhadas com o mentor ou pupilo e dê seguimento às oportunidades que lhe forem oferecidas.

Review and Renew (Revisão e renovação)

As relações de mentoria não duram necessariamente para sempre. Após a missão ser estabelecida, uma revisão regular (anual ou bianual, talvez) ajudará a manter o relacionamento nos trilhos e lhes informará quando a missão foi cumprida. Nesse momento, vocês podem renovar a relação e criar uma nova missão ou encerrar a mentoria.

Na sua parceria de mentoria, Norman Vincent Peale e Ken Blanchard trabalharam com todos os elementos do modelo MENTOR.

A **missão** deles era escrever um livro que tivesse um impacto positivo sobre a ética e integridade nas empresas e organizações, mostrando às pessoas que não precisam trapacear para vencer.

Eles concordaram com o **envolvimento** logo no início, decidindo onde e com que frequência se encontrariam e como se comunicariam.

Em se tratando de **redes**, a mentoria foi mutuamente benéfica. Norman apresentou Ken para Truett Cathy, fundador da Chick-fil-A. Ken apresentou Norman a Bob Buford, autor de *Halftime*, e outros líderes espirituais mais jovens.

A **confiança** desenvolvida entre Ken e Norman foi profunda e autêntica. Ambos perceberam que não escreviam apenas sobre seus ideais; eles faziam o possível para vivê-los. Norman era a pessoa mais positiva Ken há havia conhecido. E Norman sempre dizia que quando estava com Ken, se sentia motivado a fazer mais, mesmo na sua idade avançada.

A parceria deu a Ken e Norman muitas **oportunidades**. Após conhecê-lo através de Norman, Ken escreveu um livro com Truett Cathy chamado *The Generosity Factor: Discover the Joy of Giving Your Time, Talent, and Treasure*. Com Ken, Norman pôde participar de novos seminários estimulantes por todo o país.

Quando o livro de Norman e Ken foi publicado, os dois já haviam desenvolvido uma relação de amizade/mentoria que **revisariam e renovariam** regularmente. Com o passar dos anos, os dois continuaram a incentivar e apoiar um ao outro. Norman sugeriu a Ken que escrevesse um livro sobre sua jornada espiritual, e Ken por sua vez dedicou esse livro a Norman.[4]

Criando um programa de mentoria na sua organização

Muitas empresas descobriram que os programas formais de mentoria são uma das melhores maneiras de preparar os recém-contratados para o sucesso. Esses programas internos de mentoria também geram muitos benefícios para a organização em si: funcionários mais bem treinados, maior envolvimento, desenvolvimento da liderança e menor rotatividade, entre muitos outros. Por consequência, os programas corporativos de mentoria não param de se multiplicar.

Na Chick-fil-A, todos os executivos precisam ser mentores. As duplas são formadas pelo comitê executivo da empresa. Os outros líderes podem indicar pessoas para se tornarem pupilos. Alguns são mentores de mais de uma pessoa por ano, dependendo do interesse e da disponibilidade.

A Intel tem um programa de muitos anos que pareia funcionários e mentores com base nas habilidades e interesses do pupilo. Essas mentorias podem ser presenciais ou virtuais. Os pupilos em potencial preenchem um questionário, que é usado para combiná-los com pessoas capazes de ensinar-lhes as habilidades que estão interessados em dominar.

Se está interessado em ajudar sua organização a montar um programa de mentoria, eis alguns elementos que você precisa ter em mente.

Comece com o seu departamento de recursos humanos. Se você trabalha em uma organização grande o suficiente para ter um departamento de RH, este deve ser o seu primeiro passo para conversar sobre a ideia. Ela já foi considerada antes? A equipe de RH gostaria de comandar o esforço? Que apoio você poderia oferecer à medida que o programa se desenvolve? Se conseguir fazer com que o departamento de RH se anime com a ideia, poderá confiar nos seus conhecimentos técnicos para montar o programa. Isso geralmente envolve identificar funcionários interessados em uma parceria de mentoria e então parear indivíduos.

Ensine o modelo MENTOR aos mentores e pupilos. Muitas vezes, os mentores em potencial têm medo da mentoria, pois acham que não sabem o suficiente. Na realidade, o contrário tende a ser verdade. A experiência de vida é um dos melhores preditores de uma parceria de mentoria bem-sucedida, e isso a maioria das pessoas tem de sobra. Seguindo os seis passos do modelo MENTOR, você estará com meio caminho andado para ter uma relação de mentoria dinâmica e poderosa.

Estabeleça diretrizes essenciais. A mentoria só pode atingir o seu potencial máximo se houver um sistema regular de controles sobre ela. Dentro de um ambiente corporativo, seria uma boa ideia fazer com que todas as parcerias de mentoria obedeçam a algumas diretrizes gerais. Estabeleça parâmetros em torno de itens como:

- Frequência das reuniões entre mentor e pupilo
- Cronogramas da parceria de mentoria como um todo
- Datas das avaliações entre mentor e pupilo

Dedicar tempo à criação de um programa formal de mentoria é um dos investimentos mais inteligentes que uma organização pode fazer. Além de educar e revitalizar as pessoas dentro da organização, a mentoria também preserva e expande conhecimentos corporativos cruciais. Com cerca de 10 mil pessoas fazendo 65 anos todos os dias somente nos Estados Unidos, um programa formal de mentoria também pode ser uma boa estratégia para transferir as habilidades e conhecimentos dos funcionários mais velhos para os membros mais jovens da força de trabalho.

Adaptando a mentoria aos estágios da carreira

Ao estabelecer um programa interno de mentoria, é importante parear mentores e pupilos nos pontos certos das suas carreiras. A empresa de serviços alimentícios Sodexo, por exemplo, oferece três tipos de programa de mentoria para ajudar funcionários em diferentes estágios de suas carreiras: o programa Bridge ("Ponte"), no qual funcionários recém-contratados são pareados com gerentes experientes; o programa IMPACT, que forma 100 parcerias formais durante um ano, com funcionários de todos os níveis; e o programa Peer-to-Peer ("Entre pares"), menos formal, no qual os funcionários podem escolher participar em qualquer estágio de suas carreiras.

Nível inicial

Para funcionários de níveis iniciais, oferecer treinamento no trabalho gera benefícios. Melhor ainda é oferecer um programa de mentoria para os recém-contratados. Isso pode combinar novatos com veteranos para ajudar os recém-contratados a entenderem os elementos básicos do trabalho e como traçar um plano de carreira a partir do seu ponto de partida.

Lembre-se que nível inicial não significa necessariamente juventude. Nos ambientes de trabalho atuais, cada vez mais membros da geração Baby Boomer estão ingressando em segundas carreiras. Essa tendência foi dramatizada em um filme de 2015, *Um Senhor Estagiário*, no qual um viúvo de 70 anos (Robert De Niro), querendo reciclar suas habilidades, aceita um estágio em uma loja online e se torna pupilo de Jules (Anne Hathaway), a CEO-fundadora de 30 e poucos anos. Além de destacar um caso clássico de mentoria reverso, o filme também mostra como a mentoria de níveis iniciais pode ser mutuamente benéfica.

Nível de gestão ou meio da carreira

Para os funcionários que já aprenderam o básico sobre o seu trabalho, a ênfase se desloca das habilidades técnicas e específicas ao emprego para as habilidades pessoais e de relacionamento. O melhor mentor nesse estágio médio pode ser um colega, alguém no mesmo nível de carreira e de habilidades, pois essas pessoas estarão mais familiarizadas com os tipos de desafio enfrentados todos os dias por funcionários na fase intermediária das suas carreiras.

Nível executivo ou mestre

Para quem se tornou executivo ou conquistou um posto no topo da sua profissão, chegou a hora de sugerir que passem do sucesso para a significância e se tornem mentores. É uma excelente maneira de descobrir a verdade daquele antigo provérbio: "há maior felicidade em dar do que em receber". As recompensas de transmitir conhecimento e sabedoria podem não ser medidas por promoções e aumentos, mas a vida da pessoa é enriquecida por um sentimento profundo de alegria e sentido.

Mais uma vez, o nível mestre ou executivo é definido mais por competência do que pela idade. As pessoas atingem esse estágio quando têm sabedoria e experiências valiosas que podem beneficiar os outros. Por exemplo, você pode ter 28 anos e ser um gênio da tecnologia, pronto para servir de mentor a uma pessoa de meia-idade que tem menos experiência na sua área. A ideia é que você já se tornou um líder e agora pode cultivar os líderes do futuro.

Ser um mentor executivo ou mestre significa que você representa um modelo de comportamento; sendo assim, guiará o pupilo tanto pelo que faz quanto pelo que diz. Na verdade, os melhores mentores de nível sênior aplicam habilidades de escuta e questionamento de alto nível para descobrir as preocupações e os sonhos dos seus pupilos. Ao falar, seja franco. Deixe seu pupilo aprender com os seus fracassos para que não precise cometer os mesmos erros.

É verdade que a mentoria exige algum tempo e intenção. Também é preciso tempo e intenção para aprender a dirigir - mas depois que sabe o que fazer atrás do volante, você vai longe! O mesmo vale para a mentoria. Todos temos 168 horas por semana. Investir algumas delas em uma relação de mentoria energiza você de um jeito que navegar na Internet ou assistir TV jamais conseguirão. Quando a mentoria vai bem, tanto o mentor quanto o pupilo pensarão no relacionamento como um fator importante em uma vida bem-sucedida e gratificante.

*****

Exploramos os muitos modos como os líderes podem atingir resultados através de relacionamentos de pessoa a pessoa. No próximo capítulo, veremos como os líderes podem ir além das relações interpessoais para criar equipes de alto desempenho.

11
Liderança de equipes

Don Carew, Eunice Parisi-Carew,
Lael Good e Ken Blanchard

As equipes tornaram-se um importante veículo para que o trabalho seja feito. Vivemos em equipes. Nossas organizações são formadas por equipes. Passamos de uma equipe para outra sem sequer pensar a respeito. O tempo que passamos em situações de equipe – equipes de projetos, grupos de trabalho, equipes interfuncionais, equipes virtuais, equipes de gerência – é cada vez maior.

Na última pesquisa da Blanchard, envolvendo 1.300 pessoas — em parceria com a revista *Training* em 2017[1] — descobrimos que as pessoas passam mais da metade do seu tempo trabalhando em equipes, e que quanto mais graduado o respondente em termos de nível organizacional, mais esse tempo aumenta.

Contudo, apenas 27% dos respondentes acreditava que suas equipes tinham alto desempenho. E essas opiniões sobre desempenho variavam dentro de cada faixa etária. A lição mais importante desses achados, no entanto, é que, independente de idade, as pessoas não consideram que a maioria das suas equipes têm alto desempenho.

Quais fatores nas equipes atuais contribuem para essa lacuna de desempenho?

Quando questionados sobre as áreas com o maior impacto sobre o melhor desempenho em equipe, os seguintes fatores foram identificados:

- Estabelecer o propósito, as metas e expectativas da equipe desde o início
- Comunicação regular sobre o progresso da equipe e suas conquistas
- Conversas regulares de *feedback*
- Reconhecer e celebrar as conquistas da equipe

A habilidade mais importante para um líder durante a formação de uma equipe é garantir que ela tenha um propósito claro, além de metas, papéis, estratégias e expectativas claras.

Nossas pesquisas confirmam que a eficácia nas organizações de hoje não é um esporte individual, e que sem uma abordagem de liderança de equipes apropriada, é improvável que uma equipe tenha sucesso.

Por que equipes?

Em "HR Technology Disruptions for 2018", Josh Bersin, da Deloitte Consulting LLP, identifica três microtendências que promovem uma reinvenção do mercado de RH:

- Mudanças no cenário tecnológico geral
- Mudanças no modo como trabalhamos
- Mudanças no modo como administramos organizações

As equipes estão no centro dessas mudanças. O artigo reforça nossos achados de que liderar com equipes é a melhor abordagem no ambiente corporativo atual. Bersin observa que "as empresas operam cada vez mais como redes de equipes" e que "ferramentas, plataformas, *coaching*, análise de dados, monitoramento e ferramentas de avaliação centradas em equipes estão em altíssima demanda – pois precisam estar".

A era da gestão de cima para baixo acabou. "À medida que as empresas substituem a administração hierarquizada por uma estrutura de equipes em rede, passamos a usar novas ferramentas, desenvolvidas especialmente para as equipes", observa Bersin. "As empresas desejam ferramentas de gestão que ajudem a capacitar e empoderar as equipes, promover o envolvimento e o desempenho centrado em equipes e apoiar práticas de RH ágeis e focadas em redes."[2]

As equipes têm o poder de elevar a produtividade e o moral, mas também de destruí-los. Quando trabalha com eficácia, uma equipe pode tomar melhores decisões, resolver problemas mais complexos e fazer mais para fomentar a criatividade e aprimorar as habilidades do que indivíduos trabalhando sozinhos. A equipe é a única unidade que possui a flexibilidade e os recursos para reagir rapidamente às mudanças típicas do mundo atual.

As pessoas não podem mais se dar ao luxo de trabalharem sozinhas. A mudança tecnológica está ocorrendo com tanta rapidez que é impossível que uma pessoa atinja suas metas por conta própria.

> *Nenhum de nós é tão capaz quanto todos nós.*

Ao mesmo tempo, o ambiente de negócios está cada vez mais competitivo e os problemas enfrentados são cada vez mais complexos. Esse ambiente desafiador levou as organizações a constatarem que não podem mais depender de estruturas hierárquicas e de algumas pessoas de desempenho máximo para manter a vantagem competitiva.

A exigência agora recai na colaboração e no trabalho em equipe em todos os setores da organização. Hoje o sucesso vem da aplicação do conhecimento coletivo e da riqueza de perspectivas diferentes. Existe um movimento consciente de transformação das equipes em veículo estratégico para a realização do trabalho e para conduzir as organizações rumo ao futuro.

Ambientes de trabalho rápidos e ágeis exigem equipes operando virtualmente no mundo inteiro. Essas equipes geograficamente dispersas enfrentam desafios especiais na construção de confiança, no desenvolvimento de comunicação eficaz e no gerenciamento atento.[3] Entretanto, mediante liderança e tecnologia adequadas, equipes virtuais são tão produtivas e compensadoras quanto equipes presenciais.

Equipes não são apenas algo bom de se ter por via das dúvidas. Elas constituem as unidades básicas de produção.

É fato comprovado que a saúde e o bem-estar dos indivíduos são diretamente afetados pela intensidade do seu envolvimento no local de trabalho. Por um período de 14 anos, foram estudados 12 mil trabalhadores suecos do sexo masculino. Aqueles que se sentiam isolados e que pouca influência exerciam sobre seu trabalho revelaram uma probabilidade 162% maior de sofrerem um infarto do que aqueles com maior influência sobre as decisões e que trabalhavam em equipes.[4] Dados como esses – combinados com o fato de que as equipes podem apresentar produtividade muito superior à de indivíduos agindo sozinhos – são um argumento de peso para a criação de lugares de trabalho de alto envolvimento e para a utilização de equipes como o veículo central para a realização do trabalho.

Obstáculos ao alto desempenho

A formação de equipes exige um grande investimento de tempo, dinheiro e recursos. Quando fracassam ou produzem aquém do esperado, isso acarreta um custo imenso. Uma reunião de equipe que é considerada uma perda de tempo produz efeitos de longo alcance. A energia não se dispersa quando a reunião termina, mas se espalha para todos os aspectos da vida organizacional. Quando as pessoas saem de uma reunião com a sensação de que não foram ouvidas, ou quando discordam de uma decisão tomada pela equipe, ficam zangadas e frustradas. Isso causará um impacto negativo na próxima reunião. O contrário acontece quando as reuniões são produtivas e passam a sensação de empoderamento – a energia positiva se espalha.

As equipes não são capazes de atingir alto desempenho por muitos motivos, desde a falta de um propósito claro à falta de treinamento. Esses obstáculos impedem a equipe de atingir o seu potencial.

Nossa pesquisa com 1.300 respondentes descobriu que os maiores obstáculos ao desempenho de equipes são:

- Falta de responsabilidade
- Tomada de decisão sem clareza
- Má liderança

Seguidos por:

- Mau planejamento ou falta de planejamento
- Desorganização ou papéis indefinidos
- Falta de propósito ou de objetivos claros

Ter consciência dos obstáculos no caminho do desempenho máximo em equipe pode preparar integrantes e líderes de equipes a abordar proativamente essas questões.

Uma abordagem eficaz à liderança de equipes

As equipes de alto desempenho podem ser veículos para realizar o trabalho e aumentar o nível de envolvimento em toda a sua organização. Contudo, entender a dinâmica do trabalho em equipe nunca foi fácil. Trabalhar em uma equipe é ao mesmo tempo uma arte e uma ciência, e os líderes devem desenvolver sistematicamente uma abordagem eficaz de liderança de equipes.

Na nossa abordagem à liderança de equipes, antes de mais nada é importante entender as características que determinam a equipe de alto desempenho. Saber como é uma equipe de alto desempenho cria um padrão de comparação para o sucesso da equipe.

Em seguida, os líderes precisam identificar o estágio de desenvolvimento da equipe, criar uma constituição própria para garantir que ela começará com o pé direito e então estabelecer um conjunto de comportamentos de liderança que mantenham a equipe avançando pelos estágios de desenvolvimento até, por fim, atingir e sustentar o alto desempenho.

Essa abordagem à liderança de equipes pode ser aplicada a qualquer equipe, sejam quais forem seu propósito, ocupação, tipo ou tamanho.

Entendendo as características de uma equipe de alto desempenho

Definimos como equipes *duas ou mais pessoas que se reúnem em torno de um propósito comum e que são responsáveis por resultados*. Aqui vemos a diferença entre uma equipe e um grupo. Com frequência, grupos de trabalho são chamados de equipes, mesmo que não tenham desenvolvido um propósito comum e uma responsabilidade mútua. Isso pode levar a resultados decepcionantes e à crença de que as equipes não funcionam bem. Um conjunto de indivíduos trabalhando na mesma tarefa não constitui necessariamente uma equipe. Eles têm o potencial para se tornar uma equipe de alto desempenho no momento em que ficarem esclarecidos seu propósito, suas estratégias e suas responsabilidades.

Algumas equipes alcançam resultados extraordinários independentemente da dificuldade do objetivo. Estão no topo de sua classe. O que torna essas equipes diferentes? O que as coloca em outro patamar e as capacita a superar o desempenho de seus iguais? Ainda que cada equipe seja única, suas características são compartilhadas por todas as equipes de destaque, sejam quais forem seus propósitos ou objetivos.

A criação de equipes altamente eficazes, assim como a criação de uma organização de excelência, começa com uma visão de onde você quer chegar – um alvo. É fundamental saber o que faz uma equipe apresentar alto desempenho. É por isso que a jornada ao alto desempenho começa com o entendimento sobre as características que compõem uma equipe de alto desempenho (ver Figura 11.1).

Características das equipes de alto desempenho

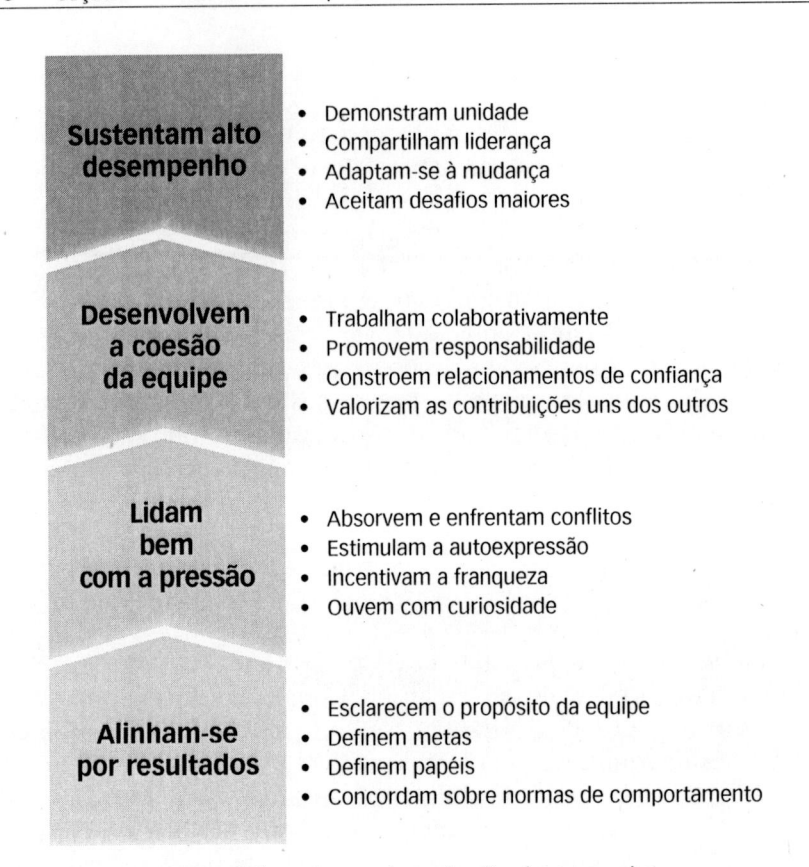

Sustentam alto desempenho
- Demonstram unidade
- Compartilham liderança
- Adaptam-se à mudança
- Aceitam desafios maiores

Desenvolvem a coesão da equipe
- Trabalham colaborativamente
- Promovem responsabilidade
- Constroem relacionamentos de confiança
- Valorizam as contribuições uns dos outros

Lidam bem com a pressão
- Absorvem e enfrentam conflitos
- Estimulam a autoexpressão
- Incentivam a franqueza
- Ouvem com curiosidade

Alinham-se por resultados
- Esclarecem o propósito da equipe
- Definem metas
- Definem papéis
- Concordam sobre normas de comportamento

FIGURA 11.1 Características das equipes de alto desempenho.

Essas características representam o padrão-ouro das equipes que visam à excelência. Ao comparar sua equipe com as características de cada uma dessas áreas, você poderá identificar as áreas em que precisa focar o desenvolvimento da equipe.

Lendo de baixo para cima as características das equipes de alto desempenho, provavelmente não surpreende que equipes como essas sejam eficazes.

Certa feita, Ken Blanchard foi convidado para um treino do Boston Celtics durante a época áurea de Larry Bird, Robert Parish e Kevin

McHale. Conversando à beira da quadra com o treinador KC Jones, Ken perguntou-lhe: "como é que você faz para liderar um grupo de superestrelas como esse?". KC sorriu e disse: "Jogo a bola para eles e de vez em quando grito 'arremesse!'". Ao observar o estilo de liderança de Jones, Ken notou que ele não seguia os estereótipos de um grande líder. Durante os intervalos, os jogadores falavam mais do que KC. Ele não corria pelas laterais, durante o jogo, gritando com os jogadores; a maior parte das instruções era fornecida pelos próprios membros do time. Incentivavam, apoiavam e dirigiam uns aos outros.

Seu time demonstrava as características de uma equipe de alto desempenho. Os jogadores estavam alinhados para obter resultados, sabiam como trabalhar sob pressão, tinham coesão e haviam atingido um nível de alto desempenho sustentável que não dependia do treinador para obter orientações sobre como trabalhar.

Quando esse líder discreto, KC Jones, se aposentou, todos os jogadores disseram que ele havia sido o melhor dos treinadores. Por quê? Pois deixava todos liderarem, e, basicamente, é assim que devem ser as equipes.

Don Carew presenciou um extraordinário exemplo de liderança de equipe quando trabalhou com Jim Despain e os líderes e colaboradores da Track Type Tractors (TTT), uma divisão da Caterpillar, no estado americano de Illinois.[5] A divisão TTT enfrentava, então, sérios problemas. Na condição de divisão de pior desempenho da empresa, apresentava prejuízos de milhões de dólares anuais, além de ter passado por uma greve muito desgastante. A equipe Blanchard trabalhou com a TTT a fim de implementar um novo conjunto de valores e atitudes baseado em confiança, respeito mútuo, trabalho em equipe, empoderamento, enfrentamento de riscos e um sentimento de urgência. Em menos de três anos, a empresa concretizou uma recuperação de US$ 250 milhões. A qualidade, medida pelos clientes, aumentou 16 vezes. A satisfação dos funcionários passou do índice mais baixo dentro da Caterpillar para o índice mais elevado. Tudo isso foi concretizado por pessoas em todos os níveis, trabalhando em conjunto em equipes e também pela organização, ao criar as condições capazes de dar sustentação ao trabalho de equipe, respeito mútuo e confiança.

Identificando o estágio de desenvolvimento da equipe

Construir uma equipe de elevado desempenho é uma jornada – uma progressão previsível de um conjunto de indivíduos para um sistema azeitado em que todas as características de uma equipe de alto desempenho ficam evidentes.

Conhecer as características e as necessidades de uma equipe de alto desempenho é crucial. Fornece-nos um alvo para atingir. No entanto, sabemos que as equipes não começam com todas as características de uma equipe de alto desempenho já presentes. Todas as equipes são sistemas vivos únicos e complexos. A equipe como um todo é diferente da soma de seus membros.

As pesquisas dos últimos 70 anos têm, de forma consistente, demonstrado que, independentemente de seu propósito, as equipes, assim como os indivíduos, passam por uma série de estágios de desenvolvimento à medida que amadurecem.

Todos esses esforços abrangentes de pesquisa foram surpreendentemente consistentes em suas conclusões.[6] Todos identificaram quatro ou cinco estágios de desenvolvimento e foram muito semelhantes em suas descrições das características de cada estágio. Após uma revisão completa de mais de 200 estudos sobre o desenvolvimento de grupos, Roy Lacoursiere identificou cinco estágios de desenvolvimento de equipes:

1. Orientação
2. Insatisfação
3. Integração
4. Produção
5. Finalização

Enfocaremos detalhadamente os quatro primeiros estágios de desenvolvimento de equipes (ver Figura 11.2) e discutiremos o quinto, Finalização, posteriormente neste capítulo. A compreensão desses estágios de desenvolvimento e as características e necessidades de uma equipe em cada estágio é essencial para líderes de equipe e seus membros, caso pretendam ser eficientes na formação e consolidação de equipes produtivas e bem-sucedidas.

É disso que trata o *diagnóstico*. A habilidade de determinar o estágio de desenvolvimento de uma equipe e avaliar suas necessidades exige que uma pessoa se distancie e veja a equipe como um todo, em vez de se concentrar nos comportamentos e necessidades individuais.

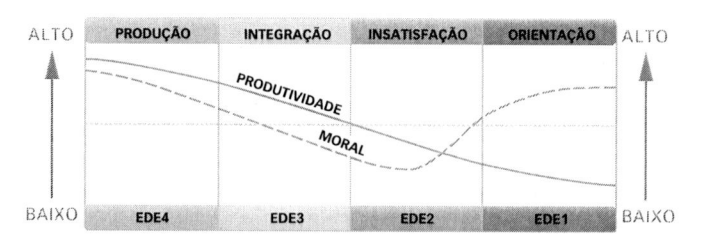

Estágios de desenvolvimento da equipe

FIGURA 11.2 Os estágios do desenvolvimento de equipes.[7]

Produtividade e moral

Duas variáveis determinam o estágio de desenvolvimento de equipes: produtividade e moral.

Produtividade é a quantidade e a qualidade de trabalho realizado em relação aos propósitos e objetivos da equipe. Depende da capacidade dos integrantes para colaborar, de seus conhecimentos e habilidades, de metas claras e do acesso aos recursos indispensáveis. **Moral** é o sentimento de orgulho e satisfação gerado pelo fato de pertencer a uma equipe e concretizar seu trabalho.

A produtividade normalmente começa em nível reduzido. Sempre que um grupo se reúne pela primeira vez, seus membros não conseguem grandes realizações. Seus integrantes muitas vezes sequer se conhecem. Com o tempo, à medida que aprendem a trabalhar em conjunto, seu desempenho normalmente costuma melhorar. Se não for este o caso, é sinal de que algo está tremendamente errado. Ou é um problema de liderança ou as habilidades necessárias para um bom desempenho não estão presentes no grupo.

O moral, por sua vez, começa elevado e cai repentinamente. É normal haver um entusiasmo inicial por fazer parte de uma equipe, a menos que alguém tenha sido forçado a tanto. Tal euforia logo se dissipa quando a realidade da difícil tarefa de trabalhar em equipe vem à tona. Nessa hora, você ouve as pessoas dizendo: "Por que fui aceitar logo esta equipe?". À medida que as diferenças são exploradas e as pessoas começam a resolver as frustrações iniciais e a trabalhar mais facilmente em conjunto, a equipe começa a alcançar resultados e o moral volta a aumentar. No fim das contas, tanto o moral quanto a produtividade entram em alta à medida que um grupo se torna uma equipe de alto desempenho.

Por que o moral e a produtividade elevados são as metas finais? Moral elevado sem desempenho é um clube, não uma equipe. Por outro lado, uma equipe de alto desempenho e com baixo moral acaba fracassando, cedo ou tarde, e terá seu desempenho prejudicado. Assim, *tanto* produtividade *quanto* moral alto são requisitos indispensáveis para formar uma equipe de alto desempenho com resultados sustentáveis.

Diagnosticar o nível de produtividade e moral é uma forma clara de determinar o estágio de desenvolvimento e compreender as necessidades de uma equipe em qualquer momento.

Estágio 1 de desenvolvimento de equipe (EDE1): orientação

A maioria dos membros de equipe, a não ser quando coagidos a tanto, sente entusiasmo a cada início de projeto. No entanto, costumam nutrir expectativas elevadas demais, e, por isso mesmo, irreais. Essas expectativas vêm acompanhadas de alguma ansiedade quanto ao seu entrosamento, o quanto podem confiar uns nos outros e ao que será exigido deles. Além disso, membros de equipe também não têm clareza quanto a propósito, metas, papéis e modo de trabalho em conjunto da equipe.

Nesse estágio, dependem demais do líder em matéria de propósito e direção. Sempre surge alguém testando os limites nessa fase, e a atitude do líder é normalmente cheia de tato e polidez. Nesse estágio, o moral é moderadamente elevado e a produtividade, baixa.

Dois membros de nossa equipe foram convidados a atuar em um grupo de trabalho a fim de estudar e modificar o sistema de remuneração de nossos consultores associados. Na primeira reunião, ficamos animados e ansiosos para descobrir quem mais se juntaria a nós no grupo de trabalho. Haviam surgido muitas reclamações quanto ao sistema, e estávamos ansiosos para efetuar mudanças positivas. Estávamos apreensivos sobre se "eles" realmente nos ouviriam. Também nos perguntávamos quanto tempo tudo levaria, quem estaria encarregado da equipe e como nos daríamos com os outros membros. Não tínhamos ideia alguma de como proceder, ou mesmo quais deveriam ser nossas metas. Contávamos com o líder de equipe para nos guiar na direção certa. Esses sentimentos de ansiedade, receio e dependência em relação ao líder são normais entre os integrantes de qualquer equipe no Estágio 1.

O desafio no estágio de orientação é encaminhar a equipe a um bom começo identificando-se um propósito e uma estrutura para o grupo, bem como iniciando-se a construção de relacionamentos e confiança.

A duração desse estágio depende da clareza e da dificuldade do propósito da equipe, assim como da clareza sobre a natureza do trabalho que a equipe irá desenvolver. Se forem estabelecidas metas simples e facilmente definidas, o estágio de orientação poderá ser de curta duração – de 5 a 10% da vida da equipe. Por outro lado, se as metas forem complexas, a equipe pode passar de 30 a 60% de seu tempo nesse estágio.

Estágio 2 de desenvolvimento de equipe (EDE2): insatisfação

À medida que a equipe desenvolve alguma experiência, o moral pode esmorecer quando os membros constatam a discrepância entre suas expectativas iniciais e a realidade. Membros relutantes de equipe começam a aparecer no Estágio 2. Se propósito, meta, papéis e normas de comportamento não foram estabelecidos ou acordados no Estágio 1, as dificuldades de realizar a tarefa e trabalhar em conjunto geram confusão e frustração, bem como uma crescente insatisfação quanto à dependência em relação ao líder. Surgem reações negativas entre os membros, os membros de equipe podem evitar expressar suas opiniões e formam-se subgrupos que podem polarizar a equipe. A ruptura na comunicação e a incapacidade de resolver problemas resultam em uma queda de confiança. A produtividade apresenta algum crescimento, mas pode ser tolhida pelo moral baixo.

Voltando àquele grupo de trabalho de remuneração que mencionamos anteriormente: se, por um lado, começamos com entusiasmo, por outro, percebemos rapidamente que teríamos muito trabalho, que a tarefa era controversa e que havia a possibilidade de que nossas recomendações não fossem aceitas. Começamos a observar alguns intensos sentimentos negativos entre os membros e houve a formação de subgrupos. Uma certa frustração em relação ao líder da equipe começou a se desenvolver. Começamos a nos perguntar se tudo aquilo valia tanto de nosso esforço. Esses sentimentos de questionamento, dúvida e frustração são comuns entre membros de equipe durante o Estágio 2.

O desafio durante o estágio da insatisfação é ajudar a equipe a lidar com problemas de poder, controle e conflito e começar a trabalhar juntos eficazmente.

O tempo despendido nesse estágio depende da rapidez com que certos problemas possam ser resolvidos. É possível que uma equipe fique presa no estágio da insatisfação e continue a se sentir desmoralizada e relativamente improdutiva.

Estágio 3 de desenvolvimento de equipe (EDE3): integração

O estágio da integração é caracterizado por uma equipe que apresenta produtividade moderada a alta e moral variável ou em ascenção. À medida que assuntos que surgiram no estágio de insatisfação são abordados ou resolvidos, o moral cresce. A equipe adota práticas que permitem que os membros trabalhem juntos com maior facilidade. O cumprimento de metas e as habilidades técnicas aumentam, o que contribui para criar sentimentos positivos. Há maior comprometimento com os propósitos e metas da equipe. Pontos de vista diferentes são considerados o cerne da criatividade. A confiança e a coesão crescem à medida que a comunicação se torna mais aberta e orientada a metas. Os membros da equipe mostram-se mais dispostos a cobrar bom desempenho uns aos outros.

Você nunca terá uma equipe de alto desempenho se a liderança e o controle não forem compartilhados.

Os membros da equipe começam a aprender a respeitar as diferenças que existem entre si. Os membros começam a ver a equipe como um todo e a pensar em termos de "nós", mais do que "eu". Ainda que a equipe entenda a importância de se absorver e enfrentar conflitos para poder avançar, os sentimentos de confiança e coesão recentemente desenvolvidos ainda estão frágeis e os membros da equipe evitam conflitos por temerem arruinar o clima positivo. Essa relutância em lidar com conflitos pode atrasar o progresso e levar a decisões de menor eficácia.

Voltando ao nosso grupo de trabalho de remuneração: à medida que resolvemos as frustrações que sentíramos no Estágio 2, começamos a ouvir uns aos outros com mais atenção e a respeitar os diferentes pontos de vista. Desenvolvemos algumas estratégias preliminares para cumprir nossa tarefa e esclarecemos nossas funções e metas. Apesar da dificuldade da tarefa, o trabalho em equipe tornou-se mais divertido. As pessoas estavam se dando bem, e, a cada reunião, víamos mais claramente o que precisava ser feito. Até vislumbramos a possibilidade de obter algum sucesso ao longo da jornada. Esses sentimentos de crescente satisfação e comprometimento, além do desenvolvimento de habilidades e processos que facilitam o trabalho em conjunto, são comuns no Estágio 3.

Aprender a tornar a equipe mais coesa e superar a tendência de concordar para evitar conflitos são os desafios do estágio de integração.

O estágio de integração pode durar pouco, dependendo da relativa facilidade em resolver os sentimentos de insatisfação e incorporar novas habilidades. Se os membros prolongarem a postura de evitar conflitos, é possível que regridam ao estágio da insatisfação.

Estágio 4 de desenvolvimento de equipe (EDE4): produção

Nesse estágio, tanto a produtividade quanto o moral são elevados e um reforça o outro. Eis o alto desempenho na prática. Há um sentimento de orgulho e entusiasmo de fazer parte de uma equipe de alto desempenho. O foco principal é o desempenho. Os padrões são elevados e há o comprometimento não apenas de estar à altura dos padrões, mas também de melhorar continuamente. Os membros de equipe confiam em sua habilidade de desempenhar bem e superar obstáculos. Ficam orgulhosos de seu trabalho e gostam de trabalhar juntos. A comunicação é aberta e a liderança é compartilhada. A norma é o respeito e a confiança mútuos. A equipe é ágil e lida com novos desafios à medida que continua se desenvolvendo.

O grupo de trabalho de remuneração estava a pleno vapor, e a conclusão do trabalho tornou-se uma realidade em nossas mentes depois de muitas reuniões e um cuidadoso estudo de alternativas. Finalmente começou a parecer que o esforço valera a pena e tínhamos certeza de que os resultados seriam positivos tanto para a empresa quanto para os consultores associados. Todos compartilhavam da responsabilidade pela liderança. Sentíamos que aquela se tornara uma excelente equipe e estávamos orgulhosos de fazer parte dela. Os sentimentos de realização, orgulho, confiança e unidade são típicos em equipes que chegaram ao Estágio 4.

O desafio no estágio de produção é manter o desempenho da equipe por meio de novos desafios e do crescimento constante. Esse estágio tem grande probabilidade de continuar – com flutuações moderadas dos sentimentos de satisfação – por toda a vida da equipe.

Apesar dos estágios terem sido descritos de forma separada e distinta, há uma considerável superposição entre eles. Alguns elementos de cada estágio podem ser encontrados em cada um dos demais. No entanto, as características e necessidades dominantes da equipe determinam seu estágio de desenvolvimento em um dado momento. Uma mudança nessas características e necessidades sinaliza uma mudança no nível de desenvolvimento da equipe.

Por que o entendimento dos estágios de desenvolvimento e correspondentes necessidades de equipe constituem um passo tão importante no processo? Porque isso proporciona aos líderes ou integrantes das equipes a concretização do próximo passo fundamental: proporcionar comportamentos de liderança que correspondam a essas necessidades.

Garantindo comportamentos de liderança que correspondam às necessidades da equipe

À medida que avança pelos diferentes estágios de desenvolvimento, uma equipe precisa de liderança que responda às suas necessidades a cada um desses estágios. O SLII®, usado extensivamente na autoliderança e liderança de pessoa a pessoa, funciona igualmente bem quando aplicado a uma equipe ou grupo de trabalho.

O *comportamento diretivo* estrutura e guia os resultados das equipes. Comportamentos que proporcionam direção incluem organizar, estruturar, educar e dar foco à equipe. Por exemplo, na primeira vez que você se une à equipe, é lógico que você pretende saber como ela será organizada. O que precisa aprender para ser um bom integrante da equipe? Aonde a equipe irá focar seus esforços? Qual é a sua estrutura? Será que alguém se subordina a alguém? Quem faz o quê? Quando? E como?

O *comportamento de apoio* desenvolve confiança e respeito mútuos na equipe. Comportamentos que proporcionam apoio incluem envolver-se, incentivar, ouvir argumentos e colaborar com os membros da equipe. Por exemplo, no desenvolvimento de harmonia e coesão, as pessoas desejam participar da tomada de decisões, ser incentivadas a participar, reconhecidas por seus esforços e por isso mesmo elogiadas, valorizadas pela diferença que representam, e ser capazes de compartilhar a liderança no momento apropriado.

Quando não existe treinamento de liderança de equipes, as pessoas chamadas para liderá-las ficam geralmente sem ideia do que devem fazer. Com frequência, agem por instinto. Suponhamos, por exemplo, que uma líder de equipe inexperiente entenda que a única forma de exercer um comando eficiente seja a liderança de estilo participativo. Desde o primeiro dia, ela pede sugestões a todos sobre como a equipe deve operar. Já os integrantes da equipe acham que a resposta a essa pergunta deve ser dada pela líder. "Afinal," raciocinam, "foi ela que convocou a reunião". Começam a questionar por que se juntaram à equipe. A líder, tendo em vista a reação desinteressada da equipe, sente-se frustrada e se pergunta por que aceitou liderar essa equipe. Resumo da situação: está todo mundo confuso.

Sem um entendimento sobre a estrutura dos estágios de desenvolvimento de equipes, somente por acaso o comportamento de um líder se adequará às necessidades de uma equipe. O Modelo de Liderança de Equipes (ver Figura 11.3) cria uma estrutura para adequar cada estágio do desenvolvimento de equipe aos comportamentos de liderança apropriados.

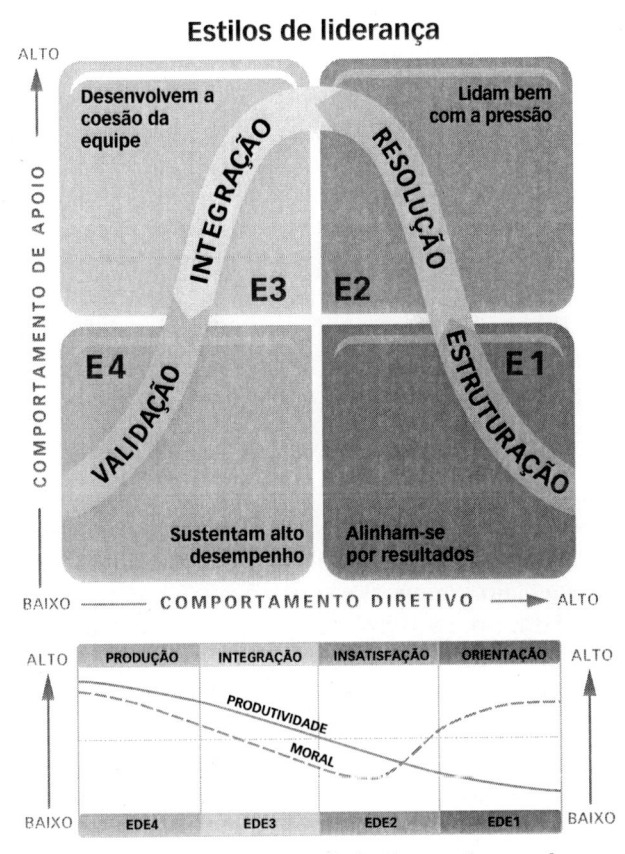

FIGURA 11.3 O modelo de liderança de equipes.

Para que os líderes e membros da equipe possam decidir qual é o estilo de liderança adequado, em primeiro lugar é preciso que se diagnostique o estágio de desenvolvimento da equipe em relação ao seu propósito, levando em consideração tanto a produtividade quanto o moral. Em seguida, é preciso localizar o estágio de desenvolvimento atual da equipe no contínuo e avançar pela linha perpendicular até a curva no quadrante do estilo de liderança no modelo. O ponto de intersecção indica o estilo de liderança apropriado para a equipe.

A intervenção no estilo de liderança de equipes apropriado que responda às necessidades da equipe em cada estágio de desenvolvimento ajudará a equipe a atingir ou manter o alto desempenho. A adequação do estilo de liderança aos estágios de desenvolvimento de equipe, como na liderança de pessoa a pessoa, funciona melhor quando o líder, ou os líderes, da equipe e os membros estão de acordo sobre o seu propósito e estão fazendo o diagnóstico juntos.

Equipes no estágio 1 precisam de um estilo estruturante

O **estilo de liderança 1 – Estruturação** – é o estilo de liderança apropriado para uma equipe no estágio 1, Orientação. A intenção do estilo 1 – Estruturação – é ajudar a equipe a *alinhar-se pelos resultados.*

Como mencionado anteriormente, no começo de qualquer equipe, as pessoas estão dispostas a fazer parte, e nutrem elevadas expectativas. O moral é alto, mas a produtividade é baixa devido a uma falta de conhecimento quanto ao propósito da equipe e de uns em relação aos outros. A equipe depende da autoridade. Os componentes da equipe precisam de algum grau de apoio, embora essa seja muito menor que a necessidade de comportamento diretivo orientado por propósitos e metas. As pessoas precisam entender claramente o tipo de participação que delas se espera. Os líderes precisam criar uma estrutura, ao mesmo tempo em que constroem relacionamentos e confiança para que a equipe possa começar com o pé direito. Os líderes de equipe devem avaliar as necessidades de treinamento e recursos e orientar os membros de equipe entre si.

A fim de criar um alicerce sólido para o trabalho em equipe, é importante que o líder e os membros da equipe instaurem uma constituição da equipe nesse ponto ainda inicial do seu ciclo de vida. A constituição é um conjunto de acordos que definem com clareza aquilo que a equipe pretende realizar, porque isso é importante e como a equipe trabalhará em conjunto para atingir resultados. Essa constituição alinha a equipe aos resultados, mas é também um documento dinâmico que pode ser modificado à medida que as necessidades da equipe passam por mudanças.

Os acordos de constituição de equipes ligam diretamente o propósito do grupo à visão e aos propósitos organizacionais. Valores e normas da equipe devem refletir os valores da organização, e, ao mesmo tempo, proporcionar diretrizes para o comportamento apropriado no âmbito da equipe. A identificação de iniciativas da equipe estabelece os alicerces para a determinação de metas e funções. É quando a equipe estabelece estratégias para a comunicação, tomada de decisões e responsabilidades. Uma vez concluída, a constituição proporciona um critério para garantir que a equipe se mantenha na trilha determinada. A equipe estará então preparada para avançar do planejamento para a ação, e irá manter a constituição visível e disponível para avançar por entre os estágios à frente.

Equipes no estágio 2 precisam de um estilo resolutivo

O **estilo de liderança 2 – Resolução** – é o estilo de liderança apropriado para uma equipe no estágio 2, Insatisfação. A intenção do estilo 2 – Resolução – é ajudar a equipe a *sair-se bem sob pressão.*

A essa altura, a equipe estará provavelmente enfrentando confusão e frustração, e precisará aprender a gerenciar conflitos e trabalhar em conjunto com maior eficiência. É então que o líder precisa reconfirmar ou esclarecer propósito, metas, funções e normas da equipe; desenvolver as habilidades de equipe necessária para que a equipe tenha bom desempenho sob pressão; enfrentar as questões mais problemáticas; e reconhecer comportamentos úteis e realizações modestas.

O estágio da insatisfação é caracterizado por um gradual aumento no desempenho e uma queda do moral. Raiva, frustração, confusão e desincentivo podem emergir em função da discrepância entre as expectativas iniciais e a realidade.

O estágio de insatisfação exige uma aplicação continuada de um alto grau de direção e um incremento no grau de apoio. Os membros de equipe precisam de incentivo e reafirmação, além do desenvolvimento de habilidades e estratégias para trabalharem juntos para a realização das metas. Nesse estágio é importante esclarecer qual é a visão geral e reafirmar o propósito e as metas da equipe. É importante ensejar um maior envolvimento da equipe na tomada de decisões. Reconhecer as realizações dos membros da equipe e dar *feedback* sobre o progresso alcançado incentiva as pessoas e eleva o moral. Além disso, ajude os membros da equipe a adotar uma atitude de aprendizado na qual não há fracassos, apenas oportunidades para aprender. Esse é um momento crítico para encorajar que as pessoas ouçam de forma ativa e reafirmar que a equipe valoriza as diferenças de opinião e convida a autoexpressão. Nesse estágio, também é útil manter discussões abertas e honestas sobre assuntos como bloqueios emocionais e coalizões, e resolver quaisquer conflitos de personalidade.

Equipes no estágio 3 precisam de um estilo integrador

O **estilo de liderança 3 – Integração** – é o estilo de liderança apropriado para uma equipe no estágio 3, Integração. A intenção do estilo 3 – Integração – é ajudar a equipe a *desenvolver a coesão da equipe*.

A equipe, a essa altura trabalhando em conjunto com mais eficiência mas ainda cautela, precisa aprender a colaborar e responsabilizar seus próprios membros.

Metas e estratégias tornam-se mais claras ou foram redefinidas. Sentimentos negativos estão sendo aplacados. Segurança, coesão e confiança aumentam, mas continuam frágeis. A equipe precisa construir um clima baseado na confiança. A confiança é construída pelo compartilhamento de informações, ideias e capacidades. Para reforçar a confiança, é preciso que os integrantes da equipe cooperem, em vez de competir, julgar ou culpar. A confiança é igualmente construída quando os integrantes da equipe se mantêm fiéis aos seus compromissos. É fundamental que todos se comuniquem com franqueza e honestidade, e demonstrem respeito pelos demais. Os membros de equipe sentem-se mais dispostos e mais aptos a assumirem funções de liderança.

Apoio e colaboração são necessários no estágio de integração para ajudar os membros da equipe a desenvolver confiança em sua capacidade de trabalhar juntos. A equipe precisa de menos direção em torno da meta e mais apoio focado no desenvolvimento de segurança, confiança, coesão, envolvimento e liderança compartilhada. Esse é o momento para encorajar as pessoas a darem voz a diferentes perspectivas, demonstrar o quanto as contribuições dos colegas são valorizadas e compartilhar responsabilidades de liderança, além de examinar continuamente o funcionamento da equipe. Agora, o foco deve ser o aumento da produtividade e o desenvolvimento de habilidades voltadas para a solução de problemas e tomada de decisões.

Equipes no estágio 4 precisam de um estilo de validação

O **estilo de liderança 4 – Validação** – é o estilo de liderança apropriado para uma equipe no estágio 4, Produção. A intenção do estilo 4 – Validação – é ajudar a equipe a *sustentar o alto desempenho*.

A essa altura operando com alta produtividade e elevado moral, a equipe é desafiada pela necessidade de sustentar esse grande desempenho.

Nesse estágio, os integrantes da equipe nutrem sentimentos positivos em relação uns aos outros e às suas realizações. A qualidade e a quantidade de trabalho produzido são elevadas. Com frequência, equipes nesse estágio precisam de novos desafios para manter tanto o moral quanto o foco na equipe elevados.

A equipe geralmente fornece sua própria direção e apoio nesse estágio, e precisa ser reconhecida por essa realização. Os membros da equipe demonstram unidade e participam plenamente do cumprimento das metas. Se alguém de fora chegasse e tentasse determinar quem é o líder, seria um grande desafio, pois todos os membros da equipe estão participando da liderança. São necessários o reconhecimento e a celebração continuados das realizações da equipe nesse momento, assim como a criação de novos desafios e padrões mais elevados. Como a equipe está funcionando em alto nível, é adequado nesse estágio incentivar a autonomia na tomada de decisões dentro de limites estabelecidos.

Estratégias para aumentar o desempenho da equipe

A principal função do líder é orientar os membros da equipe ao longo dos estágios de desenvolvimento para que possam atingir as metas da equipe e da organização. Isso significa abrir mão do controle e compartilhar a liderança à medida que a equipe se desenvolve. As equipes não são estáticas. São sistemas vivos, complexos e especiais. Ao observar o equilíbrio entre produtividade e moral, é possível aplicar o estilo de liderança apropriado para atender as necessidades da equipe em cada estágio. Esse comportamento de adequação é crucial para o sucesso.

Manter a equipe avançando

Mencionamos que a adequação é como manter um trem sobre os trilhos, mas isso não significa que a equipe não possa andar para trás, o que pode acontecer por uma série de motivos. Nesse caso, é importante alterar o estilo de liderança com base nas necessidades da equipe a cada momento. Em outras palavras, mantenha-se alerta a variações no nível de desenvolvimento e adapte os comportamentos de liderança de modo a manter a equipe avançando. Além disso, em todos os estágios de desenvolvimento, o líder precisa fazer o seguinte:

- Manter os membros alinhados ao propósito e aos acordos da equipe
- Monitorar o progresso e fornecer *feedback*
- Criar um ambiente seguro, com oportunidades a serem escutadas e respeito pelas diferenças
- Responsabilizar os membros da equipe por seus comportamentos e comprometimentos
- Estar ciente da dinâmica da equipe

Observar a dinâmica da equipe

A dinâmica da equipe é composta dos comportamentos que ocorrem dentro dela em um dado momento. Eles incluem interações explícitas entre os membros, mas também os sinais verbais e não verbais mais sutis que indicam sentimentos que podem se manter ocultos. Observar a dinâmica da equipe fornece informações sobre como ela está funcionando. Este é o segredo para diagnosticar o estágio de desenvolvimento e as intervenções necessárias a cada momento.

A habilidade mais básica e mais crítica para se entender a dinâmica da equipe é ser um observador participante. Isso significa estar totalmente envolvido *no que* a equipe está fazendo, mas ao mesmo tempo observar *como* a equipe está funcionando (ver Figura 11.4).

O primeiro passo para desenvolver essa habilidade de ser um observador participante é distinguir entre *conteúdo* e *processo*. O conteúdo é o que a equipe está fazendo – desenvolvendo o orçamento, criando um novo plano estratégico ou trabalhando em uma meta específica. Já o processo é como a equipe está funcionando enquanto realiza o seu trabalho – como se comunica, como as decisões são tomadas, como o

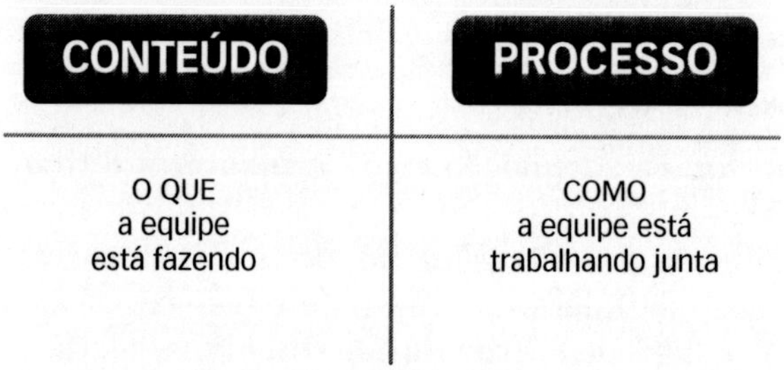

CONTEÚDO	PROCESSO
O QUE a equipe está fazendo	COMO a equipe está trabalhando junta

FIGURA 11.4 O foco de um observador participante.

conflito é gerenciado e quais comportamentos perturbam a equipe ou ajudam-na a avançar.

Muitas vezes, presta-se pouca atenção no processo, o que resulta em ações de equipe ineficazes. Em outras palavras, "sabemos o que fizemos, mas não temos ideia de como chegamos lá". A realidade é que, como o resultado depende do processo, é fundamental prestar atenção em ambos.

Há várias maneiras de desenvolver essa habilidade nos membros da equipe. Você pode dedicar os últimos dez minutos da sua reunião conversando sobre o que deu certo, quais melhorias são necessárias, se as pessoas estavam envolvidas e foram escutadas e como as decisões foram tomadas. Outra maneira de desenvolver essa habilidade é estabelecer uma rotação da responsabilidade entre os membros da equipe, para que assumam o papel de observador participante durante as reuniões e informem os resultados. A ideia é que a equipe reflita sobre si mesma e se conscientize de como está funcionando, e essa é a função de todos os seus membros.

Ao prestarmos atenção na dinâmica é como entendemos e interpretamos esses sistemas complexos chamados equipes e as intervenções necessárias para ajudá-los a crescer.

Administre o encerramento

Embora não tenha sido incluído no nosso modelo de Estágios de Desenvolvimento de Equipe, muitas vezes há um Estágio 5 – Finalização – no qual a equipe conclui o seu trabalho. Isso ocorre quando uma meta foi atingida, um marco alcançado ou um projeto completado. Nesse momento, a equipe pode deixar de existir. A duração desse estágio pode variar bastante, desde os últimos momentos da última reunião até uma parcela significativa de várias das últimas reuniões, dependendo da duração e qualidade da experiência da equipe. Para algumas equipes, com um ponto final claro, a produtividade pode continuar a aumentar à medida que a linha de chegada se aproxima, ou pode decair nos últimos momentos. O mesmo vale para o moral: a equipe pode celebrar os últimos estágios do projeto ou sentir tristeza ao saber que o seu tempo está chegando ao fim.

Esteja a equipe se desfazendo ou simplesmente passando para um novo desafio ou projeto com os mesmos membros, é importante dar um fim honroso ao seu trabalho. Para tanto, pode-se realizar uma conversa de encerramento com a equipe para demonstrar como o seu trabalho foi valorizado, reconhecer sentimentos, debater o que foi aprendido, identificar o que pode ser feito de melhor na próxima vez e comemorar o sucesso.

O poder das equipes

Perante pressão ou complexidade, os líderes devem reconhecer que muitas vezes são as ações e habilidades de muitos, não as de uma única pessoa, que determinam o sucesso de um procedimento complicado. O trabalho complexo dos dias atuais não pode mais ser deixado nas mãos de um herói solitário; precisamos de equipes de alto desempenho, trabalhando em conjunto para produzir os resultados e o empenho que alicerçam o mundo em que vivemos.

E quando equipes funcionam bem, milagres podem acontecer. Um exemplo emocionante e inspirador de equipe de alto desempenho foi a seleção de hóquei dos Estados Unidos nas Olimpíadas de 1980.[7] Vinte jovens – muitos dos quais nunca haviam jogado juntos antes – foram convocados de universidades de todo o país e, seis meses mais tarde, ganharam a medalha de ouro olímpica, derrotando as melhores equipes do mundo – incluindo a da então União Soviética, uma equipe que jogava junto há muitos anos. Ninguém esperava que isso acontecesse. O feito foi considerado uma das maiores viradas na história dos esportes e classificado de milagre. Exatamente 38 anos depois, a seleção de hóquei feminino dos Estados Unidos operou um milagre semelhante.

Quando os membros de ambas seleções foram entrevistados, todos, sem exceção, atribuíram seu sucesso ao trabalho em equipe. O vigor, o comprometimento, a coesão, a cooperação, a confiança, o esforço em equipe e uma crença imbatível em uma meta em comum – "conquistar o ouro" – foram as razões do seu sucesso.

As equipes são especialmente essenciais em se tratando de situações críticas e de emergência. Pense no desastre aéreo de 2009 no Rio Hudson, em Nova York, quando o capitão Sullenberger, o co-piloto Jeffrey Skiles e o restante da tripulação trabalharam juntos para pousar com segurança sob circunstâncias terríveis, salvando as vidas de todos a bordo do avião.

Seja uma equipe médica de cirurgiões, anestesistas e enfermeiros trabalhando juntos e usando suas especialidades individuais em equipe para salvar vidas, ou um time de magos da tecnologia colaborando em um novo software que vai mudar o mundo em que vivemos, sabemos que os seres humanos são capazes de grandes feitos quando trabalham de forma eficaz em equipe.

> *Individualmente, somos gotas.*
> *Juntos, somos um oceano.*
> —Ryunosuke Satoro

Mas essas equipes de alto desempenho não acontecem por acaso. É preciso treino, disciplina e muito esforço. Transformar um grupo de indivíduos em uma equipe altamente interdependente e produtiva, com um propósito comum, exige uma abordagem de liderança de equipes eficaz. Para maximizar o trabalho em equipe, é preciso construir equipes diversas, conectadas, motivadas e de alto desempenho. Isso dá ao seu negócio uma vantagem importante para resolver novos problemas e atacar projetos complexos.

No próximo capítulo, você aprenderá sobre o papel da colaboração no processo de construção de equipes de alto desempenho.

12
Colaboração: o combustível do alto desempenho

Jane Ripley, Eunice Parisi-Carew e Ken Blanchard

A colaboração cria equipes e organizações de alto desempenho. Com a força de trabalho diversa e globalizada de hoje, ela é crucial. As organizações que adotam uma cultura colaborativa se beneficiam internamente do aumento das vendas, maior inovação e melhores processos de negócios. Os benefícios externos podem incluir novos produtos e serviços e um negócio mais estável, que produz maior satisfação ao cliente, mais receitas e rentabilidade. Benefícios adicionais menos tangíveis incluem o compartilhamento de conhecimento e aumento da competência dos funcionários e terceirizados.

Colaboração não é coordenação, cooperação ou trabalho em equipe

Muitas pessoas acham que colaboração é o mesmo que coordenação, cooperação ou trabalho em equipe. Contudo, essas palavras não são intercambiáveis.

- *Coordenação* é quando um departamento ou função completa uma tarefa específica antes de passar o trabalho para outro departamento, que então completa a sua própria tarefa específica. Nenhum dos dois precisa do outro para atingir sua própria meta, e o resultado dos dois esforços é completar a meta final.
- *Cooperação* é quando uma parte se beneficia da ajuda da outra. Digamos que um vendedor precise que o seu produto seja entregue a um cliente em três dias para atingir suas metas de venda e obter uma comissão. A entrega normal demora dez dias. O vendedor pede ao

departamento de expedição para acelerar a entrega, e este atende o pedido.

- A confusão mais comum é entre colaboração e trabalho em equipe. O *trabalho em equipe* é definido como duas ou mais pessoas trabalhando em busca da mesma meta. Essa estrutura é considerada uma equipe estática; em outras palavras, os membros da equipe são permanentes. As metas podem variar a cada semana, mês ou trimestre, mas a equipe permanece essencialmente a mesma. É importante entender a diferença entre trabalho em equipe e colaboração, pois equipes podem colaborar umas com as outras.

Colaboração envolve reunir recursos de diversas áreas para criar algo melhor ou resolver um problema complexo. Esses recursos podem vir de diferentes departamentos, equipes ou locais e podem incluir até mesmo pessoas de outras organizações.

Colaborações desse tipo podem salvar vidas. Durante os incêndios de 2003 em San Diego, Califórnia, por exemplo, os esforços de políticos, bombeiros e equipes de emergência se fragmentaram devido ao desalinhamento dos sistemas de comunicação. Em 2003, enquanto bombeiros do país todo convergiam ao oeste dos Estados Unidos, alguns tinham apenas rádios de 800 MHz, não os rádios de VHF tradicionais, o que significa que não tinham como conversar entre si. Já em 2007, quando um incêndio ocorreu na cidade californiana Cedar, todas as agências de polícia, bombeiros e emergências estavam equipadas com rádios de VHF.[1]

A colaboração pode ocorrer até mesmo entre organizações que tradicionalmente seriam consideradas concorrentes. Em 2011, a Nature Conservancy e a Dow Chemical Company formaram uma parceria para demonstrar que integrar o valor da natureza às decisões de negócios pode levar a resultados de negócios e ambientais melhores. Projetos como construir *terrenos alagados* para reciclagem de água se revelaram benéficos para a natureza e para as finanças da Dow.[2]

Criação de uma estrutura colaborativa

Organizações que se destacam pela colaboração enfocam quatro áreas principais, que podemos chamar de os Quatro Principais Preditores de Sucesso:

- **Missão, metas e resultados:** a colaboração não deve ser tratada como um extra recomendável, algo a implementar apenas quando não há outras ideias ou um plano B em caso de crise. Ela deve ser vista como uma maneira de garantir que a organização atinge suas metas e resultados. Em outras palavras, a missão, as metas e os resultados da organização são o segredo do seu sucesso a longo prazo – e a colaboração deve ser implementada apenas quando pode ajudar a elucidar esses elementos.

- **Cultura e valores:** os valores moldam os comportamentos das pessoas de uma organização e apoiam o cumprimento da visão e da missão. Se a colaboração é considerada essencial para o sucesso da organização, em algum ponto dos valores é preciso haver referência a comportamentos colaborativos. Se não forem explicitados, podem se perder entre as prioridades da organização e podem não ser vivenciados, enquanto os líderes poderiam ser desculpados por não servirem de modelo a esses comportamentos. Quando os líderes não demonstram comportamentos colaborativos, os outros perdem sua bússola de colaboração e cumprem a profecia de que colaborar é caro e um desperdício de tempo.

- **Liderança e empoderamento:** os líderes que valorizam colaboração geralmente servem de modelo e incentivam sua equipe a fortalecer suas habilidades de colaboração. Contudo, a gerência média pode ter dificuldade para encorajar e adotar o valor da liderança – muitas vezes por estarem mais focadas em produzir resultados do que no quadro geral. Eles podem defender a importância da missão, visão e valores, mas não os modelarem, o que desincentiva os esforços de colaboração da equipe. A incapacidade dos gerentes de reconhecer o valor da colaboração garante que poucos ou nenhum desses esforços terá sucesso, mais uma vez realizando a profecia de que a colaboração é ineficiente e tem má relação custo-benefício. Os líderes que não empoderam sua equipe tornam as vidas do seu pessoal mais difíceis. A consequência inesperada da falta de empoderamento é uma série de fracassos empresariais em diversos níveis: a inovação e a criatividade são sufocadas e a prestação de serviço ao cliente fica mais difícil. Isso pode levar a maus resultados, que são o foco da gerência média. Esses gerentes não fazem ideia de que suas ações estão criando obstáculos para si mesmos e para suas organizações.

É fácil falar sobre empoderar subordinados diretos, mas transformar isso em realidade é mais difícil. Na verdade, descobrimos que o empoderamento é a habilidade mais difícil de ser adotada pelos líderes e de ser realmente compreendida e corretamente aplicada por indivíduos.

Logo, os líderes têm a obrigação de aprender a empoderar seu pessoal e, mais do que isso, garantir que os membros das equipes possuam o treinamento apropriado e a oportunidade de utilizar suas habilidades recém-adquiridas.

- **Sistemas, estruturas e políticas:** Por fim, os sistemas, estruturas e políticas precisam ser alinhados formalmente para garantir que os líderes sirvam de modelo à colaboração. Quem não colabora não é promovido. Como último recurso, quem não modela a cultura da empresa pode acabar sendo "compartilhado com a concorrência".[3] A liderança sênior precisa declarar e demonstrar, não apenas declarar e torcer, se fingindo de cega porque a gerência média está obtendo resultados de curto prazo.

A tecnologia facilitou a comunicação e a colaboração, mas sistemas de TI ultrapassados podem erguer barreiras ao compartilhamento de informações. Por mais caro que seja atualizar os sistemas de TI, eles precisam ser a prioridade número um hoje, mais do que eram até mesmo poucos anos atrás. Tempo e orçamento são dedicados à atualização de sistemas de dados cruciais, mas é preciso dar um passo adicional e garantir que todos que precisam das informações possam acessá-las e comunicá-las com eficiência. A comunicação aberta e transparente entre todas as partes ajuda a construir uma organização ágil e inteligente, que permite às pessoas atravessarem fronteiras, desincentiva os silos e integra flexibilidade para capacitar uma colaboração apropriada.

Colaboração *versus* competição

A colaboração existe desde o início da humanidade – um comportamento instintivo para se proteger de ataques, caçar e coletar alimentos e compartilhar recursos pelo bem de todos.

Os comportamentos colaborativos instintivos podem ser observados desde a infância. Quando se pede a um grupinho de crianças de dois a quatro anos brincando no parquinho que construam o maior castelo de areia possível, elas naturalmente se organizam em um grupo colaborativo sem um líder formal. Após o zunzunzum inicial sobre o projeto, elas mergulham de cabeça na tarefa. Uma delas empilha a areia para as outras encherem os baldes, algumas aplainam o terreno, outras simplesmente se sentam ao redor e incentivam o grupo. Isso não quer dizer que não haja discórdia ou mesmo que alguns indivíduos não se retirem temporariamente do projeto. Nessas instâncias, alguns atuam para apaziguar a situação e reunir o grupo até que todos se parabenizem por sua realização final.

Agora compare essa linda cena com os comportamentos de muitos colegas de trabalho hoje em dia. Por que é que os comportamentos colaborativos praticamente desaparecem?

Essas habilidades começam a desaparecer na escola, quando recursos ou prêmios exigem competição. A competição para estar entre os dez melhores ou três melhores em diversas disciplinas produz comportamentos competitivos. À medida que as crianças começam a perceber que nem todo mundo pode ficar em primeiro lugar, elas aprendem que podem aumentar suas chances de sucesso se acumularem recursos e conhecimentos e não apoiarem seus colegas concorrentes. As habilidades colaborativas inatas se enfraquecem ainda mais quando os adolescentes competem para ser aceitados nas melhores universidades. Quando as crianças de quatro anos se transformam em adultos em busca dos melhores empregos, promoções escassas ou cargos especializados, tais habilidades competitivas já representam instintos básicos.

Os especialistas em equipes Don Carew e Eunice Parisi-Carew observam que, quando ensinam habilidades de trabalho em equipe, o problema nas culturas ocidentais é a incapacidade dos trabalhadores passarem de *eu* para *nós*. Essa é a base para entender quando e como colaborar com eficácia. As organizações que desejam aproveitar os benefícios da colaboração devem, além de criar uma estrutura colaborativa, reconectar seus funcionários com as habilidades de colaboração. É importante tornar a colaboração uma competência fundamental e promover apenas aqueles que colaboram de forma eficaz: quem colabora é promovido e recebe os melhores empregos. Quem não quer colaborar deve buscar organizações melhor adaptadas às suas naturezas individualistas e competitivas.

A reciprocidade é um comportamento que deve ser incentivado, pois está no cerne da colaboração. Informações, dados, experiências, pessoas e recursos devem ser todos compartilhados livremente, sem a expectativa de se obter algo de volta da outra parte.

O que é preciso para ser colaborativo

A maioria das pessoas se considera colaborativa, e acredita que os outros é que são egoístas. Obviamente, em algum momento você pode descobrir que "o outro" é você mesmo. Nossa atitude pode distorcer nossa visão sobre a importância da colaboração e nossa disposição e capacidade de colaborar bem. Para melhorar essa atitude, vamos dividir as habilidades e comportamentos em três domínios: coração, mãos e cabeça.

O *coração* é o primeiro domínio, pois a colaboração é uma mentalidade de dentro para fora. Ela precisa começar no interior, pelo coração. Se não acertar a parte do coração, você nunca será um líder colaborativo eficaz. O coração é quem você é de fato como colaborador – sua personalidade e suas intenções.

O segundo domínio é a *cabeça*, que envolve o que você sabe – suas crenças e atitudes em relação à colaboração. Essas crenças e atitudes determinam o seu comportamento. Por exemplo, os líderes focados competitivamente no cumprimento de metas a curto prazo têm menor tendência a colaborar. Sua atitude é que a meta é mais importante do que a colaboração para atingi-la.

O domínio final, as *mãos*, diz respeito às suas ações e comportamentos. Quando o coração e a cabeça estão no lugar certo, seus comportamentos e ações se alinham para apoiar a colaboração.

O modelo UNITE

O modelo UNITE, mostrado na Figura 12.1, foi desenvolvido para identificar dentro de cada domínio (coração, cabeça, mãos) as melhores práticas para uma competência colaborativa.

O coração: utilize as diferenças

Os líderes que têm colaboração no coração utilizam as diferenças instintivamente. Utilizar as diferenças é especialmente importante quando as organizações desejam inovar ou recombinar recursos existentes para oferecer melhores produtos ou melhor atendimento ao cliente. A diversidade é reconhecida como uma fonte de criatividade e inovação há muito tempo, mas, em muitas organizações, quando uma nova equipe de projeto é formada, as mesmas pessoas tendem a ser incluídas – em geral, porque aprenderam a trabalhar juntas e têm um histórico de sucesso.

O problema de sempre voltar ao mesmo grupo é que, assim, não surgem ideias novas. O grupo de trabalho deve ser incentivado a buscar novos membros, que possam ter ideias antagônicas entre si. Uma opor-

Coração
Quem é você como colaborador – sua personalidade e intenções

Utilize differences
(Utilize as diferenças)
Nurture safety and trust
(cultive segurança e confiança)

Cabeça
O que você sabe – suas atitudes e crenças em relação à colaboração

Involve others in crafting a clear purpose, values, and goals
(Envolva os outros na elaboração de propósitos, valores e objetivos claros)

Mãos
O que você faz – suas ações e comportamentos durante a colaboração

Talk openly (Fale abertamente)
Empower yourself and others
(Empodere a si mesmo e aos outros)

FIGURA 12.1 O modelo UNITE.

tunidade ideal, que ajuda a fortalecer o "banco de reservas" de colaboração e liderança, é integrar os recém-contratados a esses grupos. Isso lhes dá experiência de campo prática antes de promoções ou novos cargos. Essa ação simples demonstra a importância da colaboração.

O segredo para se incentivar opiniões diversas é a capacidade de administrar conflitos habilmente, o que costuma ser considerado difícil e demorado. Em geral, porém, as pessoas não entendem como utilizar o conflito como fonte de criatividade. O conflito é natural e não deve ser evitado, mas também não deve ser intenso e pessoal. O fundamental, neste ponto, é ater-se ao problema e ter clareza sobre o resultado ajuda. Além disso, o treinamento de conscientização sobre conflitos é muito útil. O uso de uma ferramenta de avaliação de conflitos, como o Thomas Kilmann Instrument, pode ajudar as pessoas a entender por que se comportam do modo como fazem e como podem administrar suas emoções.[4]

Para utilizar as diferenças na construção de um ambiente colaborativo, o líder deve:

- Buscar opiniões de diversas fontes
- Avaliar pontos de vista diversos
- Aproveitar o conflito criativamente

O coração: cultive segurança e confiança

Os líderes que possuem um coração voltado à colaboração cultivam intuitivamente a segurança e a confiança. Esse é um dos comportamentos mais importantes que os líderes e suas organizações precisam dominar. As pessoas precisam se sentir seguras para ser quem são, para se manifestarem quando têm uma ideia ou quando acham que algo não está certo. Elas também precisam confiar que não serão punidas se algo der errado. Aproveite os erros como oportunidades de aprendizagem.

O maior obstáculo às pessoas quererem compartilhar suas perspectivas é o medo. O medo é o grande inibidor. Além de impedir as pessoas de se expressarem, ele também impede que experimentem com uma ideia – e é exatamente disso que você precisa para a inovação.

É impossível criar um ambiente colaborativo sem segurança e confiança. Quando existe confiança, os silos são minimizados, pois as pessoas se sentem seguras para ajudar os outros, dentro ou fora do seu departamento.

Para cultivar segurança e confiança, os líderes devem:

- Encorajar as pessoas a compartilharem suas perspectivas
- Incentivar as pessoas a experimentarem com ideias
- Aproveitar os erros como oportunidades de aprendizagem

A cabeça: envolva os outros na elaboração de propósitos, valores e objetivos claros

Os líderes com crenças e atitudes colaborativas percebem como é importante que todos os membros de uma organização ou grupo de trabalho criem juntos uma visão colaborativa com propósito claro, valores compartilhados e metas estabelecidas. Um propósito claro une todos em torno de um objetivo comum, os valores orientam o comportamento e as metas provocam a ação – mas apenas quando todos têm a oportunidade de contribuir.

A responsabilidade de cada um perante à visão e ao cumprimento das metas estabelecidas é crucial. Sem todos comprometidos com a visão, a colaboração desmorona e os silos se impõem. É por isso que é essencial que todos participem do processo de criação de uma visão.

Para envolver os outros na elaboração de propósitos, valores e objetivos claros, os líderes devem:

- Criar uma visão colaborativa
- Garantir que todos entendem o propósito e os objetivos do grupo
- Responsabilizar uns aos outros pelos valores criados e acordados em conjunto

As mãos: fale abertamente

Os líderes que demonstram ações e comportamentos colaborativos servem de modelo para a comunicação aberta e transparente. Quando as pessoas falam, eles escutam para entender, não para rebater. São francos e honestos e falam a verdade com respeito. Às vezes, isso não é intuitivo. Nossa natureza competitiva predispõe todos os seres humanos a resguardar informações e recursos que podem nos dar uma vantagem sobre os outros.

Para ser um líder que fala abertamente:

- Compartilhe informações relevantes. Deixar de informar os outros sobre uma falha ou um prazo estourado pode criar desconfiança.
- Ofereça *feedback* construtivo. Não responsabilizar uns aos outros pode levar à falta de segurança e, logo, sabotar o projeto como um todo.
- Domine a arte da franqueza; compartilhe informações de forma simples, direta e fácil de entender.

Caso você sirva de modelo à comunicação aberta, quem receber suas informações aprenderá a escutar para entender, não para criticar ou sabotar, e a fazer perguntas.

O respeito mútuo é essencial para criar uma ambiente no qual as pessoas sentem que podem falar abertamente. Em resumo, os líderes devem:

- Escutar para entender
- Incentivar a franqueza com respeito
- Compartilhar informações relevantes e oferecer *feedback* construtivo

As mãos: empodere a si mesmo e aos outros

Os líderes que demonstram ações e comportamentos colaborativos dominam as habilidades de empoderamento, seja como líderes empoderando os outros ou como colaboradores individuais que empoderam a si mesmos. Para empoderar a si e aos outros, interesse-se pelo próprio crescimento e pelo dos demais. Pratique compartilhar conhecimentos, formar redes e aprender continuamente.

Em uma cultura de colaboração, os colaboradores individuais se consideram autolíderes. Os líderes empoderam esses indivíduos ao reforçarem a confiança e ao promoverem *coaching* para que se tornem competentes nos seus empregos. Os indivíduos também empoderam e inspiram uns aos outros quando compartilham ideias e cumprem as metas e tarefas acordadas.

Pessoas empoderadas se sentem mais competentes e confiáveis, o que faz com que sintam uma maior responsabilidade individual por contribuir e se tornar uma parte mais essencial da organização.

Os líderes que buscam empoderar a si mesmos e aos outros devem:

- Buscar conhecimentos e experiências em busca de crescimento individual
- Construir e compartilhar suas próprias redes
- Participar e encorajar o aprendizado pela vida inteira

Colaboração: o combustível do alto desempenho

A colaboração eficaz é o segredo do sucesso organizacional. Ela exige empenho do alto escalão e também aceitação por parte de toda a organização. Quando a colaboração é um mero adereço, e não a norma, a organização não consegue aproveitar a força da sinergia e a ideia de que "nenhum de nós é tão esperto quanto todos juntos".

*****

No próximo capítulo, veremos como fazer a liderança ganhar vida e ter eficácia no nível organizacional.

13
Liderança organizacional

Ken Blanchard, Jesse Stoner, Don Carew,
Eunice Parisi-Carew e Fay Kandarian

Assim como liderar equipes é mais complicado do que liderar indivíduos, liderar uma organização inteira é mais complicado do que liderar uma única equipe. Assim como ocorre na formação de uma equipe de alto desempenho, a construção de uma organização de alto desempenho é uma jornada. A qualidade da influência de um líder no nível organizacional se baseia na perspectiva, confiança e comunidade que o líder obtém enquanto domina a autoliderança, a liderança de pessoa a pessoa e de equipes.

A influência de um líder eficaz sobre uma organização pode criar uma cultura que reúne as pessoas e os sistemas em um todo harmônico.

Exemplos da vida real de HPO SCORES®

No Capítulo 1, introduzimos o modelo HPO SCORES® para oferecer um resumo das organizações de alto desempenho – aquelas que, ao longo do tempo, continuam a produzir resultados excepcionais com o mais alto nível de satisfação humana e comprometimento com o sucesso.

Neste capítulo, recorreremos ao modelo HPO SCORES® para descrever o que os líderes acreditam e fazem para produzir organizações de alto desempenho – e como isso se dá no mundo real. Nossa pesquisa na Blanchard revela que esses seis elementos são ao mesmo tempo distintos e interdependentes. Por exemplo: empoderamento sem uma visão compartilhada é uma receita para caos. Contudo, o empoderamento com uma visão compartilhada se torna uma visão competitiva, pois libera os líderes para se concentrarem na estratégia e nas oportunidades de crescimento.

S = *Shared Information and Open Communication* (Informação compartilhada e comunicação aberta)

Os líderes de organizações de alto desempenho (HPOs, *high performing organizations*) preferem a transparência, tanto internamente com os funcionários quanto externamente com outras partes interessadas, em contraste com a abordagem tradicional de disponibilizar informações apenas para quem realmente precisa delas.

Os líderes entendem que informação é poder e que, quanto mais prontamente disponíveis as informações estiverem para os funcionários, mais empoderados e capazes eles serão para tomar decisões sólidas, alinhadas com a visão, valores e metas da organização.

Essa filosofia é um ponto forte e crucial na Google, internamente com os funcionários e também em todos os seus produtos e serviços, pois sua missão é "organizar as informações do mundo todo e torná-las universalmente acessíveis e úteis".

A Patagonia é outra empresa que oferece transparência em toda a sua cadeia logística. Para não ser pega de surpresa por informações sobre hábitos ambientalmente incorretos dos seus fabricantes ou distribuidores, a Patagonia estabeleceu as "Footprint Chronicles" para garantir que a fabricação de todos os seus produtos esteja isenta de danos à natureza.[1]

Já a política da Buffer de "Transparência por Padrão" é integrada em todos os aspectos do negócio. Por exemplo, os salários de todos os funcionários da organização estão disponíveis para o público, desde o CEO e cofundador Joel Gascoigne até os gerentes e engenheiros.

Os líderes das HPOs entendem que a comunicação aberta é o fluido vital da organização. Seu estímulo ao diálogo diminui o perigo de territorialidade e mantém a organização forte, ágil, flexível e fluida.

Em seu plano de oito pontos,[2] a Google descreve a expectativa de que cada gerente dentro da empresa "seja um bom comunicador e escute sua equipe". Os três pontos que enfocam a comunicação são:

- A comunicação é uma via de mão dupla. Escute *e* compartilhe informações.
- Realize reuniões gerais com todos os membros e seja direto sobre as mensagens e metas da equipe.
- Incentive o diálogo aberto.

C = Compelling Vision (Visão cativante)

Como enfatizado em todo este livro, nas organizações de alto desempenho, as pessoas mostram-se energizadas e entusiasmadas por uma visão cativante, e estão dedicadas a ela. Além disso, sabem descrever a visão claramente e enxergam muito bem o seu papel em apoiá-la. Elas são energizadas e entusiasmadas pelo propósito nobre que cria e concentra energia. Seus valores pessoais estão em consonância com os valores da organização. Elas conseguem descrever um quadro claro do futuro – do que pretendem criar. Todos estão no mesmo barco, que avança "a todo vapor".

A visão da Patagonia é "ter o melhor produto, não causar males desnecessários e usar nosso negócio para inspirar e implementar soluções para a crise ambiental". A empresa é famosa por integrar essa visão em termos de como os funcionários são tratados e também em como produz e comercializa seus produtos. Recentemente, a Patagonia estendeu essa visão ainda mais, sendo uma das primeiras empresas a se posicionar publicamente sobre questões ambientais sem relação direta com os seus resultados financeiros. A empresa entrou com um processo para impedir planos federais de eliminar dois grandes parques federais no estado de Utah. Seus resultados financeiros, porém, não foram prejudicados – sob a CEO Rose Marcario, os lucros triplicaram desde 2008.[3]

Uma visão compartilhada é a cola que mantém a organização unida e a guia com sucesso rumo ao futuro. A Southwest opera há mais de 50 anos e continua a comunicar sua visão – "democratizar os ares" – para funcionários de modos que os tornam parte de uma equipe unificada. Pelo 24º ano seguido, a Southwest foi escolhida uma das empresas mais respeitadas do mundo pela pesquisa da revista *Fortune* sobre as Cinquenta Empresas Mais Admiradas.[4]

As organizações de alto desempenho com uma visão cativante possuem uma cultura forte e distinta. A Zappos se certifica de que cada funcionário combina com a sua cultura desde o processo de recrutamento. Os candidatos são entrevistados para analisar o aspecto cultural, correspondendo a metade do peso na decisão de contratação. E a empresa oferece 2 mil dólares aos novos funcionários para se demitirem após a primeira semana de treinamento se decidirem que emprego não é para eles.[5]

O = Ongoing Learning (Aprendizagem contínua)

Os líderes em organizações de alto desempenho estão comprometidos com a aprendizagem – tanto o aprendizado individual quanto sua incorporação para melhorar continuamente o modo de trabalhar.

Processos de aprendizagem envolvem coletar informações a partir de *feedback*; experimentar e desenvolver novos produtos e serviços; acompanhar tendências competitivas, de clientes e tecnológicas; adotar abordagens disciplinadas à resolução de problemas; e treinar para desenvolver as capacidades dos funcionários.

O processo de After Action Review (AAR, "revisão pós-ação") do Exército dos Estados Unidos, que envolve um *debriefing* sistemático após cada missão, projeto ou atividade crítica, hoje é amplamente aplicado em diversas empresas. O processo envolve quatro perguntas:

1. O que pretendíamos fazer?
2. O que aconteceu de fato?
3. Por que isso aconteceu?
4. O que faremos na próxima vez?[6]

A Toyota Motor Company usa a produção enxuta e a melhoria contínua para criar pequenos e constantes aprimoramentos em seus produtos e processos.

Os líderes das organizações de alto desempenho entendem que o conhecimento existe dentro de especialistas. A organização só aprende se o indivíduo aprende. Logo, o desenvolvimento de pessoas é ponto passivo nas organizações de alto desempenho. A aprendizagem contínua faz parte da cultura das organizações de alto desempenho e é considerada um investimento no capital de conhecimento da organização.

Steve McCarty, vice-presidente de treinamento e desenvolvimento de talentos da Enterprise Rent-A-Car, afirma que: "Enfocar o desenvolvimento dos funcionários e promover internamente gera lucros. E temos uma cultura de envolvimento para garantir que isso aconteça".[7]

Na Google, espera-se que os gestores "ajudem os funcionários com o desenvolvimento das suas carreiras".

R = Relentless Focus on Customer Results (Foco incansável em resultados para o cliente)

Os líderes de organizações de alto desempenho são orientados por resultados, que são medidos em termos da experiência do cliente. As tendências e necessidades dos clientes determinam inovações, novos produtos e serviços. Em outras palavras, novos produtos e serviços são desenvolvidos quando se busca prever as necessidades dos clientes. Em seguida, processos de trabalho são projetados a partir da experiência do cliente. As relações e estruturas interfuncionais internas são organizadas em torno das necessidades dos clientes. Os funcionários empoderados reagem rapidamente às necessidades e preocupações dos clientes.

As organizações de alto desempenho observam os clientes para descobrir necessidades não atendidas. Elas também entrevistam os clientes para obter *feedback*.

A Trader Joe's oferece níveis incríveis de atendimento ao cliente com a aquisição e aplicação de inteligência sobre os clientes. A empresa usa esses dados para obter *insights* sobre a experiência geral do cliente, desenvolver produtos melhores e oferecer aos clientes os serviços que desejam.[8]

A centricidade no cliente é parte do DNA da Amazon. Jeff Bezos, seu CEO, sempre deixa uma cadeira vaga na mesa de reuniões, dizendo que o assento é ocupado pela "pessoa mais importante na sala: o cliente". Ele acredita que "todos deveriam ser capazes de trabalhar em um *call center*" para que todos entendam a perspectiva do cliente. Assim, todos os anos, ele e milhares de gestores da Amazon participam de um treinamento de dois dias no *call center* e atendem ligações periodicamente.[9]

As pessoas costumavam acreditar que o atendimento seria melhor em uma loja física, mas muitas dessas lojas aparecem nas listas das empresas com o pior atendimento ao cliente.[10] Hoje em dia, a maioria das pessoas compra seus produtos eletrônicos via Amazon. Não é só conveniência: a Amazon se responsabiliza pelos seus produtos.

E = Energizing Systems and Structures (Sistemas e estruturas energizados)

Em organizações de alto desempenho, os sistemas, estruturas, processos e práticas estimulam as pessoas a agir de formas alinhadas com a visão e as estratégias da sua empresa.

Como a criatividade é vital para o sucesso da Adobe, a empresa criou um ambiente que apoia os riscos sem medo de punições. A Adobe é famosa por alocar aos funcionários projetos desafiadores e dar o apoio necessário para realizá-los com sucesso por meio de treinamento contínuo. Como a empresa acredita que a avaliação de funcionários inibe sua criatividade e prejudica o trabalho em equipe, os funcionários se reúnem com os gerentes para determinar como devem ser avaliados. Os gerentes da Adobe evitam a microgestão, preferindo confiar nos funcionários para darem o melhor de si, atuando, assim, mais como *coaches*.[11]

A Chevron não apenas diz que se importa com o bem-estar dos funcionários como oferece programas que comprovam esse sentimento, com centros de saúde e *fitness* no local, mensalidades em academias de ginástica, programas de saúde como mensagens e *personal trainers* e a insistência de que os funcionários façam pausas regulares.[12]

A Google descobriu que as mulheres estavam deixando seus cargos na empresa duas vezes mais do que os homens, especialmente após se tornarem mães. Enquanto era vice-presidente sênior de operações de pessoal, Laszlo Bock alterou o plano de licença-maternidade para que as novas mães recebessem 5 meses de licença remunerada, incluindo salário completo e benefícios. O resultado foi uma redução de 50% na evasão de novas mães.[13]

A Netflix acredita em contratar pessoas incríveis e lhes dar liberdade e responsabilidade para trabalhar. Pode soar como a retórica de muitas outras empresas, mas as políticas da Netflix refletem radicalmente esse posicionamento.[14] A empresa recompensa o alto desempenho, não o trabalho árduo: um desempenho nota B constante, apesar da nota A pelo empenho, é premiado com uma respeitosa e generosa indenização. Já um desempenho nota A constante, apesar de esforço mínimo, leva a mais responsabilidade e aumentos de salário.

Na Política de Férias e Acompanhamento da Netflix, lê-se: "Não há política ou acompanhamento. Também não temos uma política de vestuário na Netflix, mas ninguém vai trabalhar pelado. Lição: não é preciso ter uma política para tudo".

A política de viagem da Netflix é simplesmente "aja no interesse da Netflix".

S = Shared Power and High Involvement (Poder compartilhado e alto nível de envolvimento)

Nas organizações de alto desempenho, os líderes compartilham o poder em vez de acumulá-lo para si. Eles buscam as opiniões alheias e incentivam a colaboração e o trabalho em equipe. Entendem que o envolvimento na tomada de decisões aumenta o envolvimento dos funcionários e o sentimento de responsabilidade, além da eficáia. Assim, a tomada de decisões cotidiana ocorre o mais próximo possível da ação, na linha de frente, por aqueles diretamente envolvidos com o cliente. Essas decisões muitas vezes são tomadas em um ambiente de equipe, no qual todos podem responder uns aos outros e chegar à "sabedoria coletiva".

Práticas participativas afetam significativamente os resultados financeiros mediante aumento da produtividade, da retenção e da satisfação dos colaboradores. Usando dados do Ministério do Trabalho dos Estados Unidos e pesquisas feitas junto a mais de 1.500 empresas dos mais variados ramos de atuação, Huselid e Becker constataram que essas práticas melhoraram de forma significativa a retenção de colaboradores, a produtividade e o desempenho financeiro. Na verdade, os autores conseguiram quantificar o impacto financeiro de práticas participativas com segurança suficiente para dizer que cada desvio-padrão no uso de práticas participativas aumentava o valor de mercado de uma empresa entre US$ 35 mil e US$ 78 mil por funcionário.[15]

Os funcionários da Southwest são incentivados a cuidar da felicidade dos clientes e podem usar seu próprio bom senso para determinar como fazê-lo. Às vezes, isso leva a comissários de bordo cantando ou atirando amendoim pela cabine, mas quando há uma visão compartilhada, como ocorre na companhia aérea, o empoderamento gera resultados – os clientes da Southwest estão entre os mais fiéis do mercado.[16]

A United Parcel Service (UPS) é líder de envolvimento dos colaboradores, com um nível geral de 73%. Buscando aumentá-lo, Joe Finamore, vice-presidente de relacionamentos com funcionários globais, instituiu um programa que incentivava os colaboradores a sugerir e disseminar inovações em melhores práticas. A UPS descobriu que as sugestões vindas de baixo para cima, feitas por quem fazia o trabalho, eram boas fontes de economia de tempo (e, logo, dinheiro) e aumentavam ainda mais o envolvimento.[17]

A abordagem de gestão de *coaching* de outras empresas, como Google, Netflix e Adobe, onde os funcionários são incentivados a usar seu próprio bom senso e não temer os riscos, leva a aumentos da criatividade e também do envolvimento.

Como determinar o estilo de liderança apropriado para a sua organização

Como mencionamos antes no Capítulo 4, "SLII®: o conceito integrador", o SLII® pode ser aplicado seja na liderança de si mesmo, de outra pessoa, de uma equipe ou de uma organização. No contexto da autoliderança e da liderança de pessoa a pessoa, o líder faz o diagnóstico da competência e do empenho de um colaborador direto em uma tarefa específica. No contexto da equipe, o líder faz o diagnóstico da produtividade e do moral da equipe. No contexto organizacional, o foco é o diagnóstico dos resultados e relacionamentos.

Diagnóstico do nível de desenvolvimento da sua organização

Analisemos duas variáveis cruciais que determinam o estágio de desenvolvimento de uma organização: resultados e relacionamentos.

Resultados podem ser definidos como a quantidade e qualidade de trabalho realizado em relação ao propósito e às metas da organização.

Relacionamentos podem ser definidos como a qualidade das interações das pessoas com a organização, seus líderes, colegas, clientes e ambiente.

Para que uma organização apresente alto desempenho, os resultados e os relacionamentos devem ambos ser elevados.

Resultados e relacionamentos: os determinantes de uma organização de alto desempenho

Grandes relacionamentos com desempenho zero podem ser divertidos, mas não criarão uma organização duradoura. Por outro lado, uma organização com ótimos resultados e maus relacionamentos também durará pouco. Sem bons relacionamentos, a organização começará a perder seu melhor pessoal, e os resultados decairão. O fato é que *tanto* os resultados *quanto* os relacionamentos são necessários para as organizações de alto desempenho.

Diagnosticar os resultados e relacionamentos de uma organização é o segredo para determinar o nível de desenvolvimento de uma organização e entender suas necessidades.

Estágio de Desenvolvimento Organizacional 1: Início
Maus resultados/Bons relacionamentos

Em uma organização em fase inicial, os resultados normalmente são fracos, pois as metas são novas e a maioria das pessoas jamais trabalhou junto antes. Contudo, os relacionamentos tendem a ser altos, pois quando se reúnem para criar um novo empreendimento, as pessoas estão entusiasmadas.

Sem dúvida alguma, isso descreve os primeiros momentos das Empresas Ken Blanchard, inicialmente sob o nome de Blanchard Training and Development. No inverno de 1977, Ken Blanchard teve a oportunidade de dar uma palestra em um evento universitário internacional da Young President's Organization (YPO). Na época, o pré-requisito para pertencer à YPO era ser o presidente de uma empresa com menos de 40 anos, pelo menos 50 funcionários e 5 milhões de dólares em vendas. Com o sucesso dos discursos de Ken sobre liderança, motivação e gestão de mudanças, vários membros da YPO lhe perguntaram sobre os seus planos.

"Meu plano é voltar a lecionar em uma universidade após a minha licença", Ken respondeu.

"Não, não vai", eles disseram. "Você vai fundar a própria empresa!"

Ken e Margie, sua esposa, deram uma risada. "Eu não sei nem controlar o saldo da minha conta corrente, como é que vou fundar uma empresa?"

Cinco presidentes da YPO prometeram ajudar os dois e concordaram em fazer parte de um conselho consultivo que ajudaria a Blanchard a dar seus primeiros passos.

Os Blanchards ficaram animados, mas também tinham receio sobre como construir um negócio que faria a diferença para os seus clientes e sustentaria sua equipe – preocupações típicas nesse estágio do desenvolvimento organizacional.

Estágio de Desenvolvimento Organizacional 2: Melhoria
Resultados ascendentes/Relacionamentos descendentes

Nesse estágio, os resultados começam a aparecer. Contudo, enquanto os relacionamentos normalmente são de alto nível no Estágio 1 – durante a criação inicial de uma nova organização – eles costumam decair no Estágio 2, quando a dificuldade de construir a nova empresa fica clara.

É a essa altura que questões envolvendo sistemas e estruturas e a insatisfação com a liderança podem surgir.

Não demorou para que Ken e Margie percebessem que era mais fácil falar sobre administrar um negócio do que fazê-lo de fato. Ficou evidente que o faturamento precisava superar as despesas, mas a maior parte dos novos funcionários da empresa eram professores e orientadores, não vendedores ou contadores. Nesse estágio, é importante descobrir maneiras de equilibrar o propósito e a paixão da sua organização com as realidades de trabalhar e se manter em atividade. É preciso ter estratégias para sustentar a continuidade do negócio.

A Blanchard Training & Development estava obtendo alguns resultados nesse estágio, mas as longas jornadas de trabalho e a pressão constante para aprender estavam tendo um custo físico e emocional sobre os fundadores e os primeiros sócios, criando tensão em alguns dos relacionamentos. Por consequência, Margie, que não tinha muita experiência em administração de negócios, decidiu deixar o cargo de presidente. Para o seu lugar, a empresa contratou um consultor externo com experiência empresarial. Em vez de ajudar, o novo presidente – que sabia como obter resultados, mas não motivar pessoas – deixou a situação ainda pior, prejudicando o moral.

Estágio de Desenvolvimento Organizacional 3: Desenvolvimento

Resultados crescentes/Relacionamentos variáveis

No Estágio 3, os resultados continuam a melhorar à medida que as habilidades dos membros da organização se aprimoram e estratégias eficazes são adotadas. As pessoas estão se esforçando e a organização está se tornando mais ágil e criativa. Os relacionamentos são variáveis nessa fase porque novos desafios surgem quase diariamente. As pessoas precisam de reforço positivo para que os relacionamentos continuem a melhorar.

A Blanchard Training & Development entrou nesse estágio com a publicação de *The One Minute Manager*, o *best-seller* de Ken, e o reconhecimento nacional que ele obteve. Agora, em vez de se preocupar com a busca por vendas, a empresa precisava lidar com a inundação de pedidos.

Dados os problemas com o presidente escolhido, Margie – que mantivera seu bom relacionamento com o pessoal – voltou ao seu antigo cargo. Com uma equipe de líderes mais energizada e habilidosa, ela começou a recuperar o moral e implementou mudanças estruturais importantes.

Estágio de Desenvolvimento Organizacional 4: Alto desempenho

Altos relacionamentos/Altos resultados

Nesse estágio, os resultados e os relacionamentos são robustos, as metas organizacionais estão sendo cumpridas e o moral é alto. Em uma organização no Estágio 4, as pessoas trabalham juntas com entusiasmo, os líderes estão emergindo quando e onde são necessários e os clientes são fãs incondicionais. O resultado quádruplo – empregador, fornecedor, investimento e cidadão corporativo preferido – está saudável.

Após o sucesso de *The One Minute Manager*, as habilidades de consultoria e palestras da Blanchard estavam em demanda. Os novos livros de Ken e seus coautores abriram ainda mais portas. Os resultados e os relacionamentos bateram novos recordes.

Mas esse estágio não é o fim. Tornar-se uma organização de alto desempenho é algo em que os líderes precisam continuar trabalhando, sempre batalhando para realizar a visão e viver de acordo com os valores.

Como adequar o estilo de liderança ao estágio de desenvolvimento da organização

Como reforçado anteriormente, construir uma organização de alto desempenho é uma jornada, começando pela fase inicial até chegar ao estado desejado de alto desempenho, e então trabalhando para sustentá-lo.

No Capítulo 1, "Sua organização apresenta alto desempenho?", você preencheu o questionário HPO SCORES® para ajudá-lo a determinar sua estratégia de leitura para este livro. Neste capítulo, gostaríamos de aplicar os elementos do questionário para descrever no que os líderes que usam cada um dos quatro estilos de liderança (*direção, coaching, apoio* e *delegação*) devem se concentrar em cada estágio do desenvolvimento organizacional.

Quando combinamos os quatro estilos de liderança do SLII® com os quatro estágios de desenvolvimento organizacional (*início, melhoria, desenvolvimento* e *alto desempenho*), temos uma estrutura para adequar cada estágio com um estilo de liderança apropriado (ver Figura 13.1).

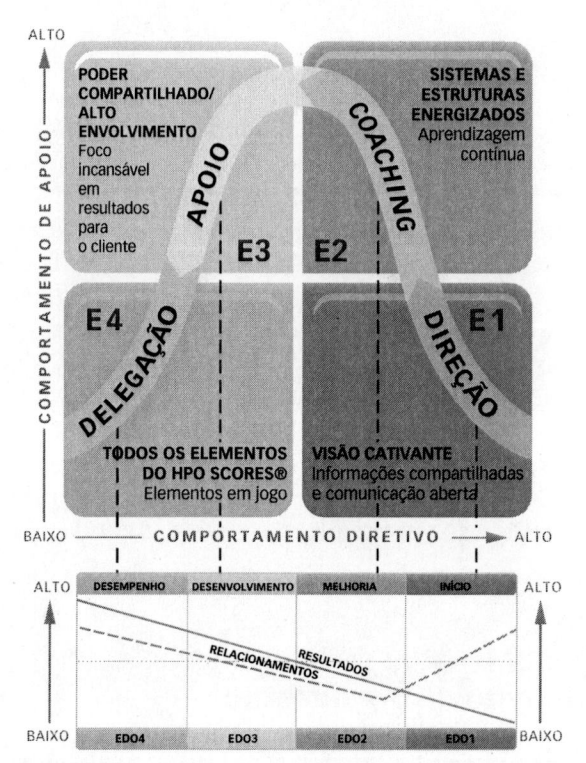

FIGURA 13.1 Como adequar o estilo de liderança ao estágio de desenvolvimento organizacional.

Para que os líderes possam decidir qual é o estilo de liderança adequado, em primeiro lugar é preciso que diagnostiquem o estágio de desenvolvimento da organização, mantendo resultados e relacionamentos em mente. Em seguida, eles devem localizar o estágio de desenvolvimento atual da organização no contínuo de Desenvolvimento Organizacional do SLII® e escolher o estilo apropriado seguindo uma linha vertical até a curva que atravessa os quatro estilos. O ponto de intersecção indica o estilo de liderança que a organização requer.

Aplicando o estilo de liderança apropriado em cada nível de desenvolvimento

Para criar uma organização de alto desempenho, é essencial entender os quatro estágios do desenvolvimento organizacional e aplicar o estilo apropriado em cada estágio.

Estágio 1: Início

Informações compartilhadas e comunicação aberta

Na fase de *início* (EDO1) – quando os resultados são baixos e os relacionamentos, altos – um estilo *diretivo* (E1) é apropriado. As pessoas buscam dos líderes direcionamento para fazer a organização avançar. Os líderes precisam enfocar o estabelecimento de um propósito, uma visão e valores claros.

Para transformar isso em realidade, o elemento do HPO SCORES® que precisa ser enfatizado neste estágio é C – *Compelling Vision* (Visão cativante).

- A sua organização está alinhada com uma visão e valores compartilhados?
- O pessoal de sua organização demonstra paixão pela visão e pelos valores compartilhados?

Se a organização está começando a prosperar, as pessoas precisam de uma imagem inspiradora do futuro pela qual trabalhar.

O S no modelo HPO SCORES® – *Shared Information and Open Communication* (Informações compartilhadas e comunicação aberta) – também deve entrar em cena.

- As pessoas têm fácil acesso às informações de que precisam para fazer seu trabalho com eficácia?
- Planos e decisões são comunicados de modo a serem claramente entendidos?

Esses dois elementos constroem confiança e incentivam as pessoas a agir como proprietários. Eles são essenciais para garantir que todos estejam alinhados e avançando na mesma direção.

Estágio 2: Melhoria
Sistemas e estruturas energizados/Aprendizagem contínua

No estágio de *melhoria* (EDO2) – quando os resultados estão melhorando, mas os relacionamentos estão em queda – um estilo de liderança de *coaching* (E2) é apropriado. As pessoas precisam de líderes para receber orientação e apoio para manter os resultados avançando em uma direção positiva, além de lidar com as frustrações e as dores do crescimento típicas desse estágio.

O que pode ajudar nessas questões do Estágio 2 é o foco no elemento – E (sistemas e estruturas energizados) – do modelo HPO SCORES®.

- Os sistemas, as estruturas e as práticas formais e informais estão integrados e alinhados?
- Eles facilitam o trabalho das pessoas em sua organização?

Quando as pessoas se sentem apoiadas por estruturas e sistemas integrados e alinhados, os resultados e os relacionamentos melhoram.

O outro elemento HPO importante para esse estágio é O (Aprendizagem contínua).

- As pessoas que trabalham em sua organização recebem um apoio eficaz para desenvolver novas habilidades e competências?
- Sua organização incorpora continuamente novas aprendizagens às formas já padronizadas de conduzir os negócios?

Aprendizagem organizacional é diferente de aprendizagem individual. Organizações de alto desempenho incentivam ambas. Os líderes neste estágio precisam apoiar o aprendizado contínuo, tanto individualmente quanto como empresa.

Estágio 3: Desenvolvimento
Poder compartilhado e alto nível de envolvimento/ Foco incansável em resultados voltados para o cliente

No estágio de *desenvolvimento* (EDO3) – quando os resultados estão melhorando e os relacionamentos são variáveis – um estilo de liderança de *apoio* (E3) é apropriado. As pessoas estão trabalhando juntas com mais eficácia, mas sua autoconfiança ainda precisa melhorar. Elas precisam ser incentivadas pelos líderes para que tomem a iniciativa, desenvolvam novas ideias e formem novos relacionamentos, todos elementos que levarão a uma organização de alto desempenho.

O elemento do HPO SCORES® que promove esse estágio de desenvolvimento é o S (Poder compartilhado e alto nível de envolvimento).

- Em sua organização, as pessoas têm oportunidade de influenciar as decisões que as afetam?
- Em sua organização, as equipes são usadas como veículo para a realização de tarefas e para influenciar decisões?

Neste estágio, o poder e as decisões são compartilhados e distribuídos, e não ficam restritos ao topo da hierarquia. A participação, a colaboração e o trabalho em equipe são uma forma de vida. Isso cria um foco em R (Foco incansável em resultados voltados para o cliente) no modelo HPO SCORES®.

- Todos em sua organização mantêm o mais alto padrão de qualidade e de serviços?
- O moral e a satisfação são altos e os valores organizacionais são praticados?
- Todos os processos de trabalho são planejados para facilitar que seus clientes façam negócios com você?

Agora fica evidente para todos quem são seus clientes, interna e externamente, e as pessoas concentram suas energias corretamente.

Estágio 4: Alto desempenho
Todos os elementos do HPO SCORES®

No estágio de **alto desempenho** (EDO4) – quando tanto os resultados quanto os relacionamentos são elevados – um estilo de liderança de **delegação** (E4) é adequado. Isso não significa que não há direção ou apoio, mas agora isso vem de indivíduos e equipes de toda a organização. As pessoas atuam como proprietários e assumem responsabilidade pelos resultados e pelos relacionamentos. Aquilo que as pessoas precisam dos seus líderes neste estágio é o incentivo para terem autonomia na tomada de decisões dentro dos limites estabelecidos. Para os líderes neste estágio, o foco está em cultivar novas oportunidades e desafios estratégicos.

No estágio de alto desempenho, todos os seis elementos do modelo HPO SCORES® entram em ação regularmente.

Após o Estágio 4 ser alcançado, é importante que o elemento O do modelo HPO SCORES® (Aprendizagem contínua) permaneça em foco. Caso o contrário, a organização se acomodará e o progresso ficará paralisado. Pior ainda, a organização pode começar a entrar em decadência. A Kodak, por exemplo, fabricante de filme fotográfico fundada em 1880, ignorou as inovações digitais que transformaram o seu setor e ingressou com um pedido de recuperação judicial em 2012, quase indo completamente à falência. Para as empresas que não aprendem continuamente, a pior possibilidade é simplesmente desaparecer por completo.

A importância do diagnóstico e da adequação

É importante diagnosticar o nível de desenvolvimento de uma organização e fazer com que o estilo de liderança corresponda a esse nível. Assim, enquanto líder, você não faz com que a organização ande para trás em vez de para a frente na qualidade dos resultados e dos relacionamentos. Os novos líderes que entram na organização precisam estar cientes do estilo de liderança dos seus predecessores. O estilo do líder anterior se adequava ao estágio de desenvolvimento da organização?

Conhecemos muitas situações em que o novo CEO, querendo ter um impacto rápido, entrou na organização e imediatamente adotou seu estilo de liderança favorito em vez do necessário. Um bom exemplo é Carly Fiorina chegando à Hewlett Packard – uma organização de alto desempenho – com um estilo de liderança "é do meu jeito ou dane-se".

Buscando aumentar as receitas e patentes, em 2002 Fiorina liderou a aquisição da Compaq, concorrente no ramo de PCs. Foi a maior fusão de empresas de tecnologia até então, transformando a HP na maior fabricantes de PC do mundo. Os resultados iniciais pareciam impressionantes, mas os relacionamentos sob Fiorina degringolaram. Como parte da reorganização, ela comandou a eliminação de incríveis 30 mil empregos nos Estados Unidos. O resultado é que a empresa perdeu vários dos seus funcionários mais talentosos e de alto desempenho. Com o tempo, o balanço financeiro ficou prejudicado e os investidores abandonaram a empresa, levando à queda do preço das ações e lucros decepcionantes. Em vez de envolver as pessoas no processo de liderar a mudança, Fiorina se recusou a delegar autoridade aos diretores das divisões. Em 2005, o conselho pediu que ela se demitisse.[18]

Isso pode acontecer em qualquer organização, seja ela uma empresa, entidade governamental ou organização sem fins lucrativos. Aplicar o estilo de liderança apropriado em cada estágio garante que a organização avançará em direção ao alto desempenho ou se manterá nesse patamar.

Ao ingressarem em organizações com o desempenho em queda, os líderes podem precisar dar um passo para trás na curva do SLII® e oferecer mais direção e apoio. Antes disso, entretanto, é melhor visitar todos os departamentos da organização e descobrir o que está funcionando e o que não está, guiado pelos elementos do modelo HPO SCORES®. Os líderes devem fazer entrevistas e conversar com as pessoas. Além de fornecer informações essenciais, isso faz com que elas se sintam importantes e que suas opiniões são valorizadas. Os líderes devem coletar informações sobre o que está dando certo na organização e partir dessa base. Com isso, é muito mais fácil implementar uma estratégia para melhorar o desempenho da organização.

Uma virada organizacional histórica

Provavelmente não há exemplo melhor de um CEO que entrou em uma organização e adotou o estilo de liderança certo do que Alan Mulally. Quando Mulally foi trabalhar na Ford Motor Company em 2006, a organização estava em maus lençóis. Naquele ano, a empresa divulgou um prejuízo de 12,7 bilhões de dólares – o maior em seus 103 anos de história. A dívida da empresa estava sete níveis abaixo do grau de investimento e todos os seus ativos estavam hipotecados. Para o consumidor, o nome Ford passara a significar "Fix Or Repair Daily" ("consertar ou reparar diariamente").

Mulally começou a árdua jornada de volta à lucratividade com uma visão sólida:

> *Pessoas trabalhando juntas em uma empresa enxuta e global para liderança automotiva... avaliada pela satisfação dos nossos clientes, funcionários, investidores, concessionárias, fornecedores e comunidades.*

Mulally entendia a importância de criar uma visão cativante. "Todos gostamos de saber que estamos fazendo coisas importantes, que estamos afetando muita gente e que estamos fazendo algo maior do que nós mesmos".

Ao compreender que o pessoal da Ford seria o segredo para a virada, Mulally passou a conviver colaborativamente – ele almoçava com os funcionários no refeitório e conversava regularmente com as secretárias e os trabalhadores da linha de montagem. Aplicando o valor da transparência, Mulally, o CFO e os executivos de operações se reuniram com os sindicalistas e abriram a contabilidade. Uma "transparência total com os dados" convenceu os sindicatos de que, para "salvar esse lugar, precisamos todos salvá-lo juntos". A equipe de liderança e o sindicato colaboraram para reduzir o quadro da Ford de 100 mil para 45 mil funcionários por meio de aposentadorias e demissões voluntárias, não por reduções involuntárias.

Os resultados – e os relacionamentos – melhoraram sob Mulally. Quando ele se aposentou em 2014, a Ford havia tido 19 trimestres de lucro consecutivos. Sob a liderança de Mulally, uma das empresas icônicas do século XX havia sobrevivido às mudanças tempestuosas do início do XXI.[19]

*****

Movidos pela tecnologia, os negócios atualmente são mais complexos, globais e mutantes do que nunca. No próximo capítulo, vamos nos aprofundar em como liderar a mudança.

14

Mudança organizacional: por que as pessoas resistem

Pat Zigarmi, Judd Hoekstra e Ken Blanchard

Um dos motivos para a liderança organizacional ser mais complexa do que a liderança de equipes ou de pessoa a pessoa é que muitas vezes ela envolve liderar mudanças, o que pode ser caótico e confuso.

A importância de liderar mudanças

Havia uma época em que você podia passar por uma mudança e, em seguida, retornar a um período de relativa estabilidade. Naquele tempo, à medida que as coisas se acalmavam, era possível planejar cuidadosamente e se preparar para a próxima mudança. Kurt Lewin descreveu essas fases como descongelamento, mudança e recongelamento. A realidade hoje é que não há recongelamento. Não há descanso nem tempo para se preparar.

Hoje vivemos em "corredeiras permanentes". O que sabemos sobre corredeiras? São ao mesmo tempo emocionantes e assustadoras! Quase sempre é preciso remar de lado ou de cabeça para baixo para conseguir avançar por elas. O fluxo é controlado pelo ambiente. Existem obstáculos invisíveis. Às vezes, é sensato usar um redemoinho para se reagrupar e refletir, mas muitas vezes passamos direto pelos redemoinhos porque as corredeiras parecem criar seu próprio impulso.

Em meio à mudança, é difícil manter uma visão do todo. Essa situação nos lembra a história da menina que chega do colégio um dia e pergunta para a mãe (embora hoje possa ser ao pai): "Por que o papai trabalha até tão tarde todas as noites?". A mãe sorri com bondade e responde: "Bem, amorzinho, papai simplesmente não tem tempo suficiente para terminar tudo que precisa fazer a cada dia". Com infinita sabedoria, a menina diz: "Então por que não colocam papai numa turma mais lenta?". Infelizmente, não há turmas lentas. Atualmente, a mudança constante é um modo de vida.

Mark Twain disse: "A única pessoa que gosta de trocas é um bebê com fralda molhada". Gostemos ou não, na sociedade dinâmica em que as organizações estão inseridas hoje, determinar se algo irá mudar não é mais relevante. A mudança vai acontecer. Não é mais uma probabilidade: é uma certeza.

A questão é: como os gerentes e os líderes irão lidar com a enxurrada de mudanças que enfrentam todos os dias ao mesmo tempo em que tentam manter suas organizações adaptáveis e viáveis?

Por que as mudanças organizacionais são tão complicadas?

Analisemos o que acontece quando uma pessoa aprende a jogar golfe. O instrutor tenta modificar a tacada do jogador para que esse possa melhorar sua pontuação. No entanto, a pontuação do golfista piora sempre que está aprendendo uma tacada nova. Leva um bom tempo até que um jogador domine um movimento novo e melhore sua pontuação. Agora, pense no que acontece quando se pede a uma equipe de golfistas que modifiquem suas tacadas ao mesmo tempo. A queda cumulativa de desempenho é maior para a equipe do que para um só jogador.

A mesma queda no desempenho ocorre em organizações quando se pede a muitas pessoas que mudem de comportamento ao mesmo tempo. Enquanto uma pessoa está aprendendo uma habilidade nova, o resto da equipe geralmente consegue manter o ritmo. Contudo, quando todos estão aprendendo novas habilidades, quem vai manter o ritmo?

Quando se introduz uma mudança em uma organização, é comum acontecer uma queda no desempenho organizacional antes que o desempenho possa se elevar a um nível superior àquele anterior à mudança. Líderes eficazes em mudanças, conscientes disso e entendendo como funciona o processo de mudança, podem minimizar a queda no desempenho provocada pelo fato de muitas pessoas estarem aprendendo novos comportamentos ao mesmo tempo. Também podem minimizar o tempo necessário para alcançar o desempenho futuro desejado. Além disso, podem melhorar a capacidade de uma organização de iniciar, implementar e manter mudanças bem-sucedidas. É isso que esperamos que você possa aprender neste capítulo e no Capítulo 15, "Liderança de pessoas ao longo da mudança".

Quando é necessária a mudança?

Mudanças se impõem sempre que ocorre uma discrepância entre os eventos atuais – o que está acontecendo nesse momento – e os eventos que se deseja que venham a ocorrer. Para que você possa entender melhor em que ponto sua organização se localiza em relação à necessária mudança, analise as perguntas a seguir:

- A organização está no caminho certo para realizar sua visão?
- As iniciativas da organização estão alcançando os resultados desejados?
- Esses resultados são concretizados dentro do prazo?
- São alcançados sem necessidade de revisar as previsões orçamentárias?
- A organização mantém níveis elevados de produtividade e moral?
- Seus colaboradores estão energizados, comprometidos e entusiasmados?
- Seus clientes estão entusiasmados com a organização?

Caso tenha dificuldade para responder "sim" a essas perguntas, seu foco em liderar mudanças deve ser mais intenso.

A maioria dos gerentes relata que liderar mudanças não é seu ponto forte. Em uma pesquisa com 350 executivos de alto escalão em 14 ramos diferentes de atuação, 68% confirmaram que suas empresas haviam passado por problemas inesperados em seu processo de mudança.1 Além disso, as pesquisas indicam que 70% das mudanças organizacionais fracassam, e a origem desses fracassos está, na maioria dos casos, na liderança ineficaz.

Por que as mudanças fracassam

Nossas pesquisas e experiências práticas demonstram que a maioria dos esforços de mudança fracassa por motivos previsíveis. Muitos líderes deixam de perceber ou de levar em consideração esses motivos. O resultado disso é que cometem os mesmos erros repetidas vezes. Como se costuma dizer:

> *Loucura é fazer tudo sempre igual e esperar, a cada vez, resultados diferentes.*

Felizmente, há uma esperança. Caso você reconheça os motivos pelos quais as mudanças costumam sair dos trilhos ou fracassar, sua liderança pode se tornar proativa e assim aumentar as probabilidades de sucesso ao iniciar, implementar ou manter as mudanças. A seguir, apresentamos uma lista de motivos pelos quais as mudanças fracassam.

A reação da maioria das pessoas que veem esta lista depende de terem sido alvo ou agente da mudança. Alvos da mudança normalmente são desconfiados, como se tivéssemos analisado sua organização durante anos, porque eles conhecem bem as razões do fracasso, com envolvimento pessoal muito próximo. A realidade é que, embora cada organização tenha seus próprios aspectos singulares, elas em geral entram em choque com a mudança por motivos idênticos.

Já os agentes de mudança, quando veem essa lista, sentem-se desanimados, pois percebem como pode ser complicado implementar mudanças e tudo aquilo que pode dar errado. Por onde devem começar? Em qual das 15 razões que levam mudanças a fracassar eles precisam se concentrar?

Em todos esses anos de experiência, vimos que, quando os líderes conseguem entender e superar os três primeiros motivos para o fracasso das mudanças, entram no caminho certo para se tornarem líderes eficazes de mudanças.

Por que os esforços de mudança fracassam

1. As pessoas que lideram o processo acreditam que anunciar a mudança é o mesmo que implementá-la.
2. As preocupações das pessoas quanto à mudança não são explicitadas ou tratadas.
3. Aqueles afetados pelas mudanças não são incluídos no seu planejamento.
4. Não há um motivo imperioso para a mudança. A fundamentação em termos do negócio não é comunicada.
5. Uma visão cativante, capaz de entusiasmar as pessoas quanto ao futuro, não é desenvolvida ou comunicada.
6. A equipe que lidera a mudança não inclui adotantes precoces, dissidentes ou líderes informais.
7. Não é feito um piloto da mudança; portanto, a organização não aprende o que é necessário para dar apoio à mudança.
8. Sistemas organizacionais e outras iniciativas não estão alinhados com a mudança.
9. Líderes perdem o foco ou não estabelecem prioridades, provocando "a morte por mil iniciativas".
10. As pessoas não são capacitadas ou encorajadas a desenvolver novas habilidades.
11. Aqueles que lideram a mudança não são confiáveis. Não se comunicam com eficiência, transmitem mensagens confusas e não constituem modelos dos comportamentos que a mudança exige.
12. O progresso não é mensurado, ou ninguém reconhece as mudanças que as pessoas tanto trabalharam para colocar em prática.
13. As pessoas não têm responsabilidade pela implementação da mudança.
14. As pessoas que lideram a mudança não respeitam a força da cultura que pode anular essa mudança.
15. Possibilidades e alternativas não são exploradas antes de uma mudança específica ser escolhida.

Concentre-se na liderança da jornada

Trabalhando com organizações há quatro décadas, observamos um padrão de liderança que sabota a mudança. Líderes que refletem sobre a mudança por algum tempo sabem por que ela precisa ser implementada. Têm convicção firmada do caso de negócio e da necessidade da mudança. Essa convicção da necessidade da mudança é tão clara que nem exige discussão adicional. Sendo assim, eles dedicam todas as suas energias a anunciar a mudança, deixando praticamente de lado qualquer esforço destinado a envolver os demais e a liderar a jornada da mudança. Esquecem que:

A gestão da mudança requer mais a liderança de jornada do que o anúncio do destino.

Nos termos usados no SLII®, líderes que anunciam a mudança estão usando um estilo de direção. Dizem a todos o que querem que aconteça e depois saem de cena. Usando um inapropriado estilo de delegação, esperam que a mudança seja implementada automaticamente. Infelizmente, isso nunca acontece. Eles não estão gerenciando a jornada. O resultado é que a mudança sai dos trilhos. Por quê?

As mudanças fracassam porque as pessoas sabem que podem sobreviver ao anúncio, ou, pelo menos, à pessoa que fez o anúncio. Como não foram envolvidas até esse ponto, sentem que a empresa se preocupa exclusivamente com seus próprios interesses, não com os interesses de todos.

Mudanças impostas às pessoas criam mais resistências. No momento em que a resistência é verbalizada, os líderes da mudança entram em confronto. Assim que isso ocorre, a discordância entre eles sinaliza aos demais que não têm razão para se alinharem, pois não haverá mudança alguma.

O uso errado do estilo de direção, seguido por um titubeante estilo de delegação – anunciar a mudança e depois abdicar da responsabilidade que isso implica – significa que a mudança jamais será implementada com sucesso. Para garantir o sucesso, os líderes devem envolver todos aqueles impactados pela mudança em cada uma das fases do processo de mudança.

Como identificar e lidar com as preocupações das pessoas

Um projeto do Ministério da Educação dos Estados Unidos, originalmente conduzido por Gene Hall e seus colegas da Universidade do Texas,[2] indica que pessoas que enfrentam mudanças expressam seis tipos previsíveis e sequenciais de preocupações (Figura 14.1):

1. Preocupações quanto à informação.
2. Preocupações pessoais.
3. Preocupações quanto à implementação.
4. Preocupações quanto ao impacto.
5. Preocupações quanto à colaboração.
6. Preocupações quanto ao aprimoramento.

As pessoas que passam por mudanças muitas vezes fazem perguntas que indicam aos líderes em que estágio de preocupação se encontram. Na maioria das vezes, quem lidera a mudança não ouve essas perguntas por que não existem fóruns nos quais as pessoas possam verbalizá-las. Ou, caso existam, a comunicação é unidirecional: aqueles afetados pela mudança têm escassa ou nenhuma oportunidade de questionar os motivos da mudança, ou qual será seu efeito quando implementada. Assim, em vez de se tornarem defensores da mudança porque suas preocupações foram abordadas e levadas em conta, todos os que sofrem o impacto da mudança acabam se tornando seus adversários.

Vejamos cada estágio de preocupação e as perguntas que as pessoas fazem a si mesmas e a seus colegas.

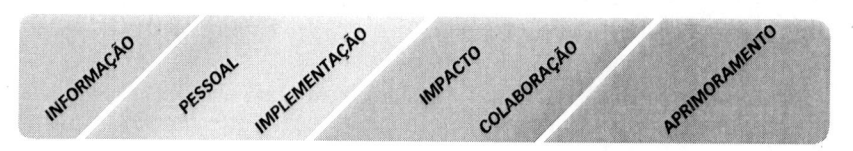

FIGURA 14.1 O modelo de estágios de preocupação.

Estágio 1: Preocupações quanto à informação

Nesse estágio, as pessoas fazem perguntas para obter informações sobre a mudança, tais como: no que consiste essa mudança? Por que é necessária? O que está errado com a situação atual? Até que ponto e com que rapidez a organização precisa mudar?

As pessoas que tem preocupações quanto à informação precisam das mesmas informações usadas por aqueles que determinaram a mudança. Não querem saber se a mudança é boa ou ruim antes de compreendê-la. Partindo do pressuposto de que as razões para a mudança baseiam-se em informações sólidas, compartilhe essas informações com as pessoas e ajude-as a ver o que você está vendo. Lembre-se: na falta de uma comunicação clara e factual, as pessoas criam suas próprias informações sobre a mudança, e os boatos se tornam fatos.

Em uma implementação de SAP[3] na qual a equipe que liderava a mudança fizera um bom trabalho explicando a fundamentação em termos de negócio, foi dito: "Haverá um menor número de erros com uma única entrada para dados. Isso reduzirá custos, porque eliminaremos entradas duplas. Haverá redução de etapas, e maior funcionalidade/cooperação entre grupos de trabalho. Será dez vezes mais fácil ter acesso às informações. A longo prazo, economizaremos tempo, porque tudo será feito de forma integrada. Isso eliminará a redundância".

Suas preocupações relacionadas a informações foram respondidas pelos dados que a liderança da equipe repassou por meio de vários veículos.

Estágio 2: Preocupações pessoais

Nesse estágio, todos querem saber como a mudança os afetará em nível pessoal. Por exemplo: por que eu deveria mudar? Terei algum ganho, ou só prejuízo? Minha situação irá melhorar? Como vou encontrar tempo para implementar essa mudança? Terei que aprender novas habilidades? Será que consigo?

Indivíduos com preocupações pessoais desejam saber como a mudança os afetará. Ficam em dúvida se possuem as habilidades e recursos para implementar a mudança. À medida que a organização muda, comprometimentos organizacionais e pessoais já estabelecidos ficam ameaçados. As pessoas se concentram naquilo que poderão perder, e não naquilo que poderão ganhar.

Essas preocupações pessoais devem ser tratadas de tal forma que as pessoas sintam que foram ouvidas. Como Werner Erhard dizia: "se você resistir, a coisa vai persistir". Se você não permitir que as pessoas expressem o que sentem sobre o que está ocorrendo, esses sentimentos não irão embora. O corolário desse princípio é que, *quando você lida com aquilo que está lhe incomodando, o simples fato de poder discutir o assunto faz com que as preocupações muitas vezes desapareçam.* Já falou para si mesmo: "Estou tão aliviado de ter falado disso"? Então sabe o alívio que vem de compartilhar seus sentimentos com outra pessoa. A oportunidade de falar sobre suas preocupações desanuvia a cabeça e estimula a criatividade que pode ser utilizada para ajudar em vez de atrapalhar os esforços de mudança. É aqui que entra a capacidade de ouvir. Executivos e gerentes devem permitir que as pessoas expressem suas preocupações pessoais abertamente, sem medo de avaliação, julgamento ou represália.

> *O estágio das preocupações pessoais*
> *é o mais frequentemente ignorado*
> *durante o processo de mudança.*

Em alguns casos, as preocupações pessoais não chegam a ser resolvidas a contexto para um indivíduo, mas ter alguém que ouça essas preocupações geralmente reduz bastante a resistência contra esforços de mudança.

Se você não dedicar algum tempo para tratar de necessidades e temores individuais, não levará as pessoas além desse nível básico de preocupação. Por isso, vejamos algumas das preocupações pessoais centrais que as pessoas tantas vezes sentem em relação à mudança.

As pessoas apresentam níveis diferentes de prontidão à mudança. Apesar de quase todo mundo sentir alguma resistência à mudança, há indivíduos que tendem a demonstrar um pronto entusiasmo com a oportunidade de implementar novas ideias. Outros precisam de algum tempo para se acostumar com os novos desafios. Isso não quer dizer que exista qualquer lugar "certo" no *continuum* da prontidão; significa apenas que as pessoas têm visões e graus de flexibilidade diferentes em relação ao que lhes foi pedido. Ter consciência de que as pessoas estarão em níveis diferentes de prontidão para mudanças pode ajudar imensamente na implementação eficaz de qualquer projeto de mudança. Isso o ajuda a identificar aqueles que logo aderem, ou os partidários da mudança que podem fazer parte da equipe de líderes da jornada. Esse conhecimento o ajudará a se comunicar com aqueles que resistem à mudança. Seus motivos para resistir podem representar cautela, ou podem ser sinais de problemas que precisam ser resolvidos para que a mudança venha a ser implementada com sucesso.

De início, as pessoas se concentram no que irão perder. A primeira reação a qualquer proposta de mudança tende a ser uma sensação de perda pessoal. O que queremos dizer com "perdas"? Isso inclui, entre outras coisas, perda de controle, tempo, ordem, recursos, colegas, competência e prestígio. Para ajudar as pessoas a superar isso, os líderes precisam ajudá-las a lidar com essa sensação de perda. Pode parecer ridículo, mas é preciso dar às pessoas a chance de "se enlutar" pela perda, e isso talvez possa ser feito simplesmente deixando-as conversar sobre o assunto entre si. Lembre-se: "se você resistir, a coisa vai persistir". Ajudar as pessoas a lidarem com o que acham que podem perder com a mudança as ajuda a aceitar alguns dos benefícios.

Ken Blanchard e John Jones, fundador da University Associates, trabalharam com várias divisões da AT&T por ocasião do desmembramento da corporação em sete empresas distintas.[4] Quando anunciaram essa mudança, seus líderes começaram falando dos benefícios. Ken e John então constataram que, àquela altura, ninguém prestava atenção aos benefícios, porque as preocupações pessoais não haviam sido levadas em consideração. Para resolver isso, estabeleceram "sessões de luto" em todas as divisões, sessões essas em que as pessoas podiam falar abertamente sobre quais seriam as perdas derivadas da mudança. As principais preocupações manifestadas foram:

Perda de status. À época, os funcionários sempre estufavam o peito quando perguntados onde trabalhavam. "Na AT&T!" O ponto de exclamação estava implícito na resposta. E, é claro, soava muito melhor do que "Jersey Bell", ou "Bell South", algumas das empresas resultantes do desmembramento.

Perda de um emprego vitalício. Um colega de Ken, depois de ter se formado na Cornell, conseguiu um emprego na AT&T. Quando telefonou para casa e contou à mãe, ela chorou de alegria. "Você está feito na vida!", disse ao filho. Na época, conseguir emprego na AT&T significava uma expectativa de trabalhar no conglomerado por 30, 35 anos, ganhar uma bela festa de aposentadoria e partir para desfrutar a vida. Numa época de constante mudança, a maior preocupação é vir a perder um emprego para a vida inteira, uma atual raridade.

Ken e John viram que depois que as pessoas expressaram suas preocupações quanto a esse tipo de perda, ficaram muito mais dispostas e em condições de ouvir sobre os benefícios do desmembramento da empresa.

As pessoas se sentem sozinhas mesmo quando todas que as cercam enfrentam o mesmo tipo de mudança. Quando a mudança chega, mesmo que seja para todos aqueles que nos cercam, a tendência é levar tudo para o lado pessoal: "Por que eu?". A ironia é que, para que a mudança seja bem-sucedida, precisamos do apoio dos demais. Na verdade, precisamos pedir esse apoio. Tendemos a nos sentir punidos sempre que precisamos aprender novas formas de trabalhar. Para que a mudança seja bem-sucedida, precisamos pedir a ajuda daqueles que nos cercam. Afinal, todos nós precisamos uns dos outros. É por isso que os grupos de apoio funcionam quando as pessoas estão enfrentando mudanças ou períodos de estresse em suas vidas. Elas precisam sentir que seus líderes, colegas e familiares estão ao seu lado para enfrentar as mudanças necessárias. Lembre-se, é impossível criar uma organização de classe mundial sozinho. Você precisará do apoio dos outros, e os outros também precisam do seu apoio.

As pessoas se preocupam com a possibilidade de insuficiência de recursos. Sempre que uma mudança se impõe, as pessoas entendem que vão precisar, para tanto, de tempo, recursos financeiros, instalações e pessoal adicional para concretizar o objetivo. Mas a realidade atual é que terão de fazer mais com menos. Organizações que promoveram um enxugamento têm menos funcionários, e aqueles que *ainda* estão ali são instados a aceitar novas responsabilidades. Precisam trabalhar com mais inteligência e não simplesmente por mais tempo. Em vez de fornecer esses recursos diretamente, os líderes devem ajudar as pessoas a descobrir sua própria habilidade para gerá-los.

Há um limite para as mudanças que as pessoas conseguem enfrentar. Ultrapassado certo número de mudanças – ou mesmo apenas uma, se for realmente significativa – as pessoas tendem a se sentir assoberbadas e ficam totalmente imobilizadas. Por isso, é melhor não promover todas as mudanças de uma vez. Escolha as áreas centrais que farão a maior diferença.

Faça o que fizer, só avance para uma nova etapa depois que as pessoas experimentarem um mínimo de sucesso na etapa inicial.

Na implementação do SAP mencionada anteriormente, quais foram as preocupações pessoais expressadas, e como foram tratadas? Nas entrevistas, as pessoas disseram: "Vi os bancos de dados ontem e percebi que não preciso fazer nada nesse momento. Parece menos assustador, depois que pude trabalhar um pouco no sistema. Estou preocupado com o *timing* – a data da virada cairá em plena atividade. E precisaremos de mais tempo, pois será difícil de aprender e usar. Acho que minha líder de equipe não pode falar por nós. Ela não tem uma boa visão do nosso trabalho cotidiano. Espero que haja um apoio individualizado, porque o treinamento não criará a sensação de segurança de que precisarei para usar o sistema com confiança. Se as coisas correrem bem, o que vamos fazer com nosso tempo? Precisamos agora da resposta para 'o que isso significa para mim?'. Não tenho condições de fazer isto e a minha função real ao mesmo tempo. Quando este projeto tiver terminado, terei de voltar e arrumar todo o resto".

A equipe de liderança da mudança SAP nessa empresa criou fóruns para que as pessoas pudessem dar vazão às preocupações relativas à mudança, e com isso passou a trabalhar sistematicamente a fim de proporcionar respostas às perguntas existentes sobre *timing*, envolvimento, sistemas de apoio e gerenciamento de múltiplas prioridades.

Quando as pessoas sentem que suas preocupações pessoais foram ouvidas, podem dedicar sua atenção ao modo como a mudança acabará se materializando. Essas são chamadas de preocupações quanto à implementação.

Estágio 3: Preocupações quanto à implementação

Neste estágio, as pessoas se perguntam como as mudanças serão implementadas. Por exemplo: o que faço em primeiro, segundo e em terceiro lugar? Como devo administrar todos os detalhes? O que acontece se as coisas não saírem conforme o planejado? A quem eu peço ajuda? Quanto tempo vai levar? Isso que estamos enfrentando é comum? Como a estrutura e os sistemas da organização irão mudar?

As pessoas com preocupações quanto à implementação estão concentradas nas questões práticas – os detalhes relacionados à implementação da mudança. Querem saber se já existem projetos-piloto para a mudança. Sabem que a mudança não acontecerá exatamente como planejada, então querem saber: "onde encontraremos assistência técnica e soluções para os problemas que surgirem à medida que a mudança for implementada?". Pessoas com esse tipo de preocupação querem saber como aproveitar da melhor maneira possível informações e recursos. Também querem saber como a infraestrutura da organização dará apoio ao projeto de mudança (o sistema de gestão de desempenho, reconhecimentos e recompensas e plano de carreira).

Na implementação do SAP recém referida, as seguintes preocupações foram manifestadas: "Temo que as pessoas não queiram abandonar seus sistemas preferidos. Algumas outras aplicações podem sobreviver e teremos sistemas redundantes. Não temos o hardware para rodar o software. Temo que não haja tempo suficiente para corrigir os dados ou verificar os novos processos de negócios que planejamos. Quero dar um jeito nisso logo, o quanto antes. Precisamos de mais informações sobre o que podemos esperar e quando podemos dar sugestões. Gostaria muito de ter um cronograma – o que tive até agora foi sempre ou exageradamente detalhado ou carente de informações. Preciso saber quando serei envolvido, quando chegará o momento crucial. As pessoas serão realmente responsáveis pela utilização do novo sistema?".

Essas preocupações foram mais bem abordadas quando aqueles mais diretamente envolvidos com os desafios da implementação da mudança participaram do planejamento de soluções para os problemas que então surgiram em cena.

Estágio 4: Preocupações quanto ao impacto

Uma vez reduzida ansiedade das pessoas com relação aos três primeiros estágios de preocupação, elas tendem a manifestar preocupações quanto ao impacto. Por exemplo: o esforço vale a pena? A mudança está fazendo alguma diferença? Estamos progredindo? As coisas estão melhorando? Como?

As pessoas preocupadas com o impacto estão interessadas na relevância e nos resultados da mudança. Agora que a mudança começou, o foco está na avaliação. É nesse estágio que as pessoas se convencem dos benefícios da mudança baseados nos resultados que estão sendo alcançados. É nesse estágio também que os líderes perdem ou ganham credibilidade para iniciativas futuras de mudança. Se a mudança não tiver um impacto positivo nos resultados – ou se as pessoas não souberem como medir o sucesso – será mais difícil iniciar e implementar mudanças no futuro. Por outro lado, é nesse estágio que você pode desenvolver líderes de mudança para o futuro, desde que identifique os apoiadores espontâneos e reconheça seus sucessos com a mudança.

Estágio 5: Preocupações quanto à colaboração

Nesse estágio, as pessoas perguntam sobre a colaboração que haverá durante a mudança. Por exemplo: quem mais estará envolvido? Como podemos trabalhar com os demais para que se envolvam com o que estamos fazendo? De que forma podemos fazer a importância desse processo se espalhar pela organização e "contaminá-la" positivamente?

As pessoas preocupadas com a colaboração estão focadas na coordenação e cooperação com os outros. Querem que todos se envolvam, pois estão convencidas de que a mudança está fazendo a diferença. Durante esse estágio, convença os adotantes precoces a defender a mudança e a influenciar aqueles que ainda estão indecisos.

Estágio 6: Preocupações quanto ao aperfeiçoamento

Nesse estágio, as pessoas perguntam como a mudança pode ser aperfeiçoada. Por exemplo: como podemos melhorar nossa ideia original? Como podemos tornar a mudança ainda melhor?

As pessoas preocupadas com o aperfeiçoamento estão focadas na melhoria contínua. Durante uma jornada de mudança organizacional, aprendemos muitas coisas. Consequentemente, novas oportunidades de melhoria organizacional vêm à tona nesse estágio.

Quando o SAP chegou ao estágio de aperfeiçoamento, escutamos o seguinte: "Estamos esperando uma queda na produtividade quando começarmos a utilizar a plataforma. Temos que começar a definir quem fará quais processos de trabalho e quem antes e depois de nós precisa se adaptar à mudança quando estivermos funcionando em tempo real. O SAP não é a mera implementação de uma nova tecnologia, é o replanejamento de processos de negócio. Temos que criar as conexões e fazer as conversões de dados agora. Aqueles elementos da empresa experientes na utilização do SAP não foram ainda consultados. Temo a ocorrência de atrasos na expedição quando fizermos a conversão. Não estão sendo preparadas medidas preventivas para as exceções aos fluxos normais. Os mais antigos não poderão usar os atalhos aos quais estão acostumados. O processamento em tempo real nos ajudará, mas, no início, ele na verdade aumentará o tempo de realização dos processos. O importante é já ir pensando sobre a integração interprocessos desde agora. Tenho certeza de que as coisas irão piorar nas primeiras semanas".

Aprendemos que sempre que as pessoas experimentam preocupações relativas ao aperfeiçoamento com uma mudança, estão vislumbrando a mudança posterior. Quanto mais você conseguir envolver os outros no exame de opções e na sugestão de fórmulas para agir diferentemente, mais fácil será construir a próxima etapa das mudanças.

Pessoas diferentes estão em estágios diferentes de preocupação

Ainda que lidar com as preocupações das pessoas a respeito da mudança possa parecer o equivalente a colocar rodinhas em uma bicicleta, cada estágio de preocupação pode constituir uma considerável barreira ao sucesso da mudança. Uma vez que os estágios de preocupação são previsíveis e sequenciais, é importante levar em conta que, a qualquer momento, pessoas diferentes encontram-se em estágios diferentes de preocupação.

Antes do anúncio de qualquer mudança, por exemplo, os líderes da mudança geralmente têm informações que outros na organização não têm. Além disso, esses líderes da mudança normalmente já puderam determinar até que ponto a mudança irá afetá-los pessoalmente e chegaram ao ponto de formular o plano de implementação antes que outros tenham sequer tomado conhecimento de uma proposta de mudança. Como resultado, os líderes da mudança já trataram e resolveram preocupações pessoais, e de informação e implementação; com isso, estão agora prontos para enfrentar preocupações sobre impacto ao comunicar à organização os benefícios da mudança. O restante da organização ainda não teve uma oportunidade de manifestar suas preocupações. Consequentemente, ainda não estará preparado para ouvir falar dos benefícios da mudança até que suas preocupações de cunho pessoal, de informações e de implementação tenham sido tratadas.

A importância de envolver aqueles afetados pelas mudanças

Quando os líderes não envolvem as pessoas, identificando e diagnosticando seu estágio de preocupação, a resistência à mudança aumenta e o processo de mudança sofre atrasos ou interrupções.

Por outro lado, quando os líderes envolvem as pessoas com a identificação, diagnóstico preciso e resposta apropriada às preocupações específicas que elas têm em cada estágio da mudança organizacional, o resultado é menos resistência, mais aceitação e adoção mais rápida da mudança.

Além disso, resolver as preocupações durante o processo de mudança consolida a confiança na equipe de liderança, coloca os desafios em evidência e dá às pessoas a oportunidade de influenciar o processo de mudança, além de permitir que elas direcionem suas energias para a mudança.

A lição: em se tratando da liderança de pessoas ao longo da mudança, aquilo que você está mudando é importante, mas *como* envolve as pessoas na mudança é o que faz a diferença entre o sucesso e o fracasso.

As pessoas muitas vezes se opõem a mudanças de cuja modelagem não são chamadas a participar. Portanto, ao contrário do que se costuma pensar, as pessoas não resistem à mudança – elas resistem a serem controladas.

*****

Neste capítulo, nos concentramos na mudança em nível organizacional e por que as pessoas resistem a ela. No próximo, compartilhamos cinco estratégias específicas de liderança de pessoas ao longo da mudança. Essas estratégias oferecem detalhes sobre como os líderes podem reagir proativamente a cada estágio de preocupação e superar os motivos previsíveis pelos quais projetos de mudança frequentemente fracassam.

15
Liderança de pessoas ao longo da mudança

Pat Zigarmi e Judd Hoekstra

Como discutimos no capítulo anterior, os líderes sentem-se muitas vezes assoberbados quando precisam levar à frente uma mudança. De certa forma, sentem-se presos a uma situação na qual não há como ganhar. Se tentam lançar um projeto de mudança disruptiva, correm o risco de trazer à tona uma infinidade de sentimentos negativos que as pessoas reprimem. Por outro lado, se os líderes não efetuarem mudanças constantemente, suas organizações serão substituídas por outras, comprometidas com a inovação. Quem não muda, morre. Acrescente-se a isso os 15 motivos previsíveis pelos quais os esforços de mudança geralmente fracassam e fica fácil entender porque os líderes podem simplesmente ficar paralisados ao fazer uma mudança. É por isso que Pat Zigarmi e Judd Hoekstra desenvolveram um modelo de Liderança de Pessoas ao Longo da Mudança – para transformar o aparentemente complicado em algo simples (ver Figura 15.1).[1]

Cinco estratégias de liderança de mudanças

O modelo de Liderança de Pessoas ao Longo da Mudança define cinco estratégias de liderança de mudanças e seus respectivos resultados. Essas estratégias estão em consonância com os seis estágios de preocupação e servem como antídoto para os 15 motivos previsíveis pelos quais os projetos de mudança comumente fracassam. Também descrevem um processo para liderar pessoas em época de mudanças que difere drasticamente da forma como as mudanças são introduzidas na maioria das organizações.

Estágios de preocupação

FIGURA 15.1 O modelo de Liderança de Pessoas ao Longo da Mudança.

Estratégia de Mudança 1: Ampliar o envolvimento e a influência

Resultado: adesão

A primeira estratégia de liderança de mudanças, *ampliar o envolvimento e a influência*, está no cerne do modelo de Liderança de Pessoas ao Longo da Mudança e deve ser utilizada consistentemente durante todo o processo de mudança para obter a cooperação e adesão dos demais. Essa estratégia de mudança aborda quatro dos 15 motivos previsíveis pelos quais projetos de mudança fracassam:

1. As pessoas que lideram o processo acreditam que anunciar a mudança é o mesmo que implementá-la.
2. As preocupações das pessoas quanto à mudança não são explicitadas ou tratadas.
3. Aqueles afetados pela mudança não são incluídos no seu planejamento.
4. A equipe que lidera a mudança não inclui adotantes precoces, dissidentes nem líderes informais.

Nossa abordagem para liderar mudanças organizacionais está centrada na crença de que a melhor forma para iniciar, implementar e consolidar a mudança é aumentar o nível de influência e envolvimento das pessoas afetadas por ela, deixando suas preocupações virem à tona e tratando-as ao longo do caminho. Essa foi uma estratégia fundamental no capítulo anterior.

> *Com qual das alternativas é mais provável que você se comprometa: uma decisão tomada por outros que lhe está lhe sendo imposta, ou uma decisão sobre a qual você teve a oportunidade de opinar?*

O que parece óbvio para você não é tão óbvio para muitos líderes que tentam implementar mudanças organizacionais. Eles acreditam que as mudanças serão implementadas muito mais rapidamente se tomarem decisões rápidas, e é mais fácil tomá-las quando menos pessoas contribuem para a tomada de decisões. *Se, por um lado, é verdade que decisões podem ser tomadas mais rapidamente com um menor número de pessoas envolvidas, decisões mais rápidas podem não se traduzir em uma implementação melhor e mais rápida.* Esses líderes de mudanças acreditam que podem anunciar a mudança e, pronto, ela acontece! A abordagem de liderança "de cima para baixo, com envolvimento mínimo" ignora a diferença crucial entre aquiescência e comprometimento. As pessoas tendem a aceitar a nova diretiva por algum tempo, até se dissipar a pressão criada por essa situação, e então retornam ao comportamento anterior, pois suas preocupações não são trazidas à tona ou abordadas. Para elas, a mudança é algo imposto a elas, não algo em que participam.

Tenha a Figura 15.2 em mente quando pensar sobre até que ponto você quer envolver as pessoas no processo de mudança. A resistência aumenta quanto mais as pessoas sentirem que não conseguem influenciar o que está acontecendo com elas.

Quando as pessoas não são tratadas como se fossem suficientemente inteligentes para chegar à mesma conclusão quanto à necessidade de mudança do que a equipe que lidera a mudança, percebem uma perda de controle. Seu mundo está prestes a mudar, mas elas não foram consultadas para conversar sobre o presente ou o futuro. De modo similar,

FIGURA 15.2 A percepção da perda de controle aumenta a resistência à mudança.

[Gráfico: eixo vertical "Percepção da perda de controle", eixo horizontal "Resistência à mudança", com linha reta ascendente mostrando relação positiva entre as duas variáveis.]

quando não há reconhecimento das preocupações pessoais, elas perdem seu senso de autonomia. Elas tramam umas com as outras, tornam-se ansiosas e sua resistência aumenta. Assim, quando camisetas com um slogan são distribuídas e todos são enviados para um treinamento padronizado, as pessoas começam a achar que a organização realmente perdeu o controle. Isso compromete seu senso de controle, o que, por sua vez, aumenta a resistência. Em resumo, as pessoas precisam ter ingerência sobre a mudança delas exigida, ou, como dizia Robert Lee:

> *As pessoas excluídas do processo de dar forma à mudança sempre encontram um jeito de nos lembrar que são realmente importantes.*

Existem muitas maneiras de envolver as pessoas no processo de mudança. Elas podem pesquisar soluções implementadas por outras organizações que enfrentam os mesmos desafios. Podem participar de um programa-piloto de mudança. Podem ser integradas à equipe de liderança de mudanças, em um mundo ideal como membros, mas no mínimo como assessores. Embora possa parecer desconfortável num primeiro momento, é igualmente de capital importância incluir na equipe de liderança de mudanças pelo menos uma ou duas pessoas dentre as consideradas "dissidentes" e que sejam capazes de articular as preocupações daqueles que com elas compartilham essa perspectiva. Quando os dissidentes encontram um fórum para manifestar e fazer sentir suas preocupações, normalmente se transformam nos mais eficientes solucionadores de problemas e até mesmo porta-vozes da mudança.

Em última análise, você deve envolver os adotantes precoces da mudança como defensores dela entre os colegas. Os defensores muitas vezes influenciam as pessoas neutras em relação à mudanças antes que desenvolvam resistência a ela, ajudando a montar o caso de negócio em prol da mudança e compartilhando seu sucesso pessoal com ela. Recrute-os para treinar os demais e moldar os comportamentos esperados dos afetados pela mudança.

O objetivo de uma estratégia de mudança de alto envolvimento é montar uma coalizão formada por uma base ampla de líderes de todos os níveis que apoiam a mudança e podem defendê-la a uma só voz para múltiplas partes interessadas. Quando um grupo diverso de líderes de toda a organização está alinhado em relação à necessidade de mudar e como a mudança impactará positivamente a organização, há menos resistência, menos passividade e menos atribuição de culpa. Quando veem a falta de alinhamento no topo, as pessoas sabem que não precisam se alinhar. Além disso, elas sabem que, por causa do baixo alinhamento, a mudança irá empacar ou descarrilar e elas sobreviverão ao projeto. Lembre-se: mudanças organizacionais sustentáveis ocorrem mediante diálogo e colaboração, não com a ação unilateral de alguns poucos.

O alto envolvimento também coloca as preocupações e desafios em discussão mais cedo. Por consequência, há maior alinhamento e clareza sobre o que e como as coisas precisam mudar, um melhor plano de implementação da mudança e uma maior probabilidade de sucesso. Uma das nossas orientações favoritas para os líderes de mudanças é a seguinte:

Aqueles que planejam a batalha raramente batalham contra o plano.

Flexibilidade: estratégias diversas para liderar mudanças com sucesso

As quatro outras estratégias de liderança de mudanças organizacionais que estão no perímetro do modelo avaliam de forma proativa os demais motivos previsíveis pelos quais os projetos de mudança fracassam.

Quando essas estratégias de liderança da mudança são usadas de forma consciente durante um processo de mudança, cria-se uma visão cativante e inspiradora para a mudança. A infraestrutura e os recursos certos são adotados para garantir a implementação bem-sucedida. Resultados sustentáveis são alcançados. E alternativas de mudanças e inovações contínuas são exploradas.

Para fazer com que essas estratégias de liderança de mudanças revelem sua aplicabilidade a situações da vida real, oferecemos o estudo de caso a seguir, envolvendo um problema que tem atormentado milhões de pessoas nos Estados Unidos. E mesmo quem não mora no país provavelmente consegue lembrar de alguma mudança de "sistema" semelhante.

Estudo de caso: pais que não pagam pensão alimentícia

Existem aproximadamente 20 milhões de crianças nos Estados Unidos cujos pais não pagam a pensão alimentícia determinada em razão do divórcio do casal. De acordo com a Secretaria Federal de Apoio à Criança, o total de pensões não pagas nos Estados Unidos chega a quase US$ 100 bilhões; 68% das pensões alimentícias estão em atraso. A grande maioria das crianças – especialmente entre as minorias – que moram com pai/mãe separados e que não recebem pensão alimentícia, vive na pobreza.

Nos Estados Unidos, o cumprimento/fiscalização do pagamento de pensões aos dependentes nesta situação cabe a uma confederação desconexa de órgãos estaduais e locais com diferentes diretrizes e que respondem ao Office of Child Support Enforcement, um departamento do governo federal. Fazer com que estes órgãos trabalhem em conjunto é o maior desafio. Apesar de haver uma legislação para fazer cumprir os pagamentos de pensões, há um excesso de burocracia e uma escassez de pessoal para, por exemplo, colocar na cadeia pais inadimplentes que tenham saído do estado em que o divórcio ou a pensão foram oficializados. Como resultado, muitos desses pais burlam o sistema.

Até recentemente, as informações sobre esses pais eram arquivadas em fichários em órgãos públicos do município em que residiam. Funcionários municipais ficavam responsáveis por usar essas informações para tentar efetivar a cobrança da pensão devida. Muitas vezes, quando um funcionário estava prestes a localizar um pai que devia a pensão determinada pela justiça, o inadimplente se mudava para outro município, ou outro estado.

Sem um sistema para compartilhar informações arquivadas em fichas de papel de um município para outro, ou de um estado para outro, tornava-se quase impossível localizar os pais inadimplentes. Assim, o prejuízo era sempre do pai/mãe detentor da guarda dos filhos, que não recebia o sustento tão necessário.

Percebendo a gravidade da situação, o governo federal decidiu assumir o desafio. Uma lei federal obrigou os estados a implementar um sistema eletrônico de rastreamento que facilitaria o compartilhamento de informações atualizadas entre municípios e estados e melhoraria a localização desses pais. Parece uma mudança relativamente fácil de efetuar, tendo em vista a onipresença dos computadores atualmente. No entanto, quando a legislação foi aprovada, muitos funcionários municipais tinham 50 ou 60 anos de idade, viviam em áreas rurais, nunca haviam usado um computador e estavam há décadas tentando rastrear pais inadimplentes usando caderno, lápis e telefone.

Você acha que os funcionários dos condados ficaram preocupados com a mudança proposta? Claro que sim. Muitos desses funcionários tinham *preocupações quanto a informações*, como, por exemplo, de que forma o uso de um computador novo melhoraria a aplicação da lei em seu município. Nos municípios que já apresentavam um bom trabalho na cobrança dessas pensões, a pergunta era se poderiam continuar usando seus arquivos em papel, uma vez que estavam trazendo resultados. Municípios que já usavam um sistema informatizado havia anos queriam saber se precisariam adotar o novo sistema, ou se poderiam continuar usando o sistema atual. As pessoas tinham perguntas sobre quanto tempo levaria para passar as informações dos arquivos em papel para o computador.

Muitos dos funcionários municipais tinham também *preocupações pessoais*. Por exemplo: "Como vou aprender a usar esse novo sistema? Se não aprender a usar o novo sistema de rastreamento e o software, vou perder meu emprego? Além de usar o novo sistema, de que outra forma meu emprego vai mudar? Certamente vai ser trabalho demais. Não estou preparado". Perguntas como essas são comuns nesse estágio do processo de mudança e refletem os medos de que a mudança provavelmente tornará seu trabalho mais difícil.

Além disso, os funcionários tinham *preocupações quanto à implementação*. Queriam saber quando seriam treinados a usar o novo sistema eletrônico de rastreamento e com quem entrariam em contato se precisassem de ajuda depois do treinamento. Queriam saber se havia outros municípios que usariam a nova plataforma antes deles, e se poderiam conversar com o pessoal desses municípios. Também queriam saber quando o estado todo estaria ligado ao novo sistema. Por último, preocupavam-se com o que aconteceria se o sistema eletrônico de rastreamento falhasse ou ficasse fora do ar.

Quando a mudança começou a ser implementada, alguns dos funcionários manifestaram *preocupações quanto ao impacto*. Por exemplo, queriam saber se ainda haveria possibilidade de encontrar inadimplentes que por acaso não constassem do novo sistema. Queriam saber quanto dinheiro a mais eles estavam conseguindo cobrar em comparação com o sistema antigo. Muitos tinham curiosidade de saber se seus clientes (pais detentores da guarda) viam uma mudança positiva na nova forma de trabalhar e se os valores que estavam sendo arrecadados.

Com o tempo, *preocupações quanto à colaboração* vieram à tona. Eis alguns de seus comentários: "Testemunhei o sucesso desse novo sistema em primeira mão. Tem alguém que ainda não está convencido de que se trata de uma boa ideia? Só vai dar certo se fizermos isso em todo o estado e todo o país".

"Estou entusiasmado por fazer parte do sistema-piloto. Mal posso esperar para voltar ao meu município e contar sobre os nossos resultados. Muitos estão bastante céticos quanto ao novo sistema."

"O sistema está funcionando bastante bem nos municípios ao nosso redor que já estão 'implementados', mas precisamos ampliar a implementação e conectar todos os municípios do país em um só banco de dados."

Quando o novo sistema já estava em pleno funcionamento, os funcionários apresentaram suas *preocupações quanto ao aprimoramento*. Se, por um lado, reconheciam que o novo sistema era muito melhor do que o anterior, sugeriram áreas nas quais poderia haver melhorias. Por exemplo, surgiu uma pergunta sobre como poderiam conectar seu sistema a outros (sistemas de pensão de outros municípios e estados, ao departamento de trânsito, os bancos de contratações recentes, a Receita Federal) para que pudessem rastrear melhor as pessoas e fazer com que os pais inadimplentes cumprissem a lei. O que os responsáveis por essas imensas mudanças de sistema podem fazer para dirimir as preocupações quanto a informações, pessoais e quanto à implementação, e criar aceitação para a mudança proposta?

Estratégia de Mudança 2: Explicar por que a mudança é necessária

Resultado: um caso inspirador para a mudança

A segunda estratégia de liderança da mudança é explicar por que a mudança é necessária. Essa estratégia aborda as duas razões pelas quais os projetos de mudança acabam fracassando:

5. Não há um motivo imperioso para a mudança. A fundamentação em termos do negócio não é comunicada.
6. Uma visão cativante, capaz de entusiasmar as pessoas quanto ao futuro, não é desenvolvida ou comunicada.

Esta segunda estratégia de liderança da mudança aborda as *preocupações quanto à informação* e, até certo ponto, as preocupações pessoais.

Quando líderes explicam por que a mudança é necessária, o resultado é um caso cativante que ajuda as pessoas a entender a mudança que está sendo proposta, a lógica por trás da mudança e por que o *status quo* já não é mais uma opção viável.

Quando você liderar uma iniciativa de mudança, esteja ciente de que muitas pessoas na organização não irão entender a necessidade de uma mudança; elas estão à vontade com aquilo que fazem no momento. Em função disso, manifestarão preocupações quanto à informação e farão provavelmente perguntas do tipo: "O que é mesmo essa mudança? Ela é mesmo necessária? O que há de errado com o que fazemos agora? Até que ponto, e com que rapidez, a organização precisa mudar?".

Provavelmente, aqueles que desencadearam a mudança estavam frustrados com algo que havia de errado no *status quo*, ou ficaram ansiosos em relação à oportunidade que se perderia se a opção fosse por manter a situação até então reinante. Esse descontentamento com o *status quo* precisa ser compartilhado e sentido por aqueles afetados pela mudança.

É preciso provocar desequilíbrio suficiente para criar mudança, mas não a ponto dos outros lutarem, fugirem ou ficarem imóveis.

Suponha que um líder erroneamente tente criar e comunicar uma visão de mudança à organização antes de demonstrar que o *status quo* já não é uma opção viável. A inércia do *status quo* provavelmente será muito forte, e aquelas pessoas cuja adesão é indispensável para o líder serão justamente as menos empenhadas em aceitar a visão de futuro que o líder deseja criar. Como disse John Maynard Keynes:[2]

A dificuldade maior não é tanto desenvolver ideias novas, mas, sim, escapar das antigas.

No caso dos pagamentos de pensões alimentícias descrito anteriormente, foi crucial que os pais detentores da custódia e os funcionários municipais expusessem o quanto se sentiam frustrados e desesperançados ao tentar rastrear e fazer com que fosse cumprida a cobrança de pensão de um pai ou mãe inadimplente contando apenas com os recursos de caderno e lápis usados pelos agentes do governo. Até certo ponto, se os funcionários municipais não estivessem sentindo essa frustração, seria muito improvável que tivessem vontade de aprender a usar um novo sistema de rastreamento eletrônico e adotar novas maneiras de trabalhar apenas porque legisladores federais assim haviam determinado.

Ao desenvolver a fundamentação para que haja a mudança, uma das melhores maneiras de obter a adesão de colaboradores é transmitir informações de forma ampla e, depois, perguntar às pessoas em todos os níveis da organização por que acham que a empresa precisa mudar.

Para tanto, faça com que as pessoas enfrentem a realidade do que está provocando a necessidade de mudar. Imagine que você está mexendo com o termostato para criar desconforto e um senso de urgência de que a mudança é necessária. Pergunte às pessoas os motivos pelos quais a organização precisa mudar, mesmo que ache que já sabe as respostas. Quando elas responderem, não reaja com certeza, pois isso pode levá-lo a defender exageradamente o que sabe e descontar o que não sabe.

Procure os dissidentes e descubra por que estão resistindo. Fazendo isso, seus argumentos para efetuar a mudança serão mais convincentes para as pessoas, porque foram elas que os apresentaram. Em função do seu envolvimento com a mudança, será mais fácil para todos deixar para trás o *status quo*.

Usando o exemplo que apresentamos no Capítulo 3, "O empoderamento é a chave", as Empresas Ken Blanchard tiveram que efetuar várias mudanças devido à crise econômica que se seguiu aos ataques terroristas de 11 de setembro de 2001. Os líderes expuseram à organização, com a maior transparência, as informações sobre receitas, despesas correntes e dados sobre o balanço financeiro. Isso levou as pessoas a encarar a situação real de frente e assegurou que a organização entendesse que "deixar como está para ver como fica" já não era uma opção viável. Em seguida, os líderes perguntaram aos colaboradores o que aconteceria se o *status quo* fosse mantido. Eles afirmaram claramente que a sobrevivência da empresa estaria em risco. Como resultado de seu envolvimento na criação de uma justificativa para a mudança, os colaboradores adotaram várias iniciativas relativas ao corte de custos, mesmo quando estas não os beneficiavam.

Uma vez identificada a lacuna entre o que há e o que poderia haver, é preciso compartilhar uma visão inspiradora para o futuro. Uma visão inspiradora é o que cria o comprometimento com a mudança.

O processo usado para criar uma visão é o mesmo, tanto para uma organização inteira, quanto para uma iniciativa específica. Esse processo está descrito em detalhe no Capítulo 2, "O poder da visão". Como Ken Blanchard e Jesse Stoner afirmam em *Full Steam Ahead!: Unleash the Power of Vision in Your Company and Your Life*, o processo que você emprega para desenvolver uma visão é tão importante quanto a visão em si. Em outras palavras, quando as pessoas estão envolvidas no processo e sentem que aquela é a sua visão – e não são meras palavras em um cartaz feito para um seminário de executivos – é mais provável que consigam se enxergar fazendo parte da futura organização quando a mudança for implementada. Quando estão envolvidas na criação da imagem do futuro, as pessoas começam a se adaptar e têm probabilidade muito maior de demonstrar a tenacidade necessária durante os tempos difíceis que inevitavelmente acompanham a mudança.

O envolvimento das pessoas no processo de criação da visão também é crucial para ajudá-las a resolver as *preocupações pessoais* pelas quais irão passar durante a mudança. Quanto mais você envolver as pessoas nesse processo, mais elas tenderão a se sentir partes da futura organização. Elas precisam se enxergar *na* visão do futuro para que se sintam inspiradas. Por isso, é tão importante que os líderes entendam os medos, sonhos e lealdades das pessoas afetadas pela mudança.

Em nosso exemplo dos pagamentos de pensão alimentícia, a equipe que liderava a mudança ficou responsável por fazer uma proposta preliminar da visão inicial. Como não havia uma visão anterior a ser utilizada como comparação pelo Programa de Pensões do Estado, foi necessário criar uma visão para o programa inteiro, não apenas para a implementação de um sistema de rastreamento eletrônico. Em seguida, a equipe levou o estudo preliminar para os funcionários dos municípios em todo o estado e pediram que dessem opiniões. O resultado foi a criação de uma visão compartilhada que nortearia a maioria daqueles afetados pela mudança.

> *Nosso programa de apoio à infância ajuda as crianças ao proporcionar a indispensável estabilidade financeira para suas famílias e ao oferecer o serviço de mais alta qualidade reconhecido nacionalmente como modelo de excelência no cumprimento dos pagamentos de pensões alimentícias.*

Ainda que um pequeno grupo de líderes pudesse facilmente ter elaborado essa frase, dar aos funcionários municipais — as pessoas que precisariam mudar — a oportunidade de contribuir concretamente foi o fator que garantiu que a visão fosse compreendida e adotada por todos.

Estratégias de Mudanças 3: Colaborar na implementação
Resultado: infraestrutura e recursos certos

A terceira estratégia de liderança de mudança, colaborar na implementação, foi projetada para criar as condições apropriadas para a implementação bem-sucedida da mudança e para trazer à tona e abordar as *preocupações pessoais e quanto à implementação*.

Quando os líderes envolvem os demais no planejamento e em testes prévios da mudança, encorajam o esforço colaborativo para identificar os recursos certos e construir a infraestrutura necessária para dar apoio à mudança. Essa estratégia de liderança da mudança aborda os seguintes motivos pelos quais projetos de mudança fracassam:

7. Não é feito um projeto-piloto da mudança; portanto, a organização não aprende o que é necessário para dar apoio à mudança.
8. Sistemas organizacionais e outras iniciativas não estão alinhados com a mudança.
9. Líderes perdem o foco ou esquecem de estabelecer prioridades, provocando "a morte por mil iniciativas".

As organizações podem se envolver na elaboração de planos bem-sucedidos de implementação da mudança de muitas maneiras diferentes, incluindo:

Envolva os outros no planejamento e no projeto-piloto. Todos nós já fizemos parte ou vimos mudanças que deram resultados aquém das expectativas. Na maioria desses casos, o plano de implementação foi desenvolvido por pessoas sem qualquer intimidade com a linha de frente. Consequentemente, o plano não levou em consideração os necessários elementos da vida real e, por isso, acabou rejeitado como falho, irreal e desprovido dos detalhes necessários para a prática – ou, pior ainda, totalmente equivocado.

Como ocorre com as estratégias de mudança que descrevemos anteriormente, quando você envolve as pessoas e dá a elas a oportunidade de ter influência, obtém não apenas sua adesão, mas também um resultado melhor. Seu processo de planejamento deve admitir que é impossível pensar em tudo de antemão. Faça alguns testes ou pilotos com adotantes precoces para resolver todas as falhas e aprender mais sobre a melhor forma de implementar a mudança na organização como um todo. Certifique-se de que seu plano de implementação da mudança seja dinâmico.

Envolvendo os demais no processo de planejamento, você pode trazer à tona e resolver muitas das *preocupações pessoais e preocupações quanto à implementação*.

Existe um velho provérbio que adoramos:

Escute os sussurros para evitar os gritos.

Testes, pilotos e experiências também podem ensinar-lhe o que mais deve mudar em termos de regras, procedimentos, sistemas e estruturas para que aumente a probabilidade de uma implementação bem-sucedida em toda a organização. As consequências positivas do engajamento dos demais nesse estágio do processo de mudança são um esforço colaborativo, um alto grau de alinhamento sobre a melhor forma de implementar a mudança, uma avaliação realista dos recursos necessários e a infraestrutura certa.

Muitos planos de mudança subestimam o impulso gerado por vitórias de curto prazo que podem ser obtidas mediante projetos-piloto da mudança. Essas vitórias representam melhorias que podem ser implementadas dentro de um curto espaço de tempo – normalmente três meses – com um mínimo de recursos, custos e risco.

Projetos-piloto que resultam em vitórias de curto prazo apresentam vários benefícios. Em primeiro lugar, eles abordam preocupações quanto à implementação em torno da mecânica da mudança, prioridades e obstáculos à implementação eficiente da mudança. Segundo, abordam de forma proativa as *preocupações quanto ao impacto*, (como, "a mudança está funcionando?"). Terceiro, projetos-piloto levam mais pessoas a influenciar a mudança, gerando mais adesão. Quarto, dão boas notícias logo no início do projeto de mudança, quando normalmente não se tem boas notícias. Quinto, reforçam mudanças de comportamento exibidas por adotantes precoces. Sexto, ajudam aqueles que estão em cima do muro a se decidir. Lembre-se, o movimento emociona.

No piloto do estudo de caso de pagamentos de pensão alimentícia descrito anteriormente, foi crucial escolher municípios que apresentavam a maior probabilidade de exibir resultados significativos de curto prazo ao implementar o novo sistema de rastreamento eletrônico. Isso ajudou a trazer à tona e abordar preocupações quanto à implementação e a gerar impulso às implementações pós-piloto em outros municípios nos quais havia mais dúvidas quanto ao impacto.

Evite a morte por excesso de iniciativas. Com recursos limitados, é fundamental fazer escolhas acerca de quais iniciativas de mudança permitirão que sua organização alcance sua visão de forma mais eficaz e eficiente. Iniciativas de mudança individuais precisam ser agendadas e implementadas tendo em vista outras atividades e iniciativas que competem pelo tempo, pela energia e pela dedicação do pessoal.

Durante períodos de mudança, é crucial dar orientações ao seu pessoal quanto a prioridades. Como uma esponja, depois de certa quantidade de mudanças as pessoas não conseguem absorver mais nada, independentemente do quão adaptáveis e flexíveis se mostrem. Outra maneira de envolver os outros com a implementação da mudança é perguntar aos impactados pela mudança quais processos de trabalho, sistemas e políticas precisam mudar para garantir a implementação de sucesso.

Decida o que não irá fazer. Apesar de ser importante dar orientações sobre o que fazer, é igualmente importante dar instruções sobre o que *não* fazer. Faça as seguintes perguntas quando estiver decidindo o que fazer e o que não fazer: qual projeto ou iniciativa terá o maior impacto em sua visão? Qual deles proporciona o melhor retorno sobre os recursos despendidos (dinheiro, pessoal, tempo)? As pessoas responsáveis pelo projeto poderão lidar com ele tendo em vista todas as outras tarefas das quais foram encarregadas? Há pessoas qualificadas suficientes que poderão dedicar tempo para trabalhar no projeto? Há alguma sinergia entre esse projeto e outros projetos essenciais?

Uma vez tendo priorizado e sequenciado uma lista de possíveis projetos de mudança, reconheça que, como vivemos em um ambiente dinâmico, as prioridades podem mudar e os recursos podem se tornar mais abundantes ou escassos. Isso também pode alterar o tipo e o número de projetos que uma organização tem condições de desenvolver a qualquer momento. Priorizar iniciativas de mudanças e passos dentro de uma única iniciativa é uma tática crucial para reduzir as preocupações quanto à implementação.

Decida como e quando medir e avaliar o progresso. O adágio é verdadeiro: o que é medido é feito. Por ser difícil prever o comportamento humano com toda a certeza – especialmente em face de uma grande mudança – avalie o progresso que está sendo alcançado em várias frentes a fim de identificar riscos em potencial para a obtenção do sucesso da mudança. Essas áreas incluem o comprometimento do patrocinador e dos colaboradores, mudanças de comportamento dos colaboradores, o alcance de marcos do projeto e progresso em direção ao cumprimento dos resultados de negócios.

O plano de medição desenhado nesse estágio do processo de mudança deve descrever o que será medido, como será medido e a frequência da medição. Para aumentar a probabilidade de uma mudança bem-sucedida, cogite usar a Pesquisa Blanchard sobre Disposição para a Mudança[3] a fim de determinar o que está funcionando bem e o que requer trabalho adicional. E pergunte constantemente aos apoiadores de primeira hora da mudança qual a sua opinião sobre o que está acontecendo.

Comunique-se, comunique-se, comunique-se. Muito já foi dito sobre a importância da comunicação em tempos de mudança. Por que ela é tão importante? Grande parte da resistência encontrada durante mudanças organizacionais é causada por uma falta de informações, especialmente aquelas que respondem as perguntas o que, como e por quê?

Na falta de uma comunicação honesta, entusiasmada e empática, as pessoas criam suas próprias informações sobre a mudança e os rumores começam a ser tomados como verdadeiros.

Certa feita, por exemplo, trabalhamos com uma organização que passava por um grande número de mudanças. Quando iniciamos nosso trabalho, percebemos que fora fornecida pouca ou nenhuma explicação para decisões centrais que afetariam um grande número de pessoas. Sem uma fundamentação como apoio, os fatos pareceram contundentes para os membros da equipe:

- O projeto de desenvolvimento em que eu estava trabalhando foi interrompido.
- Meu orçamento foi cortado.

Com base apenas nesses fatos, muitas pessoas acharam que o futuro da empresa era desolador. Em consequência, tornou-se necessário um tremendo esforço para superar o ciclo de rumores que levou à queda na produtividade e no moral e fez com que algumas pessoas começassem a procurar outros empregos.

Consideremos os mesmos fatos, mas dessa vez com uma fundamentação como apoio. Você percebe como a inclusão dessa fundamentação poderia ter evitado os rumores e a resistência suscitados?

- O projeto em que eu trabalhava foi interrompido porque descobrimos que a segurança do cliente estava em risco. Como nosso valor de maior prioridade é a segurança do cliente, tomamos uma decisão alinhada com nossos valores.
- Meu orçamento foi cortado porque a organização está realocando esses fundos para outro projeto de desenvolvimento de um medicamento baseado em um acordo de licenciamento que assinamos há pouco.

A resistência mais forte à mudança às vezes pode ocorrer quando a realidade difere das expectativas. Portanto, entender as expectativas atuais daqueles afetados pelas mudanças é fundamental se os líderes quiserem administrar e moldar, ou transformar, essas expectativas de forma eficaz.

Reconheça que a resistência velada destrói a mudança. Líderes eficazes não apenas toleram as francas manifestações de preocupações como até recompensam seus colaboradores por compartilhar suas preocupações de forma aberta, honesta e construtiva. É crucial que os líderes proporcionem oportunidades para uma comunicação de mão dupla, pois preocupações não podem ser abordadas e resolvidas sem um diálogo franco entre ambas as partes.

É importante também reconhecer que não basta comunicar sua mensagem apenas uma vez para que a maioria das pessoas aja de acordo com seu conteúdo. As pessoas em organizações são de tal forma bombardeadas com informações que uma das melhores formas de separar o que requer uma ação daquilo que não requer é ouvir com mais atenção as mensagens que são comunicadas repetidas vezes. Elas podem ser distinguidas das mensagens menos concretas que vêm e vão. Comunique suas mensagens centrais pelo menos sete vezes de sete formas diferentes. Ou, melhor ainda, pelo menos dez vezes de dez formas diferentes.

Estratégia de Mudança 4: Tornar a mudança sustentável
Resultado: resultados sustentáveis

A quarta estratégia para liderar mudança, tornar a mudança sustentável, serve para *preocupações quanto à implementação e ao impacto*. Quando tornam a mudança sustentável, os líderes preparam o caminho para resultados sustentáveis. Isso incentiva as pessoas a se envolver na mudança, a desenvolver novas habilidades e a se comprometer com a organização. Essa estratégia de liderança de mudança aborda os seguintes motivos pelos quais projetos de mudança fracassam:

10. As pessoas não são capacitadas ou estimuladas a desenvolver novas habilidades.
11. Aqueles que lideram a mudança não são confiáveis. Não se comunicam com eficiência, transmitem mensagens confusas e não constituem modelos dos comportamentos que a mudança exige.
12. O progresso não é medido, ou ninguém reconhece as mudanças que as pessoas tanto trabalharam para colocar em prática.
13. As pessoas não têm responsabilidade pela implementação da mudança.

Nossa experiência demonstra que a maioria das organizações adota cedo demais essa estratégia de liderança em mudança, de tornar a mudança sustentável. Em muitos casos, os executivos anunciam a mudança e tratam de colocar as pessoas em treinamento o mais cedo possível. Infelizmente, isso significa que *as preocupações pessoais e quanto a informações* ainda não foram abordadas, e por isso os resultados do treinamento ficam aquém do desejado. Além disso, muitas vezes o treinamento é feito antes que todos os problemas tenham sido resolvidos, as contingências planejadas, os mecanismos de ajuda ao usuário implantados, ou os sistemas alinhados. Por fim, o treinamento, quando realizado cedo demais, geralmente fracassa, porque é padronizado. Após a geração de aprendizagens com projetos-piloto e com as experiências e depois de a infraestrutura certa estar no lugar, o treinamento para a mudança deve ser feito da forma mais individualizada possível. O ideal seria que uma estratégia de treinamento fosse aplicada na hora certa a cada indivíduo.

Observe como a estratégia de tornar a mudança sustentável é precedida por três outras. Não é por acaso. A maioria das organizações não faz um bom trabalho na fase inicial, o que seria necessário para uma mudança bem-sucedida. O grito de guerra que ouvimos com frequência durante nosso trabalho em organizações que passam por mudanças é "Estamos elevando o nível!". Esse grito por si só não é negativo. Nada, porém, mitiga mais a motivação do que dizer às pessoas que melhorem seu desempenho sem proporcionar-lhes as novas habilidades, ferramentas e os recursos exigidos para que elas atinjam o novo nível. Como consequência, a reação à proclamação dos líderes sobre a "elevação do nível" muitas vezes é algo parecido com: "Quer dizer que hoje eu não estou fazendo um bom trabalho?".

Depois de determinados os papéis, responsabilidades e competências exigidos para uma mudança duradoura, é preciso preencher lacunas quanto às habilidades. Como sugere o SLII®, os líderes devem usar um estilo de liderança de direção nº 1 (com alto grau de direção e baixo apoio), ou, mais provavelmente, o estilo nº 2, de *coaching* (com alto grau de direção e alto grau de apoio) para desenvolver a competência e o comprometimento das pessoas. Os líderes precisam aproveitar os erros como oportunidades para mais aprendizagem e devem elogiar o progresso.

No estudo de caso do pagamento de pensões alimentícias que mencionamos antes, um grupo de funcionários municipais envolvidos no projeto-piloto foi escolhido para treinar outros funcionários a usar o novo sistema eletrônico de rastreamento e os novos processos de trabalho. Isso colocou funcionários municipais em treinamento frente a frente com outros em situação semelhante e que já haviam percorrido o caminho antes. Como os treinadores falavam a partir de uma posição de experiência, passavam confiança aos outros e estabeleciam expectativas realistas daquilo que poderiam esperar quando seus municípios estivessem usando o sistema.

Além disso, os funcionários facilitadores do treinamento usavam as sessões como oportunidades para obter mais informações e certificar-se de que o plano de implementação fosse o mais sólido possível.

Quando os líderes prestam atenção no esforço de mudança nesta fase – em vez de anunciar a próxima mudança! – eles criam as condições para a responsabilidade e para os resultados iniciais. Algumas táticas para tornar a mudança sustentável incluem:

- ***Faça aquilo que prega.*** Ainda que seja crucial para os líderes da mudança que se comuniquem a uma só voz, é mais importante ainda que pratiquem o que pregam e sirvam de modelo ao comportamento esperado dos outros nesta fase do ciclo de mudança.

    Estima-se que as ações de um líder sejam pelo menos três vezes tão importantes quanto seu discurso. Os líderes devem mostrar tanto comprometimento com a mudança quanto as pessoas que eles lideram, se não mais. As pessoas avaliarão o que o líder faz e o que ele não faz para aferir seu comprometimento com a mudança. No instante em que colaboradores ou colegas sentirem que o líder não está comprometido, ou que age de forma inconsistente com os comportamentos desejados para a mudança, não se comprometerão mais com o esforço.

- ***Avalie, elogie o progresso e redirecione quando for necessário.*** Como mencionado antes, o que é medido é feito. Lembre-se, as ações e as ideias das pessoas são indicadores prévios de desempenho financeiro e de negócios. Indicadores prévios permitem que você dirija "olhando para a frente", em vez de depender apenas de indicadores passados, como o desempenho financeiro, o que equivale a dirigir olhando pelo retrovisor.

    Quando a medição ocorrer, elogie o progresso que está sendo feito. Não espere por um desempenho perfeito. Se fizer isso, você esperará por muito tempo. Este conceito tem sido fundamental para nossos ensinamentos há várias décadas:

> *O fundamental para desenvolver as pessoas e criar organizações excelentes é flagrar as pessoas fazendo a coisa certa e destacar o que é positivo.*

Como está tudo planejado para as vitórias de curto prazo, você conseguirá descobrir e poderá compartilhar histórias de sucesso como meio de influenciar as pessoas que ainda permanecem em cima do muro. Cumpra a promessa de reconhecer e recompensar o comportamento que espera e cumpra a promessa de impor consequências às pessoas que estão tentando fazer o projeto de mudanças fracassar. É nesse estágio que você redireciona o empenho das pessoas ou se livra das que ainda resistem.

No estudo de caso sobre os pagamentos de pensões alimentícias, o governo estadual marcava reuniões mensais para funcionários municipais, com datas semelhantes para o lançamento oficial do novo sistema. Durante essas reuniões, cada município era convidado a compartilhar uma história bem-sucedida e qualquer desafio que estivesse enfrentando. A ideia de encarregar cada município por relatar uma história de sucesso diante de outros colegas criou uma competição saudável para que o novo sistema de rastreamento funcionasse. Permitiu que os municípios que haviam adotado o sistema mais cedo influenciassem aqueles que ainda estavam em cima do muro. A discussão de desafios também abriu oportunidades para aprendizagens que podiam ser reaplicadas no sistema de rastreamento, no processo de planejamento e no treinamento de funcionários municipais.

Em outro exemplo, uma equipe com a qual trabalhamos estava liderando uma mudança e instituiu o uso de um "painel de desempenho" para medir constantemente o progresso em relação a um conjunto de indicadores de desempenho. A equipe de liderança da mudança encontrava-se duas vezes ao mês para discutir o progresso do plano, que estava visível nos indicadores verdes, amarelos e vermelhos no painel de desempenho. Caso um indicador de desempenho crucial estivesse verde, isso era elogiado e celebrado. Se o indicador estivesse amarelo ou vermelho, a equipe discutia a melhor maneira de redirecionar os esforços para que aquele indicador voltasse a ficar verde. O processo responsabilizava as pessoas pelo desempenho e assegurava que recebessem a direção e o apoio necessários para melhorar seu desempenho.

- **Mate a burocracia.** A burocracia mata a mudança. Nesta fase do processo de mudança, é importante envolver os outros mais uma vez na identificação dos processos de trabalho, políticas e procedimentos que atravancam a implementação bem-sucedida da mudança.

Estratégia de Mudança 5: Explorar as possibilidades
Resultado: opções

A quinta estratégia de liderança de mudanças, explorar as possibilidades, trata das *preocupações quanto à colaboração e quanto ao aprimoramento*.

Essa estratégia aborda os dois últimos motivos de fracasso dos projetos de mudança:

14. As pessoas que lideram a mudança não respeitam a força da cultura que pode anular essa mudança.
15. As possibilidades e alternativas não são exploradas antes de uma mudança específica ser escolhida.

Ainda que uma equipe de liderança de mudanças de alto desempenho possa gerar entusiasmo e sucessos de curto prazo durante épocas de mudança, é crucial que a mudança seja entranhada na cultura da organização – suas atitudes, crenças e padrões de comportamento – se o objetivo for sustentar essa mudança a longo prazo.

Se for introduzida uma mudança não alinhada com a cultura vigente, esta deve ser alterada de modo a dar sustentação à nova iniciativa, sob pena de que a mudança não se sustente. A melhor forma de alterar a cultura é revisar a visão original da organização e examinar seus valores. Identifique quais desses valores dão suporte à nova cultura e quais deles não o fazem. Depois, defina os comportamentos que são mais coerentes com os valores e crie reconhecimento e formas de cobrar responsabilidade por comportamentos que estejam alinhados com esses valores. É estimulante para uma organização fazer isso dentro do contexto de implementação da mudança.

Em muitos casos, uma mudança é implementada em algumas unidades de negócio antes de outras unidades serem engajadas. O processo de mudança definido pelo Modelo de Liderança de Pessoas ao Longo da Mudança precisa ser repetido em cada nova unidade no momento em que se inicia a mudança.

Em nosso estudo de caso sobre pagamentos de pensões alimentícias, era fundamental garantir que todos os obstáculos ao uso do novo sistema de rastreamento fossem removidos. Apesar de haver vários obstáculos a serem superados comuns à maioria dos municípios, muitos desses empecilhos eram diferentes de um município para outro. Como consequência, a implantação da mudança em nível local exigiu uma atenção focada localmente. Em função do constante apoio proporcionado, tornou-se possível remover os obstáculos e os próprios municípios convenceram uns aos outros dos benefícios de implantar o novo sistema de rastreamento. Esse esquema permitiu que a iniciativa se estendesse para todo o estado e, com o tempo, para todo o país.

O ideal seria que aqueles que estão mais próximos dos problemas e das oportunidades dentro de uma organização sugerissem as alternativas para a equipe que lidera a mudança. Para garantir o critério de credibilidade e a inclusão das melhores alternativas, as opções identificadas devem ser revisadas por uma amostra representativa daqueles afetados pela mudança.

Em nosso estudo de caso sobre pagamentos de pensões, pais detentores da guarda das crianças e funcionários dos municípios em todo o país revelaram sua frustração com a dificuldade cada vez maior de rastrear os devedores das pensões, que, além disso, mostravam-se mais ardilosos do que nunca. O governo federal recebeu essas reclamações, explorou as causas e identificou várias reações possíveis. Alguns projetos de mudança foram escolhidos como parte de uma estratégia integrada para fazer com que se cumprisse a cobrança das pensões devidas. Esses projetos incluíam medidas como reter na fonte o pagamento de salários devidos aos pais devedores; interceptar restituições, estaduais ou federais, de impostos, benefícios como seguro-desemprego e até mesmo prêmios de loterias. Os projetos também incluíam relatórios quanto a crédito, suspensão da carteira de motorista e profissional, localização de ativos bancários, cruzamento de relatórios de novas contratações empregatícias, suspensão de licenças de caça e pesca, recusa de passaporte, penhores, cruzamento de dados de empréstimos federais e automação de operações de pagamento de pensões, incluindo interfaces com numerosos outros sistemas de agências estaduais.

Algumas dessas alternativas eram potencialmente mais viáveis e teriam maior impacto do que outras. A simples existência das opções fez com que os envolvidos passassem a sentir que havia, sim, alternativas, e que poderiam influir na mudança.

Desde que o sistema de rastreamento eletrônico foi implementado, as cobranças de pensões pularam de US$ 177 milhões para mais de US$ 460 milhões ao ano. Um aumento nas cobranças significa que um maior número de crianças está recebendo o pagamento a que têm direito e um menor número de famílias precisará recorrer a recursos públicos para sobreviver.[4]

A importância de reforçar a mudança

Esperamos que a instrução de líderes sobre como implementar cada estratégia de mudança e superar os 15 motivos pelos quais os esforços de mudança geralmente fracassam tenha conseguido eliminar grande parte do mistério que sempre cercou esse processo. A reação adequada às preocupações dos outros e o aumento do envolvimento e da influência a cada passo no processo de mudança são as melhores formas que conhecemos para desenvolver a receptividade, a capacitação e a liderança para mudanças futuras.

Em resumo, eis aqui uma boa regra básica:

> *As organizações devem gastar dez vezes mais energia reforçando a mudança recém-efetuada do que procurando efetuar a próxima grande mudança.*

*****

Vale a pena repetir: se você introduzir uma mudança que não esteja alinhada a cultura presente, precisará recriar a cultura existente para que ela venha a dar suporte à nova iniciativa. Dada a importância da cultura, no próximo capítulo discutiremos em detalhes como construir ou transformar uma cultura organizacional.

16
Gerenciando uma transformação cultural de sucesso

Garry Demarest, Chris Edmonds e Bob Glaser

Observe com todo o cuidado as operações de uma organização de alto desempenho, e você certamente verá uma cultura sólida e diferenciada. Embora o termo seja bastante conhecido e muito tenha sido dito a respeito,[1] cultura pode ser um conceito extremamente difícil de descrever. Como indicamos no Capítulo 2, "O poder da visão", definimos cultura como o contexto em que todas as práticas existem. É a personalidade da organização; trata-se de "como fazemos as coisas por aqui". Quando tratamos da cultura de uma organização, estamos nos referindo aos valores, atitudes, convicções, comportamentos e práticas dos integrantes do corpo organizacional.

Em nossa experiência, muitos integrantes de uma organização consideram difícil descrever a cultura da empresa em que trabalham, inclusive pelo fato de quase sempre estarem imersos nessa própria cultura. Eles não chegam a pensar sobre os aspectos distintivos, símbolos, rituais, histórias, eventos e comportamentos que fazem da cultura de sua organização o que ela é.

Novos integrantes de uma organização normalmente aprendem como é essa cultura da forma mais difícil, tropeçando nela à medida que tentam navegá-la. Funcionários mais experientes apressam-se então a corrigir os recém-chegados e a instruí-los a respeito daquilo que seria o "comportamento esperado". Alguns anos atrás, por exemplo, trabalhando com uma turma de uma das fábricas da Honda norte-americana, um de nossos sócios foi repreendido por um gerente pelo fato de levar consigo um alimento à sala de aula. Ele foi então informado de que nenhum colaborador podia fazer qualquer tipo de refeição em sala de aula, e que dele se esperava que também cumprisse essa regra.

Cada organização tem uma cultura própria; ela pode ser estabelecida de maneira formal ou evoluir naturalmente, na falta de melhor alternativa. A cultura da empresa leva ao fortalecimento do desempenho organizacional e do entusiasmo do funcionário – ou causa sua erosão. A cultura pode ser complexa. No âmbito de uma organização, diferentes divisões, regiões ou departamentos podem ter culturas levemente – ou enormemente – diferentes. Essas culturas intactas podem, como acontece com a organização no seu todo, ajudar, retardar ou prejudicar o desempenho organizacional e o entusiasmo dos funcionários.

A cultura dá suporte a tudo aquilo que uma organização faz. Como aprendemos no capítulo anterior, ela também determina a disposição da organização para a mudança. Quando as organizações buscam crescer, normalmente encontram aspectos de sua cultura que precisam ser mudados.

Os líderes começam a pensar na possibilidade de uma mudança cultural quando sentem que alguma coisa na organização não funciona mais ou não tem possibilidade de recuperação. Pode ser um incidente sem maiores proporções, mas que causa olhares enviesados – ou que exige uma recuperação de alto custo –, ou padrões de comportamento que demonstram um baixo limite de credibilidade, respeito e confiança por toda a organização. Às vezes, uma série de baixos índices em pesquisas sobre o nível de confiança dos funcionários acaba demonstrando aos líderes que a organização pode estar em uma situação pouco saudável.

Gung ho!: um ponto de partida

Não é de hoje que reconhecemos que a cultura exerce um profundo efeito sobre o comportamento dos integrantes da organização, sobre a confiança e o respeito que existem entre eles, e, por fim, sobre o próprio sucesso da empresa. Contudo, não dedicamos muito tempo ao estudo da cultura, a não ser depois da publicação do livro *Gung Ho!: Turn on the People in Any Organization*, de Ken Blanchard e Sheldon Bowles. Tratava-se da história de dois personagens improváveis – Peggy Sinclair, uma nova gestora, e Andy Longclaw, um gerente muitas vezes criticado. Eles empreenderam uma jornada totalmente fora dos padrões convencionais para mudar, com sucesso, a cultura da unidade industrial em que trabalhavam.[2]

Recebemos inúmeros telefonemas e emails de líderes de organizações dando conta dos seus esforços e esperanças para colocar em prática a história de *Gung Ho!* (um grito de guerra asiático que pode ser traduzido como "todos juntos!"). Alguns deles tentaram implementar os princípios fundamentais baseados no livro – necessidade de trabalho importante (o Espírito do Esquilo), estar no controle e atingir a meta (o Método do Castor), e elogiar permanentemente os méritos mútuos (o Talento do Ganso). Porém, constataram que os resultados e as mudanças ou não eram sustentáveis ou não produziam os resultados previstos. Entre aqueles que focaram no princípio do Talento do Ganso, do mútuo elogio permanente, houve quem constatasse que os sentimentos positivos gerados tendiam a ter vida curta e não mudavam o comportamento dos seus comandados a longo prazo.

Interagindo com esses líderes, constatamos que apesar de todos os três princípios estarem presentes em todas as grandes culturas, precisaríamos ser mais inteligentes sobre como criar uma cultura forte e diferenciada e como mudar uma cultura que está praticamente sabotando a implementação de uma ótima iniciativa. Logo de início, aprendemos quatro coisas. A primeira delas, que não existe cultura "certa". A segunda, que a maioria das organizações não criam conscientemente uma cultura própria. A terceira, que as altas lideranças frequentemente não entendem o impacto da cultura sobre o desempenho. Por fim, nos demos conta de que uma cultura forte e focada começa por uma visão cativante.

Uma cultura "certa"?

Não existe uma cultura organizacional "certa", ou "correta". Tivemos a oportunidade de observar organizações de alto desempenho em inúmeros ramos no mundo inteiro. Elas todas têm descrições de valores ligeiramente divergentes, e comportamentos diferentes que são esperados, mas em todas elas há uma coisa que não muda: a cultura serve igualmente aos integrantes, clientes e *stakeholders* de cada uma delas.

A maior interrogação que todos enfrentam é: "Qual a cultura certa para a nossa organização?". A resposta depende de vários fatores. Quais valores que você pretende ver demonstrados, dia sim, no outro também, em sua organização? Quais comportamentos poderão consistentemente criar o alto desempenho almejado e, ao mesmo tempo, consolidar forte credibilidade e respeito entre todos os funcionários e clientes? Que comportamentos os personagens principais da organização consistentemente demonstram? Como você pretende fazer que gestores e colaboradores se tratem mutuamente? O que você gostaria de ouvir os clientes comentando consistentemente sobre seus produtos e serviços, e a respeito das interações deles com o seu pessoal?

Cultura por projeto, não por padrão

Nossa longa experiência com uma ampla variedade de organizações levou-nos a concluir que a maioria das organizações não cria conscientemente sua cultura. A cultura dessas empresas simplesmente emergiu à medida que seus produtos e serviços foram desenvolvidos, adquiridos pelos clientes e entregues pela organização. A cultura, portanto, costuma emergir na prática, e não por projeto.

Se a cultura organizacional não serve bem aos clientes, não mantém funcionários entusiasmados e não cria lucros para que o seu empreendimento possa continuar crescendo e servindo, está na hora de revisar a forma de operação da organização, realizando uma transformação cultural.

A questão fundamental para as altas lideranças é:

A sua cultura serve à sua organização?

Se não estiver servindo, é chegada a hora de tornar-se proativo com o objetivo de construir uma cultura que sirva às necessidades da organização no seu todo, e não apenas aos líderes.

Ceticismo sobre a cultura entre a alta liderança

São muito frequentes os casos em que os líderes não conseguem diagnosticar uma cultura enferma. Eles costumam, por exemplo, atribuir moral baixo ou desempenho insuficiente a capacidades de gestão insatisfatórias, trabalho de equipe inconsistente ou influências externas. Não conseguem entender que essas questões podem ser o resultado de uma cultura que precisa de atenção.

Uma razão pela qual a cultura não ocupa o centro das atenções dos líderes reside na noção dominante de que a cultura não é relevante para o negócio principal – alheia, portanto, ao desempenho de uma organização. Essa crença é reforçada pelo fato da imprensa especializada em economia e negócios ter se concentrado continuamente na melhoria do desempenho organizacional. Pouquíssimos livros – e um número ainda menor de consultores – concentraram suas atenções no poder da cultura de exercer um impacto positivo tanto no desempenho quanto na paixão dos funcionários por aquilo que fazem. Contudo, acreditamos que a cultura determina igualmente o desempenho organizacional e a paixão dos funcionários.

O motivo que levou os autores especialistas em economia a se concentrar principalmente no desempenho organizacional é racional. A maioria das altas lideranças certamente lhe dirá que sua principal métrica de desempenho é o desempenho organizacional (vendas, produtividade e lucros). O desempenho financeiro é de importância crucial para os gestores por ser também *a métrica pela qual eles são avaliados e recompensados*. Infelizmente, essa situação produz um foco voltado exclusivamente para resultados a curto prazo, em detrimento de perspectivas a longo prazo que conduzem e contribuem para o desempenho, tais como a paixão dos funcionários, o atendimento ao cliente e a qualidade consistente. São, todos, fatores que uma cultura de alto desempenho pode impactar.

A Merck, por exemplo, uma das empresas farmacêuticas de maior sucesso no mundo inteiro, viveu a experiência de uma notável virada em uma divisão de vendas que adotou um processo de mudança cultural. A divisão era à época uma das piores, em termos de desempenho, no conglomerado farmacêutico, e o vice-presidente da divisão trocou o cargo por outra oportunidade na mesma empresa. Essa transição representou uma "grande oportunidade para pensar a respeito da cultura que queremos", relatou Tim Schmidt, então diretor de treinamento em vendas e desenvolvimento profissional. A equipe de gerenciamento internalizou, aplicou e moldou um processo mudança de cultural, com destaque ao trabalho em equipe e responsabilidade para todos na divisão. Dentro de um ano, e ainda sem um novo vice-presidente no comando, a divisão ascendeu ao segundo lugar no ranking de desempenho da empresa. Janet Crawford, diretora sênior de negócios da divisão na época, afirmou que o processo de mudança cultural tivera "ligação direta com o nosso sucesso".

Uma mudança cultural pode melhorar o resultado financeiro final – e de uma hora para outra. Sob a liderança do presidente Mark Deterding e sua equipe, a nova cultura implementada no Banta Catalog Group melhorou o empenho dos funcionários em 20%, aumentou sua retenção em 17%, e incrementou a lucratividade em 36% – tudo disso em apenas 18 meses.

A Bowater Pulp and Paper, de Gatineau, Ontario, no Canadá, atribuiu suas reduções de custos – mais de US$ 50 milhões – ao processo de mudança cultural. A empresa destacou, entre outras mudanças positivas, um aperfeiçoamento de 40% na transparência dos objetivos e responsabilidades no trabalho, um aumento de 44% na implementação gerencial de sugestões dos funcionários e uma melhoria de 24% nas relações interdepartamentais.

O processo de mudança cultural da Minera El Tesoro, uma operadora de mineração de cobre no Chile, ajudou a mina a gerar níveis de produção 29% superiores à capacidade projetada pelo quarto ano consecutivo. Com a mudança cultural, os acidentes foram reduzidos em 40%, e a empresa passou a ser reconhecida como um dos 10 melhores lugares para se trabalhar no Chile.

A importância de uma visão cativante

Como discutimos no Capítulo 2, uma cultura organizacional sólida e focada começa por uma visão cativante que transmite a todos o que você é (seu propósito), para onde vai (sua visão de futuro) e o que orientará sua jornada (seus valores).

Desses três elementos fundamentais, o mais impactante para uma cultura de alto desempenho são os valores, porque são eles que orientam comportamentos e decisões cotidianos. Muitas equipes de liderança não conseguem ser suficientemente transparentes a respeito dos valores e comportamentos esperados dos seus membros. Na verdade, inúmeras organizações sequer definiram seus valores, tais como "o que por aqui é considerado um bom cidadão". Contudo, entender os valores centrais de uma organização é vital para decodificar a cultura organizacional. Valores corporativos, quando existem, são normalmente comunicados durante a orientação de um novo integrante quanto aos aspectos gerais da empresa. Esses valores podem ser descritos no relatório anual, expostos no saguão de entrada ou em corredores ou até mesmo impressos no verso de cartões de visita. Mas esses valores adotados ou simplesmente declarados talvez não sejam bem comunicados ou compreendidos pelos funcionários, nem plenamente visíveis para os clientes, como o são em organizações como Southwest Airlines, Disney e Nordstrom.

Faça esse teste: pergunte a alguns funcionários de linha de frente se eles conseguem recitar os valores da sua empresa. Em muitas organizações do mundo inteiro, você não obterá uma resposta confiante e clara a essa pergunta – muitas vezes, apenas um olhar aturdido!

Mesmo quando os valores almejados por uma organização são claros, os líderes não costumam ser suficientemente disciplinados para examinar até que ponto os integrantes da sua empresa estão vivendo de acordo com esses valores proclamados. Se os valores vivenciados não estiverem alinhados com os valores proclamados, você não verá comportamentos desejados na organização. Na verdade, você verá comportamentos indesejados que o farão envergonhar-se e que serão extremamente danosos ao sucesso e à integridade de sua organização. A Enron é bom um exemplo de uma organização cujos valores vividos se revelaram inconsistentes com valores proclamados. O valor de "integridade" da Enron foi exposto para que todos vissem, e era até mesmo demonstrado de maneira comportamental. Contudo, não se tratava de um valor vivido (pelo menos nos gabinetes dos executivos), como ficou tristemente demonstrado.

Gerenciando uma transformação cultural de sucesso

Se os líderes realmente pretendem transformar a cultura de sua organização, precisarão criar uma base de expectativas de desempenho muito claras, valores comportamentais definidos e credibilidade para poder demonstrar tanto essas expectativas quanto os valores. Para que isso aconteça, os líderes *precisam* ser os maiores defensores da mudança cultural. Apenas eles têm o poder de definir a cultura desejada e de criar ou aperfeiçoar sistemas, políticas e procedimentos a fim de implantar a pretendida cultura. Eles precisam ser coerentes com seu próprio discurso, atuando como modelos do comportamento exigido de todos os membros da organização.

Um programa de treinamento ou solução rápida, por si só, não consegue gerar o impulso necessário para concretizar a mudança cultural de longo prazo. A mudança verdadeira exige um comprometimento mais profundo.

Passam-se muitos anos até que uma cultura organizacional chegue a um estágio consolidado. Com esforços consistentes e focados os líderes podem calcular de dois a cinco anos de prazo para uma razoável transformação da cultura de sua organização. Jack Welch, por exemplo, levou dez anos para dar a volta por cima na General Electric, na década de 1980.

Jamais esqueça que, como discutido no capítulo anterior, as pessoas são resistentes à mudança. Mesmo quando o presente não é o melhor dos mundos, elas preferem o conhecido ao desconhecido. Paciência e persistência acabam dando certo. Líderes precisam continuadamente comunicar a necessidade da mudança, exaltar os progressos e consolidar os comportamentos almejados.

Para que uma mudança cultural tenha sucesso, todos – gestores, supervisores, líderes de equipes, pessoal de linha de frente – devem compartilhar a responsabilidade pelo cumprimento do desempenho desejado e por vivenciar os valores organizacionais. Lembre-se, a cultura organizacional só mudará quando os indivíduos alterarem seus comportamentos.

Jamais participe dessa jornada de transformação cultural se não for para valer. A perspectiva da mudança cultural faz surgir nos corações e nas mentes dos envolvidos esperanças de que privilégios departamentais, comportamentos antiéticos e políticas inconsistentes serão todos enterrados no passado. Se a equipe sênior de liderança não conseguir consolidar ou se empenhar na concretização dos compromissos proclamados e assumidos com vistas à transformação da cultura existente, a credibilidade e a confiança terão sofrido abalos talvez irrecuperáveis. Se não tiver a certeza de que este é mesmo o caminho certo para a sua organização, e se não estiver pronto para se comprometer com uma iniciativa de vários anos de duração, *pare antes de começar*.

O processo de mudança cultural tem quatro fases distintas: ***descoberta, imersão, alinhamento*** e ***aprimoramento***. Elas costumam ocorrer em ordem cronológica. Contudo, é normal que se dê alguma superposição quando a organização avança já nas fases finais. Este processo vem sendo testado há muitos anos. Somos testemunhas de sucessos consistentes quando as organizações criam uma mudança cultural e seguem esses passos.

Ao discutirmos as quatro fases a seguir, usaremos a WD-40 Company como exemplo. No Capítulo 7, "Habilidades essenciais para a liderança de pessoa a pessoa", analisamos como o CEO/Presidente Garry Ridge implementou uma mudança significativa no sistema de avaliação de desempenho da empresa. Porém, como Garry conta: "para mudar significativamente algo tão importante quanto o sistema de avaliação de desempenho de uma organização, antes precisamos enfocar a cultura... Impactar a cultura WD-40 Company que herdei não seria uma alteração rápida".

Fase 1: descoberta

A fase inicial permite que a equipe de mudança cultural aprenda sobre a cultura organizacional vigente e entenda as questões e oportunidades que despertam preocupações entre os líderes seniores. No decorrer desta fase, a equipe de mudança cultural concentra-se na realidade atual. Ela verifica, a partir dos contatos e opiniões de líderes seniores e funcionários da linha de frente especialmente selecionados, quais são os resultados esperados advindos da mudança em termos de desempenho. Nessa fase, também são revelados quais são – se é que existem – os valores definidos, conhecidos e colocados em prática. Dialoga-se com o pessoal de linha de frente e, ocasionalmente, até mesmo com clientes para avaliar o grau do fervor existente entre os funcionários pelo seu trabalho. Por fim, busca-se definir quais são os sistemas de responsabilização em vigor no local, para garantir que o comportamento das pessoas corresponda aos valores da organização.

Ao fim da fase de descoberta, a equipe de mudança cultural faz recomendações específicas para abordar os problemas e lacunas da organização.

A WD-40 Company não estava quebrada quando Garry assumiu o posto de CEO em 1997. Era líder de marca e produzia lucros consistentes havia mais de 40 anos. A filosofia e a cultura da WD-40 Company eram conservadoras, e essa abordagem cautelosa havia servido bem à empresa. Mas isso não bastava para Garry, que pressentia um potencial maior na organização.

Garry trabalhara no marketing internacional da WD-40 Company por quase dez anos antes de ser escolhido CEO. Vir de dentro da empresa foi uma vantagem para ele durante a fase de descoberta. Por estar familiarizado com a cultura existente, ele sabia onde estavam as áreas problemáticas. Ele também sabia quem seriam os indivíduos-chave que precisariam estar por trás de qualquer esforço de mudança cultural.

Fase 2: imersão

A fase de imersão se concentra em submeter os líderes, gestores e supervisores a uma detalhada exposição das melhores práticas de culturas organizacionais de elevado desempenho e baseadas em valores. Como os líderes são os principais participantes desta iniciativa e terão de ser seus defensores em tempo integral, é importante que mergulhem no processo de mudança cultural. Eles devem realizar uma avaliação comparando as melhores práticas de organizações de alto desempenho e com os valores vigentes na sua própria organização. Os resultados da avaliação podem servir de base para identificar os principais problemas e as lacunas culturais.

O próximo passo é o planejamento de medidas para formalizar a nova visão e os novos propósito e valores da organização. A liderança sênior deve desenvolver um plano de comunicação que descreva claramente os motivos para a mudança cultural e que explique totalmente os valores e comportamentos almejados. Como discutido no Capítulo 2, é fundamental que a liderança sênior convide todos a compartilhar suas ideias e *insights* à medida que a nova visão e os novos propósito e valores da organização são desenvolvidos.

Enquanto a equipe de liderança mantém o foco nesses estágios de ação, o processo de mudança cultural deve ser repercutido ao longo de toda a hierarquia gerencial. Nessas sessões, os gestores recebem *feedback* sobre o modo como suas equipes estão atuando em relação às prescrições das melhores práticas. Além disso, precisam oferecer *feedback* sobre o trabalho inicial realizado pela liderança. Os planos de ação dos gerentes são mais táticos e rotineiros por natureza do que os planos de ação dos líderes, que costumam ser mais estratégicos e abrangentes por natureza.

Durante a fase de imersão, enquanto a empresa formulava a nova visão e os novos propósito e valores da WD-40 Company, Garry Ridge incentivou todos a irem além de uma mera declaração do caso de negócio. A empresa acabou por criar uma visão inspiradora e fácil de entender:

> *Nossos produtos eliminam rangidos, odores e sujeira. Basicamente, estamos no ramo da qualidade de vida. Ao eliminarmos rangidos, odores e sujeiras quase que por mágica, criamos memórias positivas e duradouras resolvendo problemas em oficinas, fábricas e lares de todo o mundo.*

Depois que a visão foi estabelecida, Garry e sua equipe desenvolveram um conjunto de valores que guiariam a jornada da WD-40 Company:

- Fazer a coisa certa
- Criar memórias positivas e duradouras em todos os nossos relacionamentos
- Fazer melhor do que é hoje
- Ter sucesso em equipe com excelência individual
- Apropriar-se e executar com paixão
- Sustentar a economia da WD-40 Company

Fase 3: alinhamento

O alinhamento é a fase em que as estruturas e os sistemas passam por uma reengenharia destinada a torná-los consistentes com a cultura desejada, expressa pelos novos valores, propósito e visão. Durante a fase de alinhamento, as pessoas aprendem a manter a coerência do discurso e ter responsabilidade pela nova visão e pelas mudanças desejadas. A responsabilização só pode acontecer quando as expectativas são claras. Todos precisam entender o que se espera deles em termos de desempenho e de valores. Somente depois que essas expectativas estiverem definidas e obtiverem a concordância de todos é que o *coaching*, a exaltação e o redirecionamento poderão ocorrer.

Durante a fase do alinhamento, a equipe de liderança deve identificar métricas-chave da iniciativa de mudança cultural, como ganhos em desempenho, eficiência, crescimento e engajamento ou entusiasmo dos funcionários. São métricas que precisam ser mensuradas regularmente, com a divulgação dos resultados sendo feita em toda a organização. Isso garante que as pessoas conheçam os alvos e com que grau de eficiência estão sendo atingidos.

Os líderes precisam avaliar os sistemas da organização para garantir que apoiam as expectativas de desempenho *e* os valores desejados. Se os sistemas não estão alinhados, as pessoas ficam confusas. Sistemas que concorrem com a visão, o propósito e os valores declarados frustram as equipes e reduzem a paixão dos funcionários.

Os líderes seniores precisam ser democráticos em relação ao processo de alinhamento, incentivando todos os colaboradores a apresentar pensamentos, ideias e *insights* para a melhoria da situação geral. Convidar todo mundo a participar dos debates incentiva a adesão. Em geral, são necessários de dois a três meses para concluir o esboço inicial dos valores e comportamentos que embasarão a pesquisa relativa aos valores.[3]

Quando assumiu seu cargo de liderança na WD-40 Company, Garry Ridge sabia que as pessoas guardavam conhecimentos só para si, pois isso lhes dava poder. Isso competia com o novo valor declarado de "ter sucesso em equipe com excelência individual". Durante a fase de alinhamento do processo de mudança cultural, Garry liderou o esforço de derrubar os silos de conhecimento e criar o que chamava de "campos de conhecimento". As pessoas foram incentivadas a compartilhar conhecimentos e encorajar a aprendizagem contínua. Os erros foram redefinidos como "Momentos de Aprendizado", levando o acúmulo de conhecimento a perder o seu poder.

Para apoiar a nova cultura, solicitou-se que todas as pessoas na organização pensassem na WD-40 Company como uma tribo, não uma equipe, a fim de abrirem suas mentes para a nova filosofia de avaliação de desempenho "Não encha meu trabalho de correções – ajude-me a tirar um A" e a fim de estimular a comunicação em geral.

A pesquisa com empregados

A pesquisa com funcionários é uma ferramenta valiosíssima para garantir que a cultura se mantenha alinhada com a visão, o propósito e os valores. Cada pesquisa pode ser adaptada à cultura especial de cada organização.

Uma vez recebidas as respostas à pesquisa, os membros da equipe de líderes devem analisar os resultados, visando principalmente à descoberta de brechas no alinhamento dos valores e o desenvolvimento de planos táticos para a superação dessas brechas no menor prazo possível. É da maior importância que os líderes compartilhem os dados resultantes, aperfeiçoem seu comportamento e consertem sistemas danificados assim que possível.

Depois de cada rodada, um resumo dos sucessos e brechas deve ser divulgado, e os funcionários precisam ser informados de tudo o que está sendo feito para superar essas brechas.

Anualmente, a WD-40 Company entrevista seus funcionários ao redor do mundo e publica os resultados em seu site aberto ao público. Respostas a declarações como "Sinto-me valorizado como membro da WD-40 Company" e "Recomendaria a WD-40 Company para meus amigos como um bom lugar para se trabalhar" são contabilizadas. Na época da edição deste livro, todos os índices de engajamento dos funcionários estavam acima do 92% percentil.

Fase 4: aprimoramento

A fase do aperfeiçoamento é um projeto continuado. Para reforçar o comportamento e os valores desejados, os líderes devem continuar a aperfeiçoar sistemas e políticas – e de tempos em tempos até mesmo "aperfeiçoar" os próprios componentes do pessoal ou, nas palavras de Garry Ridge, "compartilhá-los com a concorrência". Durante o aprimoramento, os líderes devem continuar o monitoramento das métricas principais, incluindo, na forma ideal, celebrações de grandes conquistas. O treinamento adicional da liderança deve ser programado para aprimorar as habilidades necessárias para manter a mudança cultural viva. A organização deve criar um novo processo de orientação dos funcionários que venha a incluir as expectativas de desempenho, propósito e valores recém esclarecidos.

Na WD-40 Company, a "evolução constante" foi identificada como um aspecto essencial da nova cultura tribal. Os membros da tribo não queriam se estagnar. Em suas próprias palavras:

> *Se nosso lago está secando – as vendas do produto estão em queda por causa de novas tecnologias ou produtos concorrentes inovadores – nosso papel como membros da tribo é garantir nossa transferência para outro lago.*

Desde a implementação da nova cultura, a WD-40 Company cresceu de 100 milhões de dólares (com apenas 30% vindo de vendas nos EUA) para mais de 380 milhões em 2017 (com um nível mais equilibrado de 53% vindo de vendas internacionais). É importante observar que a empresa conseguiu obter esses resultados ao mesmo tempo que manteve métricas incríveis de envolvimento dos funcionários.

Fatores cruciais de sucesso para a transformação cultural

Como revelado na nossa discussão sobre as quatro fases de um processo eficaz de mudança cultural, e destacado pelo estudo de caso da WD-40 Company, culturas de alto desempenho e alinhadas em valores compartilham cinco fatores cruciais de sucesso:

- **A equipe de liderança deve demonstrar comprometimento com o processo a longo prazo.** O processo de mudança cultural precisa ser adotado e alardeado pelos líderes. Seus integrantes serão cobrados de acordo com padrões elevados à medida que os valores forem sendo definidos e comunicados. A transformação cultural é um processo continuado que nunca chegará a um fim.

- **Valores são definidos em termos comportamentais.** Esta é a única abordagem que torna os seus comportamentos desejados observáveis, tangíveis e mensuráveis.
- **É fundamental haver responsabilização pela entrega do desempenho prometido e pela demonstração dos valores acolhidos.** As consequências devem ser firmes e consistentes. Consequências positivas pela concretização das expectativas sobre desempenho e valores precisam ser descritas e demonstradas, e consequências negativas previamente acordadas devem ser aplicadas quando o desempenho ficar aquém dos padrões ou se os comportamentos valorizados não forem demonstrados.
- **Toda a equipe deve estar envolvida e comprovar sua adesão à transformação cultural a toda e cada etapa.** Este processo não tem nada a ver com "gestão por proclamação", em que os líderes dizem a todos quais são as novas expectativas, mas não solicitam contribuições nem tornam as pessoas – a começar pelos próprios líderes – consistentemente responsáveis. Para que todos adotem a cultura desejada, devem ser incluídos no respectivo processo. Eles precisam ajudar a definir e se comprometer com o que a nova cultura irá exigir deles em suas funções.
- **O elefante é devorado um pedaço de cada vez.** Encontre um escopo administrável para a iniciativa da mudança. Não busque mudar tudo de uma vez só. Comece com um aspecto da mudança cultural e veja como a coisa avança. Então, com todos esses esclarecimentos solidamente aprendidos, escolha outra parte específica da mudança cultural e continue o processo até ter digerido o elefante inteiro.

*****

Uma cultura organizacional feliz produz pessoas felizes, que por sua vez tratam os clientes direito, o que leva a clientes felizes e resultados financeiros positivos. No próximo capítulo, nos aprofundamos em como tratar os clientes direito pela prestação de serviço lendário.

SEÇÃO III
Trate bem os seus clientes

Capítulo 17 Atendendo os clientes em alto nível 271

17
Atendendo os clientes em alto nível

Ken Blanchard, Kathy Cuff, Vicki Halsey e Jesse Stoner

O terceiro passo da liderança em alto nível consiste em tratar bem os clientes. Ainda que isso pareça mais do que óbvio, a verdade é que organizações com atendimento excepcional são raridade. Parece que muita gente esquece que os clientes alimentam o negócio! Quando uma organização apresenta excelência e consistência suficiente para tornar a reputação de seus serviços uma vantagem competitiva, estamos diante do serviço lendário.

Ganhando pontos com os clientes

No Capítulo 1, "Sua organização apresenta alto desempenho?", discutimos o HPO SCORES®; um dos elementos fundamentais era um *foco incansável em resultados voltados para o cliente*. Em organizações de alto desempenho, todos, de forma entusiástica, buscam e sustentam os mais altos padrões em termos de qualidade e serviços pela perspectiva do cliente. Essas organizações usam a experiência do cliente para avaliar como estão se saindo em cada área da organização. Processos são planejados tendo em mente o cliente.

Em organizações de alto desempenho, tudo começa e termina com o cliente. Essa é uma diferença radical em relação às organizações cujo modelo de negócios coloca o cliente apenas como receptor final da cadeia. No famoso Golden Door Spa, por exemplo, todos os sistemas são preparados para empolgar o cliente. Os colaboradores sabem que sua tarefa é ir além das expectativas e apoiar, no momento certo, a pessoa-chave que está atendendo o cliente.

Como indicamos no Capítulo 13, "Liderança organizacional", em organizações de alto desempenho, as necessidades e as preferências do cliente movem a inovação, novos produtos e serviços. Organizações de alto desempenho planejam os processos de trabalho a partir do cliente para assegurar um fluxo que faça sentido pela sua perspectiva. As relações e as estruturas interfuncionais são organizadas a partir das necessidades do cliente. Organizações de alto desempenho tudo fazem para estar prontas a satisfazer com agilidade as necessidades do cliente e adaptar-se às mudanças do mercado. Antecipam tendências e se adiantam a elas. Desenvolvem inovações em processos a fim de facilitar os negócios com os clientes. Isso cria inovação constante em práticas operacionais, estratégias de mercado, produtos e serviços.

Em organizações de alto desempenho, a administração mantém, como rotina, contato direto com os clientes – não somente com clientes fiéis, mas também com aqueles que estão frustrados, com raiva ou que simplesmente não estão usando os produtos e serviços da organização. Líderes sentem-se entusiasmados em desenvolver conhecimentos sofisticados sobre os clientes e em divulgar essas informações amplamente por toda a organização. Trabalhar com as pessoas a quem servem e ouvi-las atentamente permite que as organizações de alto desempenho respondam de forma rápida e flexível a condições que estão em constante mudança.

A rede de supermercados Trader Joe's, de Connecticut, supera as expectativas fazendo com que o cliente obtenha sempre o melhor do que deseja. Fay Kandarian, uma das pesquisadoras do HPO SCORES®, constatou isso pessoalmente quando levou tulipas vermelhas à fila do caixa. O colaborador examinou as tulipas antes de registrá-las e sugeriu que fossem procurar um buquê mais fresco. Juntos, foram ver outras tulipas e, após examinar as vermelhas, o colaborador escolheu as tulipas mais frescas, nas cores rosa e branco. Após registrar essas tulipas, ele disse: "Como vou ter que jogar essas tulipas vermelhas no lixo, vou dá-las para a senhora, para que pelo menos ainda possa desfrutar delas nos poucos dias que irão durar". Esse é mais um exemplo de como as organizações de alto desempenho estimulam aqueles que lidam com o cliente a criar a melhor experiência possível para este, e a colocar suas ideias em prática.

A ideologia central da Nordstrom, "servir o cliente acima de tudo", já era prática na empresa muito antes de os programas de serviço ao cliente se tornarem moda.[1] O planejamento começa pelo cliente, e a execução está focada nele. Por exemplo, o esforço feito para planejar o ambiente de vendas é muito maior do que aquele feito para planejar a publicidade de vendas. Para assegurar o conforto do cliente, o planejamento de vendas pode incluir estacionamento com manobrista, um número maior de provadores e mais colaboradores no atendimento. Um aspecto central da orientação dada aos novos colaboradores é ensiná-los a dizer "sem problema" e realmente acreditar nisso. Para garantir que o pessoal da linha de frente empenhe toda sua iniciativa em servir os clientes, a regra básica e a principal diretriz que a Nordstrom passa aos colaboradores é que eles devem sempre agir conforme seu melhor discernimento. Na verdade, essa é a única regra que realmente importa. A combinação entre a ética de serviço e o melhor discernimento resultou em histórias memoráveis de roupas que foram passadas a ferro, pacotes da Macy's que foram embrulhados com papel da Nordstrom, trajes entregues pessoalmente e dois sapatos de tamanhos diferentes vendidos juntos para caber nos pés de tamanhos diferentes de um cliente. E o resultado? Os clientes têm pela Nordstrom uma admiração parecida à dos funcionários mais antigos, que também desfrutam de uma participação nos lucros todos os anos.

Criando serviço lendário

Organizações de alto desempenho que focam incansavelmente nos resultados para o cliente são aquelas que proporcionam serviço lendário. Como Ken Blanchard, Kathy Cuff e Vicki Halsey discutem em seu livro *Legendary Service*, o serviço lendário vai além do bom atendimento ao cliente – e não acontece por acidente. Ele começa com líderes que acreditam ser o serviço impecável a maior prioridade. Nós os batizamos de campeões do serviço – líderes inspiradores que geram paixão e motivação entre os colaboradores para aperfeiçoar continuamente o atendimento aos clientes. Esses líderes não apenas fazem discursos inspiradores, mas os traduzem em práticas, criando sistemas e processos que dão sustentação à sua crença de que o serviço é de vital importância.

Conforme Kathy Cuff e Vicki Halsey, organizadores do programa Serviço Lendário da Blanchard, o atendimento excepcional começa com os líderes servindo ao seu pessoal no mais alto nível, para que os colaboradores da linha de frente aprendam, por sua vez, a servir os clientes no mais alto nível. Criar serviço lendário é tarefa que cabe a todos – não apenas às pessoas instaladas nas caixas registradoras ou lidando diretamente com os clientes.

Um serviço lendário consiste em quatro elementos básicos, como mostrado na Figura 17.1:

C **Comprometimento:** Criar um ambiente centrado no atendimento dos clientes – interna e externamente – para que você possa vivenciar a visão de atendimento.

A Atenção total: Ouvir de maneira que lhe permita identificar as necessidades e os desejos dos seus clientes.

R Resposta imediata: Demonstrar sempre uma real disposição de prestar serviço aos clientes, agindo para demonstrar que se importa.

E Empoderamento: Compartilhar informações e instrumentos para realizar todo o potencial da sua capacidade de suprir as necessidades dos clientes.

Um ótimo serviço conquista os clientes pelo aspecto emocional e cria uma conexão. Todos temos nossas experiências com o atendente que recolhe nosso dinheiro e empacota nossas compras, mas nos deixa com uma sensação de frieza. Uma de nossa consultoras fez a seguinte descrição desse sentimento:

> Eu estava numa pequena *pet shop*, comprando uma coleira para o meu cachorrinho. Pelo jeito da moça que atendia os clientes, ninguém iria imaginar que estivesse ali para consolidar um negócio. Estava com cara de poucos amigos e de péssimo humor. Comentei com ela: "Preferi vir a uma loja de bairro do que a uma grande rede de *pet shops*". Em vez de sorrir, ela se aprumou e respondeu: "Eles vão tentar enrolar você com comida barata, mas certamente não

Atenção total
Ouvir para identificar necessidades e desejos

Resposta imediata
Agir para demonstrar que se importa

Comprometimento
Vivenciar sua visão de atendimento

Empoderamento
Realizar todo o potencial da sua capacidade

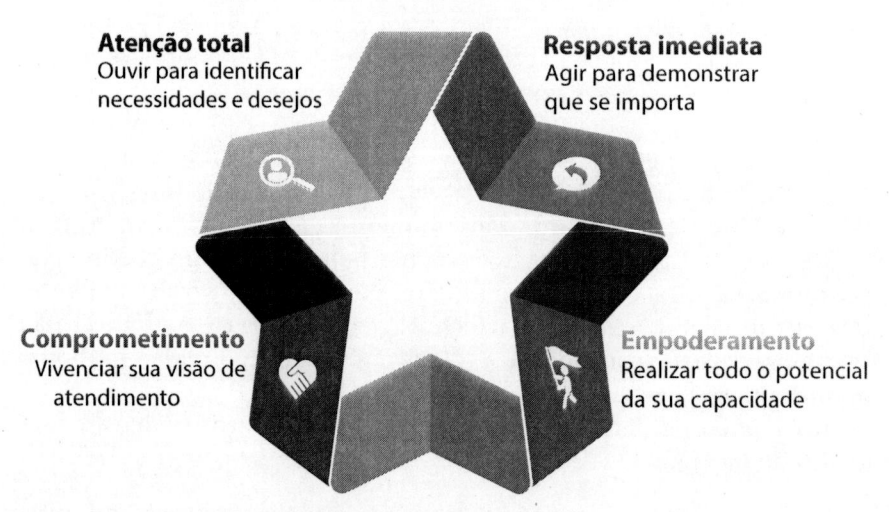

FIGURA 17.1 O modelo de serviço lendário.

conseguirão conquistá-la como cliente". E eu pensei, *"desse jeito, você também não vai me conquistar"*.

Compare essa experiência com o serviço lendário proporcionado a Milt Garrett, um instrutor de recursos humanos que trabalhou conosco durante muitos anos. Ao final de uma semana de treinamento, Milt e sua esposa, Jane, saíram para uma caminhada numa noite de sexta-feira. Foi quando Jane lhe falou, em tom de lamento: "Milt, você esqueceu meu aniversário, esta semana".

Surpreso, Milt exclamou: "Que aniversário?".

"Cinco anos sem câncer", respondeu Jane. Meia década antes, ela passara por uma mastectomia. Ela e Milt desde então haviam celebrado cada aniversário da vitória sobre a doença.

Milt sentiu-se um verdadeiro lixo. Não era possível que tivesse esquecido essa data. Na semana anterior, quando ele e Jane estavam conversando uma noite, haviam concluído que ela precisava de um carro novo. Como o filho deles ainda cursava universidade na Austrália, decidiram esperar um ano, até a sua formatura. Naquela noite, porém, Milt pensou: "O que é que estou esperando? Não é uma maravilha ter Jane ainda na minha vida?".

Na manhã seguinte, ele telefonou para a revenda Saturn em Albuquerque e conversou com um dos vendedores. Milt explicou a situação, dizendo que seus filhos já haviam reparado que Jane queria muito um automóvel branco. "Você conseguiria um Saturn branco para o próximo sábado, quando eu voltar do treinamento?", Milt perguntou.

O vendedor disse a Milt que um Saturn branco era difícil de conseguir. "Mas se você precisar de um para o próximo sábado, pode deixar que eu darei um jeito", completou.

Na manhã de sábado, Milt disse a Jane que tinha várias coisas para acertar, mas assim mesmo convidou-a para almoçarem na cidade. No caminho, passaram pela revenda Saturn. Milt disse a Jane que precisava parar ali para pegar alguns materiais, pois iria fazer uma palestra sobre o Saturn na Câmara de Comércio. Quando entraram na loja, havia apenas um automóvel: um Saturn branco, bem no centro do *showroom*.

"Milt, querido, é esse o carro que eu gostaria de ter!", exclamou Jane. Ela correu para o Saturn e, com amplo sorriso no rosto, sentou-se ao volante. Desceu então e caminhou até parar à frente do automóvel, deu um grito e começou a chorar. Milt não tinha a menor ideia do que estava acontecendo. Quando chegou ao lado dela, viu um cartaz colorido no capô do carro, que dizia:

> Sim, Jane, este é o teu carro!
>
> Parabéns pelos cinco anos de vitória sobre o câncer.
>
> Com amor, Milt, Billy, e toda a equipe da Saturn.

Ao ver que chegavam à loja, o vendedor Billy havia mandado todo mundo ao estacionamento da parte traseira do prédio, para que Milt e Jane pudessem ficar a sós. E, quando os dois estavam abraçados, chorando de felicidade, de repente ouviram aplausos. Levantando os olhares, depararam com todo o pessoal com as mãos estendidas.

O pessoal da revenda Saturn em Albuquerque realmente levava a sério o serviço lendário, fazendo dele uma prática diária. A Saturn ficou conhecida por histórias como essa. Em outro exemplo, uma mulher comprou um Saturn de uma revenda em San Diego. Ela adorou o carro, mas, três meses depois, soube que estava grávida de gêmeos. O carro ficaria pequeno, e, pensando melhor, ela ligou para a revenda e explicou a situação. Disseram-lhe que devolveriam seu dinheiro e a ajudariam a encontrar outro carro que suprisse suas necessidades.

O serviço lendário inspira os clientes a contar histórias sobre a sua empresa. Histórias positivas contadas pelos clientes são o melhor tipo de publicidade que qualquer empresa pode ter.

Recuperar-se rapidamente de eventuais erros é igualmente outra coisa que fará com que os clientes se disponham a exaltar seus serviços. Se você cometer um erro com um cliente, faça tudo o que for possível para corrigir o problema e para criar, ou trazer de volta, um cliente fiel. Serviço lendário não inclui discutir quem está certo ou errado, nem encontrar culpados por um problema eventual – o que vale é resolver o problema para o cliente. Pesquisas mostram que em 95% das oportunidades, os clientes continuarão a fazer negócios com você, desde que você consiga resolver seu problema na hora.[2]

Como ainda outro exemplo, um hotel no sul da Califórnia tinha um histórico de baixa avaliação por parte dos clientes. Quando empresários estrangeiros assumiram o controle do negócio, sentiram que essa má fama derivava principalmente do aspecto decadente do prédio e das instalações. Sua primeira providência foi, com base nisso, investir milhões de dólares na renovação do hotel. A gerência, por outro lado, resolveu não falar aos clientes a respeito das reformas, que se estenderiam por um período de nove meses até um ano. Entenderam que, se os clientes ficassem sabendo da extensão das mudanças, procurariam outros locais menos agitados. Em função dessa estratégia, o gerente-geral reuniu a equipe e disse:

> Vai ficar bem complicado circular por aqui nos próximos 12 meses, ou mais. O barulho e outros incômodos certamente não serão do agrado dos nossos hóspedes. Façam, então, tudo o que for possível para amenizar qualquer problema causado pela nossa remodelação. Se considerarem uma boa ideia mandar uma garrafa de champanhe para alguém, por favor, façam isso. Se for aconselhável contratar uma babá para o filho de algum dos hóspedes, contratem. Façam o possível para que possamos sair desta situação desafiadora com o mínimo de prejuízo.

Com essa estratégia, o hotel ingressou na etapa de reformas. Para a alegria da gerência, durante esse período a avaliação dos hóspedes em relação ao atendimento foi a mais elevada da história do hotel. Mesmo enfrentando as dificuldades decorrentes da situação, a lembrança dos hóspedes ficou concentrada na rapidez e eficiência com que o pessoal superava prontamente qualquer problema gerado pelas reformas. A gerência havia empoderado seu pessoal de linha de frente como especialistas em recuperação. Os resultados foram demonstrados pelo alto índice de hóspedes satisfeitos.

Quando você dá autonomia aos colaboradores para fazer aquilo que é indispensável para servir aos melhores interesses dos clientes, muito provavelmente estará excedendo suas expectativas e minimizando a necessidade de recuperação. A maioria das empresas acredita que apenas uma escassa porcentagem de clientes está sempre à espreita para se aproveitarem delas e que em sua esmagadora maioria os clientes são basicamente honestos e leais. Foi por isso que a Nordstrom decidiu treinar seu pessoal em constante contato com o cliente a usar a frase "sem problema..." como sua primeira reação a qualquer preocupação dos consumidores. Ainda assim, como muitas empresas estabelecem políticas, procedimentos e práticas destinados a reprimir aquela escassa percentagem de clientes antiéticos, perdem a oportunidade de prestar um serviço lendário à maioria honesta. Você por acaso já não ficou impossibilitado de provar uma roupa, tantos são os dispositivos de segurança presentes? A prestação de serviço lendário acarreta riscos, é evidente, mas os ganhos certamente irão superar em muito os problemas, especialmente quando os seus clientes começarem a agir como se fossem integrantes da sua equipe de vendedores. É quando isso acontece que você se convence de que está realmente tratando bem os seus clientes. Como argumentam Sheldon Bowles e Ken Blanchard, os seus clientes passam a ser seus fãs incondicionais.

Atendendo os clientes em alto nível

Em seu livro *Raving Fans*, Sheldon Bowles e Ken Blanchard afirmam que existem três segredos para tratar bem os seus clientes e transformá-los em seus fãs incondicionais: decidir, descobrir e realizar 1% a mais.[3]

Escolha a experiência que pretende proporcionar ao cliente

Se você pretende oferecer um serviço lendário, não basta simplesmente anunciá-lo. É preciso planejá-lo. Você precisa decidir o que pretende fazer. Qual tipo de experiência pretende que seus clientes venham a desfrutar quando interagirem com cada um dos aspectos da sua organização? Alguns argumentariam que, em primeiro lugar, você deveria perguntar isso aos próprios clientes. Embora a opinião dos clientes seja realmente indispensável, a verdade é que eles em geral se limitam a determinadas coisas de que gostam e não gostam. Eles nada sabem das possibilidades que existem além da experiência por eles conhecida. Não dispõem do quadro completo das possibilidades. Sendo assim, é importante que *você* determine, desde o começo, a experiência que pretende que seus clientes venham a desfrutar. Isso não significa que as opiniões dos clientes não são importantes. Em *Full Steam Ahead!*, Ken Blanchard e Jesse Stoner descrevem como as necessidades dos seus clientes devem determinar a Lei da Situação – em qual ramo você de fato está. Compreender o que seus clientes realmente querem quando o procuram será de grande utilidade para decidir o que deve lhes oferecer.

Um bom exemplo de como isso funciona é o caso da Domo Gas, uma rede de postos de gasolina com serviços completos na região ocidental do Canadá, da qual Sheldon Bowles foi um dos fundadores. A visão de serviço ao cliente que Sheldon e seus sócios imaginaram era a de um *pit stop* de Fórmula 1. Assim, vestiram seus frentistas com macacões vermelhos. Quando um cliente entrava em um dos postos de Sheldon, dois ou três frentistas corriam em direção ao carro. Com a maior rapidez possível, olhavam sob o capô, limpavam o para-brisa e abasteciam o veículo. Um posto na Califórnia que se entusiasmou com a ideia oferecia aos clientes um cafezinho e um jornal, e pedia que desembarcassem para que pudessem passar o aspirador. Quando os clientes estavam de saída, recebiam panfletos que diziam: "Obs.: Também vendemos gasolina".

Ao decidir que tipo de experiência você quer que seus clientes tenham, está criando uma imagem de como as coisas seriam se tudo corresse como planejado. Com frequência, atletas de nível mundial se imaginam quebrando um recorde mundial, fazendo um lance perfeito em um jogo ou realizando um passe certeiro do meio do campo. Sabem que o poder vem de uma imagem mental clara de seu melhor potencial de desempenho. Desenvolver uma imagem clara de como se quer servir seus clientes é quase como produzir um filme mental.

Tivemos a oportunidade de trabalhar com a alta gerência e os donos das revendas da Freightliner, empresa líder na fabricação de caminhões de grande porte. Jim Hibe, presidente da empresa na época, preconizou a criação de um novo conceito de serviços para suas revendas – uma ideia que os colocaria muito à frente da concorrência. Ao preparar-se para sua principal reunião anual, a Freightliner produziu um vídeo de 30 minutos que ilustrava duas revendas fictícias. A primeira, chamada Great Scott Trucking, representava o modo atual de operação de muitas das revendas: horários limitados (das 8h às 17h, de segunda a sexta-feira, e das 9h às 12h aos sábados); colaboradores descomprometidos; poucos – ou nenhum – extras (como biscoitos e café para os caminhoneiros que esperavam pelos seus veículos); e assim por diante. Ao entrar na revenda, tudo parecia estar organizado para servir as políticas, as regras e os regulamentos, e não os clientes. Digamos, por exemplo, que o gerente chegasse ao redor das 11h45min no sábado. Vendo a longa fila de espera no setor de peças, diria: "Feche às 12h sem falta. Essa fila será a garantia de uma boa segunda-feira".

A outra revenda fictícia, chamada Daley Freightliner, era uma operação centrada no cliente com serviços 24 horas. Nos sete dias da semana, colaboradores comprometidos e treinados se empenhavam em fazer aquele algo a mais e fornecer todo tipo de serviços para os caminhoneiros. Havia uma sala com poltronas reclináveis e uma enorme TV que passava filmes recém-lançados. Havia um quarto silencioso e escuro com beliches caso os caminhoneiros quisessem dormir. Os colaboradores levavam os caminhões consertados para a parte da frente da revenda em vez de fazer os motoristas retirá-los do estacionamento na parte de trás.

A maioria das revendas estava mais para a Great Scott Trucking do que para a Daley Freightliner. Portanto, quando a reunião começou com esse vídeo, muito dos presentes se contorceram em suas cadeiras. Mesmo assim, o vídeo retratou com fidelidade, para que todos pudessem ver e experimentar, uma nova visão para os serviços. Durante toda a reunião, distribuidores mais alinhados com a imagem positiva trocaram suas histórias de sucesso. O evento foi uma ótima maneira de transmitir uma nova visão do atendimento ao cliente.

O conceito Momentos da Verdade, que Jan Carlzon usou para criar uma cultura focada no cliente quando era presidente da Scandinavian Airlines System (SAS), é muito útil para ajudá-lo a decidir que tipo de experiência você quer para seus clientes. Um Momento da Verdade pode ser descrito como:

> Qualquer ocasião em que um cliente entra em contato com alguém da nossa organização de forma a criar uma impressão. Como atendemos o telefone? Como fazemos o *check-in*? Como os recebemos em nossos aviões? Como interagimos com eles durante nossos voos? Como lidamos com a retirada de bagagens? O que acontece quando surge um problema?

Para Carlzon e outros grandes fornecedores de serviços Momentos da Verdade podem cobrir cada detalhe, incluindo manchas de café. Quando era presidente da People Express Airlines, Donald Burr afirmava que, se as mesinhas onde se colocavam as bandejas de refeições estivessem sujas, os clientes poderiam supor que os motores do avião também não passavam por uma boa manutenção.[4] Ao procurar um lugar para descansar após ter passado o dia todo dirigindo, quantas pessoas escolheriam um hotel com lâmpadas queimadas em sua placa de entrada?

Embora muitos de nossos exemplos concentrem-se em clientes externos, também é importante saber que todo mundo tem um cliente. Um cliente externo é alguém que não faz parte de sua organização, mas a quem você serve ou fornece algum serviço. Uma pessoa que anota pedidos em um restaurante *fast-food* é um bom exemplo de alguém que atende a clientes externos. Um cliente interno é alguém de dentro da sua organização que pode ou não servir a clientes externos.

Quem trabalha na área de recursos humanos, por exemplo, tem muitos clientes internos. E algumas pessoas, como aquelas no setor de contabilidade, têm clientes externos e internos. Elas mandam contas e faturas para clientes externos e fornecem relatórios e informações para clientes internos. O que importa é que todo mundo tem os seus clientes.

Organizações com ótimo serviço para o cliente analisam cada interação importante que existe entre eles e o cliente, seja externo ou interno, e decidem o modo ideal como gostariam que a situação transcorresse. Uma das maneiras de imaginar isso é supor que todos estejam comentando como você está servindo fabulosamente bem os seus clientes. Clientes entusiasmados estão por toda parte elogiando o seu atendimento. Uma famosa rede de televisão ouve falar disso e decide enviar uma equipe para filmar o que está acontecendo em sua organização. Com quem você gostaria que essa equipe conversasse? O que o seu pessoal contaria a essa equipe? O que essa equipe veria?

O cultivo de fãs incondicionais começa com uma imagem – uma imagem do tipo de experiência que você quer que seus clientes tenham. Analisar seus Momentos da Verdade em cada setor e decidir como gostaria que ocorressem é um bom começo. Isso servirá de guia à medida que você mirar em novos clientes e se ajustar a condições mutáveis.

Descubra o que seus clientes desejam

Após decidir o que você quer que aconteça, é importante ir atrás de qualquer sugestão dos seus clientes no sentido de melhorar a experiência deles com a sua organização. O que melhoraria a experiência deles com você? Pergunte a eles! Mas pergunte de tal forma que eles sejam estimulados a responder. Por exemplo, você consegue recordar quantas vezes, em um restaurante, respondeu ao gerente, que havia ido até a sua mesa para perguntar "como está tudo hoje?", com o habitual "tudo ótimo"? É o tipo de resposta que não proporciona informação alguma ao gerente. Um diálogo mais adequado começaria assim: "Com licença, sou o gerente deste restaurante. Gostaria de lhe fazer uma pergunta. Você consegue identificar alguma coisa que poderíamos ter feito de maneira diferente para tornar sua experiência conosco mais prazerosa?". Uma pergunta assim exige resposta. Se o cliente disser simplesmente "não", o gerente ainda poderá perguntar educadamente: "Tem certeza?".

Organizações de alto desempenho regularmente solicitam feedback dos clientes e do mercado.

Organizações que fornecem Serviço Lendário são especialistas em ouvir os clientes. Quando o cliente lhe diz alguma coisa, você precisa ouvir *sem parecer estar na defensiva*. Um dos motivos que deixam as pessoas nervosas quando ouvem os clientes é pensarem que precisam sempre fazer o que o cliente deseja que façam. Elas não entendem que a arte de ouvir tem dois lados. Como Steve Covey diz, "procure, em primeiro lugar, entender". Em outras palavras, ouça para entender. Procure dizer: "isso é realmente interessante, fale um pouco mais a respeito, seja mais específico, por favor?".

O segundo aspecto de ouvir é decidir se você deve fazer alguma coisa a respeito daquilo que acabou de ouvir. Você precisa separar essa decisão da informação que recebeu do cliente. E é importante saber que você não precisa tomar uma decisão imediatamente após entender aquilo que a pessoa sugeriu. Você poderá fazer isso mais tarde, quando tiver tido tempo para pensar a respeito ou conversar sobre o assunto com outras pessoas. Saber que você tem tempo para pensar a respeito de alguma coisa certamente o deixará menos defensivo e o transformará em um ouvinte mais atento. Em primeiro lugar, ouça para entender, e só então decida o que fazer a respeito daquilo que ouviu.

Recentemente, em um shopping, um de nossos colegas viu um exemplo de alguém ouvindo defensivamente. Ele caminhava atrás de uma mulher que tinha um filho de 8 ou 9 anos. Quando passaram pela loja de artigos esportivos, a criança prestou atenção e viu uma linda bicicleta vermelha na vitrine. Parou na hora e disse para a mãe: "Puxa, era essa a bicicleta que eu queria!". A mãe ficou furiosa e começou a gritar: "Não acredito! Comprei uma bicicleta nova para você no Natal! Estamos apenas em março e você já quer outra? Não vou comprar mais $%&*^ nenhuma para você!". Nosso colega achou por um instante que a mãe iria avançar sobre o menino. Infelizmente, ela não entendeu a diferença entre ouvir para compreender e decidir. Se tivesse dito ao menino: "Meu bem, o que você mais gosta nessa bicicleta?", ele talvez respondesse: "Sabe aquelas fitas saindo do guidão? Gosto delas". E aquelas fitas poderiam ter sido um presente de aniversário barato. Depois de saber o que o filho tinha gostado na bicicleta, a mãe poderia ter dito: "Querido, por que você acha que eu não posso comprar essa bicicleta nova?". O menino não era nenhum idiota. E teria provavelmente respondido: "Porque acabo de ganhar uma nova de Natal".

Ouvir sem ficar na defensiva também é útil quando se comete um erro com um consumidor. Justificar o que você fez só irá irritar o cliente. Quando um cliente está chateado, a única coisa que quer é ser ouvido. Na verdade, constatamos que quando se ouve a reclamação de um cliente de uma forma atenciosa e não defensiva e depois se pergunta a ele "Existe alguma coisa que possamos fazer para que o senhor volte a confiar em nós?", provavelmente irá se ouvir como resposta: "Já fizeram. Pararam para me ouvir".

Quando um cliente faz uma boa sugestão, ou se está chateado sobre algo que faz sentido mudar, você pode acrescentar esse item à sua lista de serviços ao cliente. Recentemente, por exemplo, recebemos uma carta do dono de três restaurantes de serviço rápido no meio-oeste americano. Alguns dos clientes idosos do restaurante sugeriram que, durante certos horários do dia, o estabelecimento tivesse toalhas de mesa, e garçons que anotassem seus pedidos e levassem a comida até a mesa. Depois de pensar a respeito, o dono achou que seria uma boa ideia. Agora, entre 16h e 17h30min, as mesas têm toalhas e velas, e as pessoas que ficam atrás do balcão saem de lá e servem os clientes. O pessoal mais idoso está frequentando em massa o restaurante nesse horário.

Quando você juntar o tipo de experiência que quer que os clientes tenham com o que eles desejam que aconteça, terá uma ideia bastante clara e completa da experiência que oferecerá aos seus clientes.

Proporcione a experiência de atendimento ideal ao cliente

Agora que já tem uma imagem clara do tipo de experiência que quer que seu cliente tenha, aquela capaz de satisfazê-lo, torná-lo feliz e sorridente, o próximo passo será imaginar a melhor maneira de transmitir aos seus funcionários a vontade e naturalidade de proporcionar essa experiência, acrescentando algo a mais.

Como enfatizamos no Capítulo 2, "O poder da visão", a responsabilidade pela visão compartilhada é da liderança sênior. E essa responsabilidade inclui imagens de impacto que retratem o serviço de excelência ao cliente. Uma vez estabelecida a experiência desejada para o cliente, e tendo comprometido seu pessoal com a realização dessa experiência, dá-se início à fase de implementação da liderança. É nessa fase que a maioria das organizações se mete em apuros. A pirâmide tradicional é mantida em toda sua plenitude, o que deixa os clientes desatendidos na base da hierarquia. Toda a energia da organização é canalizada em direção ao topo da pirâmide, pois as pessoas tentam agradar os seus chefes, em vez de concentrar suas energias em satisfazer as necessidades de seus clientes. As regras, as políticas e os procedimentos da burocracia dominam o dia a dia. O resultado disso é que os colaboradores que estão em contato com o cliente mostram-se despreparados, descomprometidos e grasnam como patos.

Wayne Dyer, professor de desenvolvimento pessoal, disse há vários anos que existem dois tipos de pessoas: patos e águias. Patos agem como vítimas e fazem "Quac! Quac! Quac!". Águias, por sua vez, tomam a iniciativa e se destacam bem acima da multidão. Como cliente, você poderá identificar um sistema burocrático se, quando tiver algum problema, lidar com patos que grasnam: "São nossas regras. Eu não fiz as regras: eu só trabalho aqui. Quer falar com meu supervisor? Quac! Quac! Quac!".

A implementação diz respeito a capacitar as pessoas em toda a organização a agir e se sentir como responsáveis pela visão da empresa. Trata-se de possibilitar que as pessoas assumam um papel proativo na realização da visão e direção da organização para que possam voar como águias e oferecer um ótimo serviço ao cliente, em vez de ficarem grasnando como patos.

A experiência de um de nossos colegas, ao tentar alugar um carro em Nova York, é um exemplo perfeito desse fenômeno. Ele é conselheiro emérito na Cornell University. Pouco tempo atrás, dirigia-se a uma reunião em Ithaca, Nova York, a pequena cidade no interior do estado onde fica Cornell. Ele queria locar um carro que pudesse devolver em Syracuse, distante dali hora e meia. Quem costuma alugar carros para viagem sabe que, devolvendo-o em lugar diferente daquele da locação, acabará pagando uma tarifa adicional elevada. É possível evitar essa tarifa se o veículo locado for originário do exato local para onde você está se dirigindo. Sabendo disso, nosso colega perguntou para a moça atrás do balcão: "Vocês têm um carro de Syracuse?".

Ela disse: "Você está com sorte. Por acaso, tenho sim". Ela então foi preparar o contrato.

Quando ia assinar o contrato, nosso colega notou uma tarifa adicional de devolução de US$ 75. Então, perguntou, "O que significa essa tarifa de US$ 75?".

Ela respondeu: "Não fui eu que incluí. Quac! Quac!"

Ele disse: "Então, quem foi?"

Ela: "O computador. Quac! Quac!"

Ele: "Como se diz ao computador que ele está errado?"

Ela: "Não sei. Quac! Quac!"

Ele: "E por que simplesmente não deleta essa parte?"

Ela: "Não posso. Meu chefe me mataria. Quac! Quac!"

Ele: "Está me dizendo que terei que pagar uma tarifa de US$75 porque você tem um mau chefe?"

Ela: "Lembro que uma vez – quac! quac! – ele me deixou deletar essa parte."

Ele: "E quando foi isso?"

Ela: "Quando o cliente trabalhava para a Cornell. Quac! Quac!"

Ele: "Ótimo. Faço parte do Conselho da Cornell!"

Ela: "E o que faz o Conselho? Quac! Quac!"

Ele: "Podemos demitir o reitor."

Ela: "Qual é o seu número funcional? Quac! Quac!"

Ele: "Não tenho um."

Ela: "Então não posso ajudá-lo. Quac! Quac!"

Nosso colega levou 20 minutos aconselhando a moça psicologicamente para que pudesse evitar o pagamento dessa tarifa. Ele sempre se irritava com esse pessoal de atendimento, mas já não dá mais bola, porque se deu conta de que não são eles os verdadeiros culpados.

Para quem você acha que essa moça trabalhava, para um pato ou uma águia? Claro que para um pato. Se trabalhasse para uma águia, isso não aconteceria. Chamamos esse pato supervisor de "pato-mor", porque simplesmente grasna mais alto no sistema burocrático. Ele lhe informa todas as regras, regulamentos e leis que se aplicam a sua situação. E para quem você acha que o pato-mor trabalha? Para outro pato, que trabalha para quem? Ainda outro pato. E quem está sentado no topo da organização? O maior de todos os patos. Diga uma coisa: alguma águia já fez cocô na sua cabeça? Claro que não, pois as águias pairam muito acima da multidão. Os patos é que fazem toda a confusão.

Como se cria uma organização em que os patos são descartados e as águias podem voar alto? Como discutido no Capítulo 2:

A hierarquia piramidal tradicional deve ser posta de cabeça para baixo para que o pessoal do atendimento, que está mais próximo dos clientes, esteja no comando.

Como mostrado na Figura 17.2, nesse caso, o pessoal da linha de frente pode ser *responsável* – capaz de responder bem aos seus clientes. Nesse cenário, os líderes **servem** e **respondem** às necessidades das pessoas, treinando-as e desenvolvendo suas habilidades para que possam voar como águias e, assim, chegar aos objetivos estabelecidos e viver de acordo com a visão escolhida para o tipo de experiência reservada aos clientes.

Se os líderes de uma organização não forem sensíveis às necessidades e aos anseios de seus colaboradores, esses não cuidarão bem de seus clientes. Porém, quando as pessoas que têm contato direto com o cliente são tratadas como donos da visão, podem voar como águias e criar fãs incondicionais, em vez de grasnar como patos.

Permitindo que as pessoas voem mais alto

Um de nossos consultores teve uma experiência de contato com uma águia quando foi até a Nordstrom um dia comprar um perfume para sua esposa. A balconista disse: "Desculpe, não trabalhamos com esse

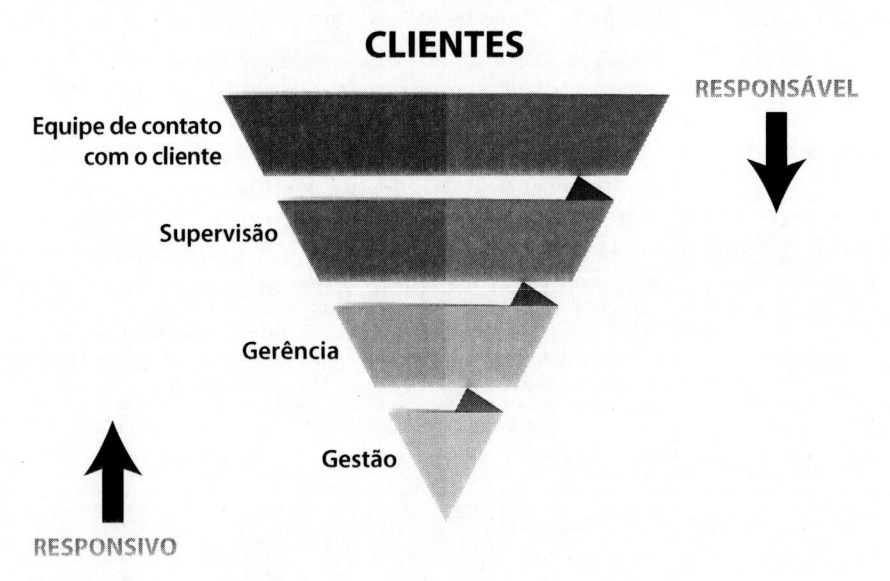

FIGURA 17.2 O papel implementador da liderança.

perfume. Mas sei onde consegui-lo aqui no shopping. Quanto tempo ficará em nossa loja?".

"Uns 30 minutos", ele respondeu.

"Ótimo. Vou buscar o perfume, embrulhá-lo para presente e ter tudo pronto antes que o senhor vá embora." Essa moça saiu da Nordstrom, foi até outra loja, comprou o perfume que nosso colega queria, voltou e embrulhou-o para presente. Sabe quanto ela cobrou dele? O mesmo preço que pagou na outra loja. Portanto, a Nordstrom não ganhou dinheiro no negócio, mas sabe o que conquistou? Um fã incondicional.

Ken conta uma ótima história que ilustra as diferentes experiências que se pode ter com organizações, dependendo se são lagoas para patos ou dão asas para as pessoas voarem como águias. Há alguns anos, a caminho do aeroporto para uma viagem que o levaria a quatro cidades diferentes durante a semana, Ken percebeu que havia esquecido sua carteira de motorista e de identidade em casa. Sem tempo de voltar para buscar os documentos, precisou usar a criatividade.

Somente um dos livros de Ken, *Everyone's a Coach*, que escreveu com Don Shula, traz a foto dele na capa.[5] Assim, quando Ken chegou ao aeroporto, correu até uma livraria que, felizmente, tinha uma exemplar de seu livro. A sorte foi estar voando pela Southwest Airlines. Quando Ken fazia o *check-in* de sua bagagem, o atendente pediu para ver sua identificação. "Sinto muito, mas não tenho nem minha carteira de motorista nem outro documento de identidade aqui. Isto serve?". E mostrou-lhe a capa do livro.

O homem exclamou: "Esse homem conhece Shula! Coloque-o na primeira classe!". (É claro que a Southwest não tem primeira classe – na época, não tinha nem classe executiva.) Todos que estavam no *check-in* começaram a cumprimentar Ken. Ele foi tratado como um herói. Depois, um dos encarregados pela bagagem disse: "Permita-me acompanhá-lo até o portão de embarque com o senhor. Conheço o pessoal da segurança. Acho que poderei facilitar sua passagem por lá também".

Por que isso aconteceu? Herb Kelleher, um dos fundadores da Southwest, e os colegas Colleen Barrett e Gary Kelly, que o sucederam no comando, sempre quiseram proporcionar aos clientes não apenas a melhor tarifa, mas também o melhor serviço possível. Organizaram a empresa de forma que todos – até a pessoal atendendo no *check-in* – tivessem a necessária autoridade para tomar decisões, usar o cérebro e serem loucos pelos clientes para criar fãs incondicionais. Esses líderes focados nos clientes entendem que é preciso seguir as regras, mas que as pessoas deveriam ter e usar a capacidade de interpretá-las. Por que pedem a identificação de uma pessoa no aeroporto? Para ter certeza de que a pessoa embarcando no avião é a mesma cujo nome está na passagem. Aquela decisão foi fácil para um atendente da Southwest.

Chafurdando em uma lagoa de patos

Antes que seu escritório pudesse fazer os documentos chegarem às suas mãos, Ken ainda embarcaria em um avião de uma empresa que passava por sérios problemas financeiros. O encarregado pela bagagem no *check-in* olhou para a foto de Ken na capa do livro e disse: "Você deve estar brincando. Sugiro que vá até o balcão da empresa".

Quando Ken mostrou o livro para a atendente do balcão, ela lhe disse: "Vai ter que falar com meu supervisor". Ken estava rapidamente escalando a hierarquia. Talvez logo chegasse a falar com o prefeito e, finalmente, com o governador. Quac! Quac! Quac! Nessa empresa em crise, a hierarquia ia muito bem, obrigado. Toda a energia que devia ser despendida para agradar o cliente estava sendo usada em prol da hierarquia – seguindo as políticas, os procedimentos, as regras e os regulamentos ao pé da letra.

Dando asas ao seu pessoal

Como mencionado rapidamente no Capítulo 3, durante o reinado de Horst Schultze, um dos fundadores do Ritz-Carlton Hotels, após muito treinamento, cada colaborador recebia uma verba de US$ 2 mil que podia ser usada para resolver qualquer problema com os hóspedes sem precisar consultar superiores. Não era necessário sequer consultar seu chefe imediato. Horst adorava colecionar histórias sobre pessoas que usavam esse poder para fazer a diferença. Entre as quatro favoritas dele, uma era sobre um empresário que estava hospedado em um dos estabelecimentos Ritz-Carlton em Atlanta. Naquele dia, ele teria que voar de Atlanta até Los Angeles e, depois, de lá até o Havaí, pois, no dia seguinte, às 13h, daria uma importante palestra para sua empresa internacional. Ele estava um pouco atrapalhado na saída. A caminho do aeroporto, percebeu que esquecera seu laptop, que continha todas as apresentações em PowerPoint que precisaria para sua apresentação. Tentou trocar seu voo, mas não conseguiu. Então, ligou para o Ritz-Carlton e disse: "Esse é o número do quarto onde eu estava e meu computador encontrava-se em tal lugar. Peça para a camareira ir pegá-lo e façam uma remessa expressa para mim. É preciso que seja entregue até às 10h de amanhã, porque precisarei dele na minha palestra às 13h".

No dia seguinte, Schulze andava pelo hotel, como costumava fazer. Quando chegou no setor de manutenção e limpeza dos quartos, perguntou: "Onde está Mary?". Suas colegas responderam: "Está no Havaí". Ele disse: "No Havaí? O que ela está fazendo por lá?".

Disseram-lhe: "Um hóspede esqueceu seu computador no quarto e precisa dele para uma palestra hoje às 13h – e Mary não confia nos *couriers*". Você pode pensar que Mary fez isso para tirar umas feriazinhas, mas ela voltou no primeiro voo disponível. E o que você acha que estava à espera dela? Uma carta de louvor de Horst e cumprimentos de todos os colegas. Isso sim é empoderar as pessoas e dar-lhes asas.

Você poderia até duvidar da veracidade dessa história. Mas ela realmente ocorreu. Se você criar um ambiente no qual os clientes mandam e seus funcionários estão livres para usar seu discernimento para cuidar das necessidades do consumidor, histórias como essa tornam-se lugar-comum, até lendárias. As pessoas que irão espalhar essas histórias – inclusive os seus clientes – às vezes gostam de exagerar um pouco. Uma dessas histórias envolve a política de devoluções da Nordstrom, que diz "sem perguntas". Houve rumores de que alguém devolveu pneus para neve na Nordstrom e a loja aceitou a devolução, apesar de não os ter vendido. Quando perguntaram ao cofundador Bruce Nordstrom se a história tinha fundamento, ele deu risada, porque, a bem da verdade, a Nordstrom vende pneus para neve – em sua loja no Alaska.

*****

Como argumentamos até aqui, quando os líderes empoderam, treinam e amam seus funcionários, eles atendem muito bem os clientes, que por sua vez se tornam fãs incondicionais. O resultado é uma organização rentável e de alto desempenho. Como veremos na próxima seção, organizações desse tipo contam com o tipo certo de liderança.

Recurso online

Visite o site www.leadingatahigherlevel.com para assistir à sessão virtual grátis "Treat Your Customers *Right*". Use a senha "Customers" para obter acesso gratuito.

SEÇÃO IV
Adote o tipo certo de liderança

Capítulo 18 Liderança servidora 293

Capítulo 19 Desenvolvendo seu ponto de vista sobre
liderança. 317

18
Liderança servidora

Ken Blanchard, Scott Blanchard e Drea Zigarmi

Quando as pessoas lideram em um alto nível, elas tornam o mundo um lugar melhor, porque suas metas estão focadas no bem comum. Isto requer um tipo especial de líder: um líder servidor. Robert Greenleaf originalmente cunhou o termo "liderança servidora" em 1970, tendo publicado inúmeros livros sobre o conceito nos 20 anos seguintes.[1] O conceito, contudo, é antigo. Há 2 mil anos, a liderança servidora estava na essência da filosofia de Jesus, um exemplo de líder servidor altamente comprometido e eficaz.[2] Mahatma Gandhi, o reverendo Martin Luther King Jr., Nelson Mandela e Madre Teresa são exemplos mais recentes de líderes que personificam essa filosofia.

O que é liderança servidora?

Quando as pessoas ouvem o termo liderança servidora, é comum ficarem confusas. Imediatamente vêm às suas mentes imagens de prisioneiros administrando a prisão, ou, até mesmo, a tentativa de agradar todo mundo. Outros imaginam que a liderança servidora se aplica apenas a expoentes religiosos. O problema é que eles nada sabem sobre liderança. Acham que não é possível liderar e servir ao mesmo tempo. No entanto, é perfeitamente possível se você entender – como já enfatizamos inúmeras vezes – que a liderança tem duas partes: visão e implementação. No papel de visionários, são os líderes que definem a direção. Depois que a direção está clara, é responsabilidade dos líderes comunicar o que a organização representa e o que pretende alcançar.

Max Dupree, lendário presidente da Herman Miller e autor de *Leadership Is an Art*, comparou esse papel com o de uma professora do ensino fundamental que fica repetindo a mesma lição inúmeras vezes. "Quando o assunto é visão e valores, você deve repetir a mensagem muitas e muitas vezes, até que as pessoas a entendam perfeitamente, sem sombra de dúvidas!"

Como você já sabe, a responsabilidade por esse papel visionário recai sobre a liderança hierárquica. As crianças se voltam para seus pais, jogadores recorrem aos seus treinadores e as pessoas em geral procuram seus líderes organizacionais para obter direção. *O papel de visionário é o aspecto de liderança na liderança servidora* (ver Capítulo 2, Figura 2.1).

Depois que as pessoas sabem ao certo aonde vão, o papel do líder adota uma mentalidade para a tarefa de implementação — o segundo aspecto da liderança.

Como transformar a visão em realidade? A *implementação* é onde o aspecto servidor da liderança servidora entra em jogo.

Como enfatizamos no Capítulo 17, "Atendendo os clientes em alto nível", a maioria das organizações e dos líderes tropeça na fase de implementação. Com líderes autosservidores no comando, a pirâmide hierárquica tradicional se mantém firme no seu lugar. Quando isso acontece, para quem você acha que as pessoas trabalham? Para quem está acima delas. Quando isso ocorre, você pressupõe que essa pessoa, seu chefe, é *responsável*, e que a sua função é *responder* a ele e aos seus desejos ou caprichos. "Siga o chefe" torna-se um esporte popular, e as promoções acabam ocorrendo especialmente em função da habilidade de impressionar os superiores. O resultado é que toda a energia da organização sobe pela hierarquia, afastando-se dos clientes e do pessoal de linha de frente, que está mais próximo da ação. O que se cria é uma lagoa para patos.

Quando há conflito entre o que os clientes querem e o que o chefe quer, o chefe vence. As pessoas grasnam feito patos. "Quer que eu chame o meu supervisor?" Os líderes servidores sabem como corrigir essa situação filosoficamente ao virar a pirâmide de cabeça para baixo durante a implementação.

Quando os líderes servidores viram a pirâmide de cabeça para baixo, quem fica no alto da organização? O pessoal que tem contato direto com o cliente. Quem está de fato no topo da organização? Os clientes. Quem está na base? A "alta" gerência (ver Capítulo 2, Figura 2.2).

Por consequência, quem trabalha para quem em se tratando de implementação? Você, o líder, trabalha para o seu pessoal. Essa única mudança pode parecer pequena, mas faz uma diferença enorme — a diferença entre responsabilidade e responsividade.

Quando você vira a pirâmide organizacional de cabeça para baixo, em vez das pessoas serem responsáveis perante você, elas se tornam responsáveis, ponto; agora que são capazes de responder aos clientes, o seu trabalho enquanto líder/gestor é estar sensível ao seu pessoal. Isso cria um ambiente muito diferente para a implementação. Se você trabalha para o seu pessoal, como fazem os líderes servidores, qual é o propósito de ser um gestor? Ajudar as pessoas a se tornarem águias, não patos, e alçarem voo acima da multidão, atingindo objetivos, resolvendo problemas e vivendo de acordo com a visão.

Com sua ênfase em trazer à tona a grandeza que existe nas pessoas, as duas abordagens de liderança pelas quais somos mais famosos em todo o mundo — o *gerente-minuto*® e o SLII® — são ambos exemplos das habilidades necessárias para transformar a liderança servidora em ações.

Afinal, qual é o primeiro segredo do gerente-minuto? Os objetivos-minuto. Todo bom desempenho começa por metas claras, evidentemente parte do aspecto de liderança da liderança servidora. Uma vez que as pessoas têm uma ideia clara sobre as metas, o gerente-minuto eficaz perambula pelo ambiente e tenta flagrar as pessoas fazendo algo certo para que possa oferecer elogios-minuto, que são o segundo segredo. Se a pessoa é pega fazendo algo de errado ou com desempenho aquém do que foi acordado, o correto é oferecer uma reorientação-minuto, que é o terceiro segredo. Quando os gerentes-minuto eficazes oferecem elogios e reorientações, estão executando o aspecto servidor da liderança servidora — estão trabalhando com o seu pessoal para ajudá-lo a vencer, ou seja, atingir seus objetivos.

O SLII® também tem dois aspectos que geram ótimos relacionamentos e resultados: estabelecimento de metas, diagnóstico e adequação. Depois que metas claras foram estabelecidas, o líder SLII® eficaz se concentra no aspecto servidor da liderança servidora, trabalhando com um subordinado direto para diagnosticar o nível de desenvolvimento (competência e empenho) de cada meta específica. Juntos, eles determinam o estilo de liderança apropriado — a quantidade de comportamento diretivo e de apoio — que corresponde ao nível de desenvolvimento de cada tarefa para que o gestor possa atingir suas metas.

Assim, tanto o gerente-minuto quanto o SLII® são exemplos claros de colocar a liderança servidora em ação. Ambas as abordagens reconhecem que a visão e a direção, o aspecto de liderança da liderança servidora, são responsabilidades da hierarquia tradicional. Também reconhecem que a implementação, o aspecto servidor da liderança servidora, envolve virar a hierarquia de cabeça para baixo e ajudar todos a construírem uma organização de alto desempenho.

Para enfatizar o poder de se colocar a liderança servidora para trabalhar, Ken Blanchard e Renee Broadwell editaram *Servant Leadership in Action: How You Can Achieve Great Relationships and Results*, uma série de ensaios escritos por 44 líderes e especialistas de renome em liderança servidora, incluindo executivos, autores e líderes espirituais. Como John Maxwell escreve no prefácio do livro:

> *O único modo de criar ótimos relacionamentos e resultados é com a liderança servidora. É tudo uma questão de colocar as outras pessoas em primeiro lugar.*

Aplicando a liderança servidora

Para ajudá-lo a entender que a liderança servidora pode ocorrer em qualquer organização, veja o exemplo do DMV, o Detran dos Estados Unidos. O departamento atende multidões – basicamente, todos que possuem uma carteira de habilitação – e não chega a ser surpresa que, às vezes, trate as pessoas como se fossem simplesmente números. Em muitos estados norte-americanos, depois de aprovado nos testes iniciais, você pode evitar o departamento por muitos anos, desde que preencha sempre os formulários adequados e os encaminhe pelo correio ao destino certo.

Ken Blanchard evitava o DMV local a todo custo. Porém, alguns anos atrás, perdeu sua carteira de motorista três semanas antes de uma viagem à Europa. Ele sabia que teria que ir ao departamento para conseguir uma segunda via para apresentar junto com seu passaporte na viagem. Então, disse para sua assistente executiva: "Dana, você pode reservar três horas em minha agenda na próxima semana para que eu possa ir ao DMV?". Sua experiência indicava que teria de gastar esse tempo para conseguir alguma coisa lá. Depois de esperar na fila, provavelmente lhe diriam que estava no lugar errado, que preenchera o formulário trocado ou que fizera qualquer outra coisa que significava que teria que começar tudo de novo.

Dessa forma, Ken foi até o departamento com poucas esperanças. (Lembre-se, fazia anos que ele não passava por ali.) Assim que entrou, no entanto, percebeu que alguma coisa mudara, ao ser recebido por uma funcionária que o atendeu dizendo: "Bem-vindo ao DMV! Você fala inglês ou espanhol?".

"Inglês", disse Ken.

Ela então apontou: "É naquele balcão". O rapaz atrás do balcão sorriu e falou: "Bem-vindo ao DMV! Em que posso ajudá-lo?". Ken precisou de nove minutos para renovar sua carteira de motorista, fazendo inclusive uma nova fotografia. Ele disse para a moça que tirava sua foto: "O que aconteceu por aqui? Esse não é o DMV que eu conhecia e amava".

Ela perguntou: "Você já conhece o novo diretor?".

"Não", ele disse.

Ela apontou para uma mesa atrás dos balcões, à vista de todos. Ficou evidente que o diretor não dispunha de privacidade. Seu escritório ficava no meio de tudo. Ken foi até lá, se apresentou e disse: "Qual é sua função como diretor do DMV?".

O que esse homem disse é a melhor definição de gestão que já ouvimos:

> *Minha função é reorganizar o departamento a cada momento de acordo com a necessidade dos cidadãos (clientes).*

Ficou claro que o diretor tinha uma visão cativante para o departamento. A razão de ser de seu negócio era servir os cidadãos e suas necessidades, e servir bem.

O que esse diretor fizera? Ele havia treinado todo o pessoal em todas as funções. Todos podiam atender no balcão; todos sabiam tirar fotos. O que quer que fosse, todos o sabiam fazer! Mesmo os funcionários internos, que normalmente não atendiam o público, sabiam exercer todas as funções. Por quê? Pois, se repentinamente entrasse uma multidão, qual o sentido de ter pessoas na parte interna fazendo a contabilidade ou o trabalho administrativo quando havia clientes precisando de ajuda? Assim, ele os transferia ao balcão de atendimento quando necessário.

O diretor do DMV também pedia que ninguém saísse para almoçar entre 11h30min e 14 horas. Por quê? Pois esse era o horário em que mais clientes apareciam. Ken contou essa história em um seminário e uma senhora veio falar com ele durante o intervalo: "Onde é seu DMV? Mal posso acreditar no que você nos contou". Ela continuou: "Não faz muito tempo, fiquei esperando na fila 45 minutos em nosso DMV. Quando minha vez estava chegando, uma funcionária anunciou: 'Hora do lanche!'. Tivemos que ficar parados ali uns 15 minutos enquanto todos foram tomar café e esticar as pernas".

Isso não acontecia nesse "novo" DMV no qual o diretor criara um ambiente motivador. Aqueles membros de equipe estavam realmente comprometidos. Até mesmo funcionários que Ken reconhecera como sendo os que tratavam mal os clientes no passado se mostravam animados e prontos para servir.

Muitas vezes, você vê as pessoas em um dado momento e elas estão entusiasmadas com seu trabalho. Três meses depois, encontra as mesmas pessoas e elas estão frustradas. Em 90% dos casos, a única coisa que mudou é que estão com um chefe novo. Alguém que as trata bruscamente, que não as ouve, que não as envolve na tomada de decisões e as trata como *subordinadas*. O contrário também ocorre. As pessoas podem estar infelizes em uma determinada situação de trabalho quando, de repente, um novo líder chega e os olhos das pessoas se iluminam, sua energia aumenta e elas se revelam realmente preparadas para desempenhar bem as suas funções e fazer a diferença.

Quando líderes fazem uma diferença positiva, as pessoas agem como se fossem donas do lugar, e põem seus cérebros a trabalhar. Seus gerentes incentivam essa iniciativa recém-descoberta. Outro exemplo do "novo" DMV destaca esse aspecto.

Grandes líderes incentivam as pessoas a colocar o cérebro para trabalhar

Mais ou menos na mesma época em que Ken teve sua experiência inspiradora no DMV, Dana Kyle, sua assistente executiva na época, decidiu comprar uma motoneta completamente equipada e viajar pelo sul da Califórnia. Quando recebeu sua "máquina", alguém a alertou: "Você precisa de uma carteira de habilitação!". Ela jamais pensara nisso. Assim, foi até o DMV para fazer a coisa certa. A moça atrás do balcão entrou no sistema e achou o nome e o histórico de motorista de Dana: tudo perfeito, pois Dana nunca cometera uma infração de trânsito.

"Dana," disse a moça, "observei que dentro de três meses você precisará renovar seu exame escrito de motorista. Por que não aproveita e faz os dois exames hoje?".

Pega de surpresa, Dana respondeu: "Exames? Eu não sabia que teria que fazer algum exame". E começou a entrar em pânico.

A moça deu um sorriso reconfortante e disse: "Não se preocupe. Com seu histórico, tenho certeza de que passará nos exames. Além do mais, se não passar, sempre poderá voltar".

Dana realizou os exames, e a atendente os corrigiu. Dana acertara uma questão a menos do que o mínimo para ser aprovada; portanto, oficialmente, estaria reprovada nas duas licenças. Porém, de forma gentil, a moça lhe disse: "Dana, você chegou tão perto! Vamos tentar uma coisa. Eu vou refazer uma pergunta em cada um dos exames para você ter uma nova chance de aprovação". Não apenas era uma oferta fantástica, mas cada pergunta tinha somente duas respostas possíveis. Então, a atendente disse: "Dana, você escolheu B. Qual seria a resposta certa em sua opinião?".

Quando Dana disse "A!", essa moça prestativa disse: "Acertou! Aprovada!".

Quando Ken contou essa história em um seminário, um funcionário público graduado veio correndo até o palco durante o intervalo. Ele começou a bradar: "Por que está contando essa história? Aquela mulher violou a lei! Sua assistente foi reprovada nos dois exames!".

Então, Ken voltou para conversar com seu amigo diretor do DMV. Ele lhe contou sobre esse episódio e o diretor disse: "Deixe eu lhe contar uma coisa. Quando se trata de tomar decisões, quero que meu pessoal use mais que as regras, os regulamentos ou as leis. Minha funcionária decidiu que seria uma tolice fazer alguém como sua assistente, Dana, que apresenta um histórico perfeito como motorista, voltar para refazer um exame no qual errara somente uma questão. Posso lhe garantir que se ela tivesse errado quatro ou cinco questões, minha funcionária não teria oferecido a mesma chance. E para lhe mostrar como acho isso importante, *eu apoiaria a decisão dessa pessoa arriscando meu próprio emprego*".

Você gostaria de trabalhar para esse líder? Aposto que sim. Por quê? Pois ele é um líder servidor. No *best-seller* de Rick Warren, *The Purpose Driven Life*, a primeira frase é: "Você não é o centro de tudo".[3] Assim como nosso diretor do DMV, líderes servidores sabem que não são o centro de tudo. O principal é a que e a quem estão servindo. Qual é a visão e quem é o cliente? A visão é a resposta à pergunta de Hayes e Stevens: "O que realmente importa?". Como insistem os autores de *The Heart of Business*: "o lucro pode ser um subproduto na busca por um propósito maior e até parte do processo planejado na busca desse propósito, mas nunca deve ser o próprio propósito e motivação".[4] Se o lucro é a razão pela qual você está em uma organização, com o tempo, isso levará seu pessoal e seus clientes a se tornarem autosservidores também. Como já argumentamos no Capítulo 17, todos têm um cliente. Quem é o cliente do gerente? As pessoas que se reportam àquele gerente. Uma vez tendo estabelecido a visão e a direção, os gerentes devem trabalhar para o seu pessoal.

Qual tipo de liderança exerce o maior impacto sobre o desempenho?

Para descobrir que tipo de liderança exerce o maior impacto sobre desempenho, Scott Blanchard e Drea Zigarmi trabalharam com Vicky Essary para estudar a interação entre sucesso organizacional, sucesso dos funcionários, fidelidade dos clientes e liderança.[5] Em seu estudo realizado ao longo de um ano, que incluiu uma exaustiva revisão de centenas de estudos publicados entre 1980 e 2005, eles examinaram dois tipos de liderança: **liderança estratégica** e **liderança operacional**.

A liderança estratégica é o "o quê", aquela garantia de que todos estão no mesmo rumo. É onde se encontra a resposta para a pergunta "o que é mais importante em seu negócio?". A liderança estratégica inclui atividades como o estabelecimento de uma visão clara, a manutenção de uma cultura que reforça um conjunto de valores alinhado com essa visão e a afirmação de quais são as iniciativas e os imperativos essenciais que a organização precisa realizar. Visão e valores são duradouros, ao passo que imperativos estratégicos são prioridades de curta duração que podem durar um ou dois meses, ou um ou dois anos. Um exemplo de iniciativa estratégica é a declaração de David Novak, presidente e CEO da Yum! Brands, de que o foco em todos os restaurantes da empresa no mundo inteiro estaria concentrado na "mania pelos clientes". Liderança estratégica trata dos aspectos da liderança voltados para a visão e a direção, ou seja, da palavra *liderança* na expressão liderança servidora.

A liderança operacional é todo o resto. Fornece o "como" para a organização. Inclui as políticas, os procedimentos, os sistemas e os comportamentos de liderança que vêm em cascata desde a gerência de alto escalão até o pessoal do atendimento. Essas práticas de gestão criam o ambiente em que os colaboradores e os clientes interagem e ao qual eles respondem diariamente. A liderança operacional trata do aspecto de implementação da liderança, ou seja, da palavra *servidora* na expressão liderança servidora.

Blanchard e Zigarmi descobriram que o sucesso dos funcionários incluía aspectos como sua satisfação (estou feliz), lealdade (vou permanecer no meu emprego), produtividade (como estou desempenhando), percepção dos colaboradores sobre seu relacionamento com o gerente e o trabalho em equipe no ambiente, assim como medidas mais tangíveis, como absenteísmo, atrasos e vandalismo. Eles identificaram todos esses fatores como fazendo parte do que chamam de *paixão dos colaboradores*.

Em se tratando do cliente, sua reação ao ambiente da organização podia ser dividida em três fatores da pesquisa: satisfação (estou satisfeito com o serviço que essa organização me presta), fidelidade (vou continuar fazendo negócios com essa organização) e testemunho (estou disposto a falar positivamente sobre minha experiência com essa empresa). O resultado líquido desses três fatores foi chamado de *devoção dos clientes*.

Blanchard e Zigarmi combinaram todas as medidas objetivas (lucratividade, crescimento, horas extras e estabilidade econômica) e subjetivas (confiança na empresa e um senso de sua integridade) do sucesso organizacional para formar um conceito que chamaram de *vitalidade organizacional*. De muitas formas, a vitalidade organizacional representa o resultado quádruplo – ser o fornecedor escolhido, o empregador escolhido, o investimento escolhido e o cidadão corporativo escolhido – que discutimos no Capítulo 1, "Sua organização apresenta alto desempenho?".

Se a liderança é o motor que move uma organização de alto desempenho, Blanchard e Zigarmi procuraram descobrir como os dois aspectos da liderança – liderança estratégica e liderança operacional – interagem com e influenciam a paixão dos colaboradores, a devoção dos clientes e a vitalidade organizacional. A Figura 18.1 mostra a cadeia de eventos liderança-lucro.

Curiosamente, Blanchard e Zigarmi constataram que, se por um lado a liderança estratégica é fundamental para estabelecer o tom e a direção, ela tem um impacto apenas indireto na vitalidade organizacional. O que é verdadeiramente fundamental é a liderança operacional. Quando essa liderança é eficaz, a paixão dos funcionários e a devoção dos clientes resultarão das experiências positivas e satisfação geral das pessoas com a organização.

Também é interessante observar que a paixão positiva dos colaboradores cria a devoção positiva dos clientes. E, sempre que os clientes são

FIGURA 18.1 A cadeia liderança-lucro.

fãs entusiasmados e devotos da empresa, isso provoca um efeito positivo no ambiente de trabalho e na paixão dos colaboradores. As pessoas adoram trabalhar para uma empresa cujos clientes são fãs incondicionais. Isso os deixa entusiasmados e, juntos, clientes e colaboradores têm impacto direto na vitalidade organizacional.[6]

A conclusão geral da pesquisa de Blanchard e Zigarmi é que o aspecto *liderança* em liderança servidora (liderança estratégica) é importante – pois visão e direção colocam as coisas no rumo certo – mas a verdadeira mola propulsora está no aspecto *servidor* da liderança servidora (liderança operacional). Quando a visão e a direção são cativantes e motivadoras, e os líderes conseguem implementá-las aos olhos de colaboradores e clientes, a vitalidade e o sucesso organizacionais estão garantidos.

Para fazer um bom trabalho, líderes servidores eficientes devem dominar o ambiente e ser capazes de criar e manter culturas que entusiasmem os funcionários para que esses, por sua vez, entusiasmem os clientes. Os líderes conseguem fazer isso olhando para seus colaboradores e perguntando: "o que posso fazer por vocês?", em vez de seu pessoal olhar para eles e dizer, "o que nós podemos fazer por você?".

Como John Maxwell escreve em seu prefácio a *Servant Leadership in Action*: "Adoro quando ouço alguém dizer que estar por cima é muito solitário. Para mim, se está sozinho lá em cima, isso significa que ninguém está seguindo você. Nesse caso, é melhor descer de volta e ir aonde estão as pessoas — e então, nos meus termos, levá-las para o alto consigo".

Quando gerentes se concentram apenas nos indicadores organizacionais de vitalidade – como o lucro – eles estão prestando atenção no placar e não na bola. O lucro, aspecto central da vitalidade organizacional, é um subproduto do serviço ao cliente, que só pode ser alcançado servindo o funcionário. *Portanto, o lucro é realmente o aplauso que você recebe por criar um ambiente motivador para que seus colaboradores possam cuidar de seus clientes.*

Se o aspecto servidor da liderança servidora tem um impacto maior na vitalidade organizacional, de que forma os líderes desenvolvem suas qualidades servidoras?

Tornar-se um líder servidor é decisão que vem do coração

Como diz a frase famosa de Robert Greenleaf: "O líder servidor é primeiro servidor, e só então líder".[7] Contudo, boa parte do nosso trabalho no passado concentrou-se no comportamento de liderança e em como melhorar o estilo e os métodos de liderança. Estávamos tentando mudar os líderes de fora para dentro. Porém, nos últimos anos, descobrimos que a liderança eficaz é um trabalho de dentro para fora. É uma decisão que vem do coração. É uma questão de caráter e intenção de liderança. Por que você está liderando? Para servir ou ser servido? Responder a essa pergunta de forma honesta é fundamental. Não se pode fingir ser um líder servidor. Em *The Servant Leader*, Ken Blanchard e Phil Hodges afirmam que, se líderes não têm o coração no lugar certo, simplesmente nunca serão líderes servidores.

A barreira mais persistente para se tornar um líder servidor é um coração motivado por egoísmo, que vê o mundo pela perspectiva de "dar pouco, receber muito". Líderes movidos pelo egoísmo colocam seus interesses, sua segurança, seu *status* e sua gratificação à frente dos das pessoas afetadas por suas ações e pensamentos.

De certa forma, todos nós chegamos neste mundo focados em nós mesmos. Existe alguém mais centrado em si mesmo do que um bebê? Nenhum bebê chega em casa, depois de sair do hospital, perguntando "o que vocês querem que eu faça para ajudar na casa?". Como qualquer pai sabe, todas as crianças são naturalmente egoístas. É preciso ensiná-las a compartilhar.

Você só se torna adulto quando percebe que o importante na vida é servir, não ser servido.

A migração de uma liderança autosservidora para uma liderança que serve os outros é motivada por uma mudança no coração.

"Estar" líder ou ser líder

Quando falamos sobre liderança servidora e perguntamos às pessoas se são líderes servidores ou líderes que servem a si mesmos, ninguém admite estar no segundo grupo. No entanto, vemos exemplos de liderança autosservidora o tempo todo. Qual é a diferença?

No livro *Ordering Your Private World*, Gordon McDonald fala de uma distinção muito interessante que poderá nos ajudar a entender a diferença entre líderes servidores e líderes que servem a si mesmos.[8] McDonald afirma que existem dois tipos de pessoas: aquelas que estão líderes e as que são líderes. As pessoas que estão líderes pensam que são donas de tudo. São donas de seus relacionamentos, de suas posses e de suas posições. São pessoas que servem a si mesmas. Na maior parte do tempo, estão protegendo o que possuem. Dirigem burocracias e acreditam que as ovelhas existem para benefício do pastor. Querem ter certeza de que todo o dinheiro, reconhecimento e poder se direcionem ao topo da hierarquia e se afastem dos colaboradores de linha de frente e dos clientes. São ótimos em criar "lagoas para patos".

Os verdadeiros líderes são muito diferentes. Acham que tudo lhes é emprestado – seus relacionamentos, suas posses e sua posição. Você sabia que seus relacionamentos são apenas um empréstimo? Uma das coisas mais difíceis a respeito do 11 de setembro foi que alguns desses empréstimos foram cobrados antecipadamente. Se você soubesse que não veria mais alguém importante em sua vida a partir de amanhã, como trataria essa pessoa hoje? Margie Blanchard tem uma frase sábia: "Mantenha seus 'eu te amo' em dia".

Os líderes também entendem que as posses materiais são apenas temporárias. Em tempos de crise econômica, muitas pessoas ficam tensas por medo de perder seus brinquedos. Acham que "aquele que morre com o maior número de brinquedos, ganha". Na verdade, "aquele que morre com o maior número de brinquedos, morre". É muito bom ter coisas bonitas quando tudo está indo bem, mas você pode precisar abrir mão de algumas delas em tempos difíceis. As posses são empréstimos.

Aqueles que *são* líderes também entendem que suas posições são empréstimos feitos por todos os que têm interesses investidos na organização, especialmente as pessoas que se reportam a eles. Como não são donos de nada, chegam à conclusão de que seu papel na vida é cuidar de tudo e de todos que cruzam o seu caminho.

Já os líderes que servem a si mesmos se revelam de duas formas. A primeira é o jeito como recebem *feedback*. Já tentou dar *feedback* para alguém no topo da hierarquia, e aquela pessoa matou o mensageiro? Se isso já aconteceu, você estava lidando com um líder autosservidor. Esse tipo odeia *feedback*, porque se você lhe der qualquer *feedback* negativo ele pensa que você não quer que ele lidere mais. E esse é seu pior pesadelo, pois ele é a posição que ocupa. A segunda revelação de um líder que serve a si mesmo é sua relutância em desenvolver outros líderes à sua volta. Temem concorrentes em potencial à sua própria posição de liderança.

Os verdadeiros líderes têm corações servidores e adoram *feedback*. Sabem que o único motivo para liderar é servir, e se alguém tem sugestões sobre como servir melhor, querem ouvi-la. Veem o *feedback* como um presente. Quando recebem *feedback*, sua primeira reação é: "Obrigado.

Isso vai ajudar muito. O que mais você poderia me falar sobre isso? Há mais alguém com quem eu deva falar?".

Os verdadeiros líderes estão dispostos a desenvolver quem os cerca. Acreditam que a liderança não é competência exclusiva dos líderes formais. Para eles, a liderança deve surgir por toda parte. Como acreditam que seu papel na vida é servir, e não ser servido, incentivam as pessoas a dar o melhor de si. Se um bom líder surgir, líderes servidores estão dispostos a fazer uma parceria com essa pessoa, ou, até mesmo, retirar-se e assumir outro papel se for necessário. Eles prosperam com o desenvolvimento dos demais e com a crença de que pessoas com alto nível de qualificação surgirão conforme a necessidade, em toda a organização.

Robert Greenleaf disse muito bem: "O verdadeiro teste de um líder servidor é o seguinte: aqueles à sua volta tornam-se mais sábios, livres, autônomos, saudáveis e com melhor capacidade de, eles mesmos, se tornarem líderes servidores?".[9]

O maldito ego

O que impede as pessoas de se tornarem líderes servidores? O ego. O ego faz com que a pessoa negligencie o bem maior e se coloque no centro de tudo. É nessa hora que começamos a ter uma imagem distorcida de nossa própria importância e a nos ver como o centro do universo. O bem maior passa a ser uma ideia estranha.

Nosso ego interfere de duas maneiras. Uma é o *falso orgulho*, quando você começa a pensar mais em si mesmo do que deveria. Assim, passa a forçar, a pressionar, em busca de reconhecimento de mérito, e a pensar que a liderança é algo a ser exercido para benefício seu, em vez de seus liderados. Você passa boa parte do tempo se autopromovendo. Seu ego também interfere através da *dúvida sobre si mesmo* e do *medo* – ou seja, pensar que você é menos do que realmente é. Você fica obcecado com suas falhas e é duro consigo mesmo. Passa boa parte do tempo se protegendo. Por sentir um falso orgulho e dúvidas sobre si mesmo, você acha difícil acreditar que está bem. Como diz aquela canção, "você busca o amor nos lugares errados". Você começa a achar que, como alerta Robert S. McGee, "seu valor próprio é a soma do seu desempenho com as opiniões dos outros".[10] Como seu desempenho varia diariamente, e as pessoas frequentemente são volúveis, pensando assim, seu valor próprio fica instável todos os dias.

É fácil entender que dúvidas sobre si mesmo surgem de uma falta de autoestima, porque as pessoas que sofrem disso agem diariamente como se tivessem menos valor do que os outros. Isso fica menos evidente com pessoas que apresentam falso orgulho, porque essas se comportam como se valessem mais do que os outros. De acordo com as pesquisas discutidas por Thomas A. Harris em *I'm OK, You're OK*, as pessoas com falso orgulho, que agem como se fossem as únicas realmente importantes no mundo, estão, na verdade, tentando compensar sua baixa autoestima. Elas compensam seus sentimentos negativos tentando controlar tudo e todos à sua volta. Nesse processo, perdem a estima daqueles com quem convivem.

É interessante ver como o falso orgulho e a indecisão pessoal afetam os gerentes. Quando gerentes estão viciados em qualquer uma dessas aflições do ego, sua eficácia é corroída. Gerentes dominados por falso orgulho são chamados, com frequência, de "controladores". Mesmo quando não sabem o que estão fazendo, eles têm uma grande necessidade de poder e controle. Mesmo quando fica claro para todo mundo que eles estão errados, ficam insistindo que estão certos. E esse tipo de pessoa raramente apoia seus colaboradores. Se todos estão bem de espírito e confiantes, os controladores jogam um balde de água fria. Eles apoiam seus chefes em detrimento de seus colaboradores porque querem subir na hierarquia e passar a fazer parte da "turma do chefe".

Do outro lado do espectro encontram-se os gestores movidos pelo medo, os chamados "chefes que não fazem nada". Eles nunca estão por perto, evitam conflitos e não são muito prestativos. Costumam deixar os funcionários sozinhos, principalmente quando são acometidos pela insegurança e ficam sem saber o que fazer. Chefes que fazem nada não acreditam nas próprias capacidades nem confiam em seu próprio julgamento. Dão valor sempre superior às opiniões dos outros – especialmente as opiniões daqueles a quem se reportam. Como tal, é muito raro saírem em apoio dos próprios colaboradores. Quando estão sob pressão, invariavelmente se dobram à opinião de quem tem mais poder.

Se tudo isso parece familiar demais e provoca desconforto, não se assuste. A maioria de nós sofre um pouco de falso orgulho e de dúvidas a respeito de nós mesmos, porque tudo se resume ao ego. Sentimo-nos presos numa armadilha, sozinhos, e permanecemos focados apenas em nós mesmos. A boa notícia é que existe um antídoto para ambas situações.

Antídotos para o ego

O antídoto para o falso orgulho é a humildade. A verdadeira liderança – a essência daquilo que as pessoas desejam e querem desesperadamente seguir – implica certa humildade, uma humildade que seja adequada e que evoque a melhor reação nas pessoas.

Jim Collins defende essa verdade no livro *Good to Great*.[11] Ele identificou duas características para descrever grandes líderes: *vontade* e *humildade*. A vontade é a determinação de seguir adiante com uma visão/missão/meta. A humildade é a capacidade de compreender que liderança não é a condição de ser líder; liderança diz respeito a cuidar das pessoas e de suas necessidades.

Segundo Collins, quando as coisas vão bem para os líderes autosservidores, eles se olham no espelho, batem no peito e proclamam para si mesmos como são bons. Quando as coisas vão mal, olham pela janela e culpam os outros. Por outro lado, quando as coisas vão bem para os grandes líderes, esses olham pela janela e reconhecem as contribuições dos outros. Quando as coisas vão mal, esses líderes servidores olham no espelho e se perguntam: "O que eu poderia ter feito de forma diferente para permitir que essas pessoas atingissem seu pleno potencial?". Isso requer humildade verdadeira.

Portanto, uma das chaves para se tornar um líder servidor é a humildade. Encontramos duas definições impactantes para a humildade. A primeira aparece em um livro de Ken Blanchard e Norman Vincent Peale, *The Power of Ethical Management*:[12]

> *As pessoas humildes não pensam menos de si mesmas, pensam pouco em si mesmas.*

Pessoas humildes têm uma autoestima sólida.

A segunda definição de humildade foi tirada de Fred Smith, autor de *You and Your Network*:[13]

> *Pessoas humildes não negam seu poder, apenas reconhecem que este passa por elas, mas não lhes pertence.*

Muitas pessoas por aí se consideram idênticas ao seu cargo e ao poder relativo a ele. Contudo, isso não é verdade. De onde vem o seu poder? Não vem da sua posição, vem das pessoas cujas vidas você toca. Como

Richard N. Bolles observa em *What Color Is Your Parachute?*, a maioria das pessoas gostaria de tornar o mundo melhor.[14] Porém, quantas têm de fato um roteiro para atingir essa meta? Pouquíssimas. No entanto, todos nós podemos tornar o mundo melhor através das decisões que tomamos, minuto a minuto, à medida que interagimos com as pessoas com quem entramos em contato no trabalho, em casa e na comunidade.

Suponhamos que, ao sair de casa certa manhã, alguém grita com você. Você tem uma escolha: pode gritar de volta com a pessoa ou pode abraçá-la e desejar-lhe um bom dia. Alguém corta sua frente no caminho para o trabalho. Você tem uma escolha: vai correr atrás do barbeiro e fazer um gesto obsceno ou enviará uma oração em direção ao seu veículo? Temos escolhas o tempo todo quando interagimos com outros seres humanos. A humildade doma sua natureza crítica e o motiva a fazer contato e apoiar e encorajar os outros. É daí que vem o seu poder.

Qual é o antídoto para o medo? É o amor. Você tem filhos? Você os ama? Esse amor que sente pelos seus filhos depende completamente do sucesso deles? Se forem bem-sucedidos, você os ama; se não, deixará de amá-los? Poucas pessoas concordariam com isso. Você ama seus filhos incondicionalmente, não é? E se aceitasse esse amor incondicional para si mesmo? Você sabe que Deus não cria porcaria. Ele ama cada um de nós incondicionalmente. Você sabe que não pode controlar o suficiente, vender o suficiente, ganhar dinheiro o suficiente ou ter uma posição importante o suficiente para conquistar mais amor? Você já tem todo o amor de que precisa. A única coisa que deve fazer é estar aberto para recebê-lo.

O que os líderes servidores fazem

The Secret: What Great Leaders Know – And Do,[15] livro da autoria de Ken Blanchard e Mark Miller, vice-presidente de liderança de alto desempenho da Chick-fil-A, afirma que os grandes líderes são *servidores*. Esse livro foi escrito com base na sigla SERVE. De fato, a Chick-fil-A organiza seu programa de treinamento de gerentes em torno das cinco maneiras fundamentais por meio das quais todo grande líder serve. Como a Chick-fil-A apresenta menos de 5% de rotatividade entre seus gerentes de restaurantes em mais de 1.100 estabelecimentos, esse programa demonstra ser bem-sucedido.

Olhe para o futuro (See the future). Diz respeito ao papel visionário dos líderes que discutimos em detalhe no Capítulo 2, "O poder da visão." Liderança é levar as pessoas de um lugar para outro. Nunca é demais falar da importância de uma visão cativante. Quando uma visão clara é estabelecida, metas e estratégias podem ser desenvolvidas dentro do contexto dessa visão.

Envolva e desenvolva as pessoas (Engage and develop people). Era disso que a Seção II, "Trate bem o seu pessoal", tratava. Levamos você por uma jornada transformacional, partindo da autoliderança e passando pela liderança de pessoa a pessoa, pela liderança de equipes e pela liderança organizacional. Como líder, quando a visão e a direção estiverem estabelecidas, você deve virar a pirâmide hierárquica de cabeça para baixo e se concentrar no engajamento e desenvolvimento de seu pessoal para que vivam de acordo com a visão. Você também deve cuidar de seus clientes de forma a cultivar maníacos pelos clientes e fãs incondicionais.

Reinvente continuamente (Reinvent continuously). A reinvenção contínua apresenta três aspectos. Em primeiro lugar, grandes líderes se reinventam continuamente. Estão sempre interessados em melhorar seu próprio conhecimento e habilidades. Os melhores líderes são aprendizes.

Grandes líderes encontram sua própria forma de aprender – alguns leem, outros ouvem livros gravados ou downloads, alguns passam seu tempo com mentores. Fazem o que estiver ao seu alcance para continuar aprendendo. Acreditamos que, se você deixa de aprender, deixa de liderar. Como Ken gosta de dizer: "se vai parar de aprender, é mais fácil deitar no chão e deixar as pás de terra caírem na sua cabeça, porque já morreu".

Achamos que todos, em qualquer organização, a cada ano, devem ter pelo menos uma meta de aprendizagem. O que você espera que esteja em seu currículo no ano que vem que não está esse ano? Por exemplo, talvez queira aprender espanhol este ano, já que tem cada vez mais clientes que falam espanhol. Ou talvez queira aprender algum programa novo de computador que tornará sua vida mais simples e o ajudará a descobrir as informações de que precisa para tomar decisões eficazes. O que quer que seja, concentre-se em aprender algo de novo todos os anos.

Segundo, os líderes devem trabalhar para imbuir o desejo por melhorias nas pessoas que realizam o trabalho cotidiano. O líder pode defender essa causa, mas são as pessoas que fazem com que ela tenha ou não sucesso.

A terceira parte de reinventar continuamente é a ideia da invenção estrutural. Muitas pessoas pressupõem que uma estrutura organizacional é permanente. Em muitos casos, porém, a estrutura organizacional já não serve mais ao negócio – as pessoas é que estão servindo à estrutura. Grandes líderes não mudam a estrutura simplesmente para ter alguma coisa para fazer. Eles entendem que sua estrutura organizacional deve ser fluída e flexível. Essa crença é fundamental para criar estruturas e sistemas estimulantes que caracterizam as organizações de alto desempenho. Outros líderes com menos competência tendem a deixar a estrutura guiar suas decisões, em vez de adaptar a estrutura para servir às demandas constantemente mutáveis do negócio.

Don Shula, o famoso treinador da NFL e coautor, com Ken Blanchard, de *Everyone's a Coach*, acreditava nisso firmemente. Ele dizia que as grandes equipes eram "preparadas para o improviso". Digamos que um *quarterback* combina um ataque pela direita. Quando ele chega à linha de *scrimmage*, vê que a defesa está pendendo para este lado. Ele não se volta para o atacante e diz, "espere aí, acho que vão acabar contigo!". Ele decide comandar uma nova jogada. Por quê? Pois a estrutura, e tudo que eles estabeleceram, já não é mais adequada. Shula sempre considerou importante entender que não se faz uma jogada improvisada por nada. É bom ter um plano; é bom ter sua estrutura prévia. Mas sempre esteja atento e decida se ela está servindo bem a você, seus clientes e seu pessoal. Se não estiver, mude a estrutura.

Valorize resultados e relacionamentos (*Value results and relationships*). Grandes líderes – aqueles que lideram em um alto nível – valorizam tanto os resultados quanto os relacionamentos. Ambos são cruciais para sobreviver a longo prazo. Não um ou outro, mas os dois. Por muito tempo, os líderes achavam que era preciso escolher. A maioria dos líderes de corporações declarava que o importante eram os resultados. Na verdade, há dois testes para um líder. Primeiro: obtém resultados? Segundo: tem seguidores? A propósito, se você não tem seguidores, é muito difícil obter resultados a longo prazo.

A maneira de maximizar seus resultados como líder é ter expectativas elevadas tanto para resultados quanto para relacionamentos. Se os líderes conseguem criar um ambiente motivador para que seu pessoal possa atender bem os clientes, os lucros e a estabilidade financeira serão os aplausos recebidos por um trabalho bem feito. Ocorre que o sucesso significa tanto resultados quanto relacionamentos. É uma fórmula comprovada.

Personifique os valores (*Embody the values*). Como enfatizamos no Capítulo 8, "Construção da confiança", toda liderança genuína é baseada em confiança. A confiança pode ser construída de muitas formas. Uma das principais é viver coerentemente segundo os valores que você defende. Se eu digo que os clientes são importantes, minhas ações devem confirmar essa afirmativa. Se eu optar por agir como se os clientes não fossem importantes, haverá motivos para questionar minha integridade. Em última análise, se as pessoas não me considerarem merecedor de sua confiança, certamente irei perder a condição e a capacidade de liderar. Para personificar os valores é preciso praticar o que se prega.

Acima de tudo, o líder deve ser o exemplo vivo da visão. Líderes que afirmam "faça o que eu digo, não o que eu faço", são ineficazes a longo prazo.

A sigla SERVE cria um quadro maravilhoso de como atuam líderes servidores. No entanto, é um desafio. Fazer um bom trabalho em cada uma dessas áreas é uma tarefa de peso, embora compensadora. Liderança servidora é levar as pessoas a um nível mais alto liderando as pessoas em um alto nível.

Liderança servidora: imposição ou escolha

Acreditamos que a liderança servidora jamais foi tão aplicável ao mundo da liderança quanto hoje. Não apenas as pessoas estão à procura de um propósito mais elevado, e com mais significado, como, à medida que enfrentam os desafios de um mundo em constante mutação, também estão à procura de princípios que realmente funcionem. A liderança servidora funciona.

Como Blanchard e Zigarmi descobriram em sua pesquisa, quando o "o quê" – a parte de *liderança* da liderança servidora – põe as coisas funcionando na direção certa, e o "como"– o aspecto *servidor* da liderança servidora – entusiasma colaboradores e clientes, a vitalidade e o sucesso organizacional estão praticamente garantidos. Se isso for verdade, então qual líder – incluindo líderes autosservidores focados apenas em ganhar dinheiro, ou em seu próprio poder, reconhecimento e *status* – não iria querer ser um líder servidor? A liderança servidora não beneficiaria seus interesses também?

A resposta é sim, mas não por muito tempo. Motivações autosservidoras não podem ser ocultadas por muito tempo. Seu coração será exposto. Como Blanchard e Zigarmi constataram, há uma correlação direta entre a má liderança nos altos escalões e o fracasso organizacional. O que aconteceu com a Enron, a Worldcom e outras empresas é muito revelador.

Liderança servidora não é apenas mais uma técnica de gerenciamento. É um modo de vida para aqueles que têm um coração servidor. Em organizações dirigidas por líderes servidores, a liderança servidora se torna uma imposição, e não uma escolha. Os subprodutos são uma melhor liderança, melhores serviços, uma organização de alto desempenho e mais sucesso e significado.

A liderança servidora proporciona melhor liderança. Organizações que têm líderes servidores são menos propensas a sofrer com liderança de má qualidade. Ao estudar a liderança de má qualidade, Barbara Kellerman encontrou sete padrões diferentes ao longo de um espectro que vai da liderança ineficaz à liderança antiética. A liderança ineficaz simplesmente não consegue cumprir sua tarefa por incompetência, rigidez, falta de autocontrole ou falta de sensibilidade. A liderança antiética, por sua vez, diz respeito ao que é certo e errado. "A liderança antiética pode trazer resultados, assim como a liderança que não traz resultados pode ser ética", afirma Kellerman. (Em outras palavras, é possível que a liderança antiética obtenha resultados.) "Porém, como a liderança antiética não pode pretender, nem de longe, se associar à decência e à boa conduta, o processo de liderança fica totalmente prejudicado."[16]

Organizações com líderes servidores se protegem de uma liderança antiética. Quando a visão e os valores estão bem definidos, dilemas éticos e morais têm menos chance de emergir. Drea Zigarmi, coautor de *The Leader Within*,[17] afirma que dilemas morais estão presentes quando não existem diretrizes para a tomada de decisões, o que força uma pessoa a contar apenas com seus próprios valores e convicções. Já um dilema ético surge quando a organização possui diretrizes claramente definidas para determinar comportamentos e o indivíduo precisa conscientemente decidir entre seguir ou violar essas diretrizes.

As organizações funcionam de forma mais eficaz se forem estabelecidos uma visão e valores desde o início, como ocorre sob uma liderança servidora. Quando a liderança antiética ocorre, geralmente é resultado da confusão moral criada pela ausência de diretrizes claramente estabelecidas, diretrizes essas que uma visão cativante forneceria.

A liderança servidora também fornece uma cura para a ineficácia. Digamos que alguém sem qualificações aceite uma posição de liderança. O que será necessário para que essa pessoa se torne eficaz e consiga cumprir a tarefa a ela designada? O segredo é a humildade. A verdadeira liderança servidora adota uma humildade sincera que traz à tona o que os líderes, e aqueles a quem eles servem, têm de melhor. Devido à sua forte autoestima, os líderes servidores estão dispostos a admitir qualquer fraqueza ou necessidade de ajuda. Se forem colocados em posições acima de suas capacidades, recorrerão ao seu pessoal para pedir auxílio.

Tivemos um magnífico exemplo disso em nossa própria empresa. Devido a uma crise de liderança, Debbie Blanchard, uma das proprietárias, teve que assumir o departamento de vendas. A única experiência que ela tivera com vendas fora um emprego de verão na Nordstrom enquanto ainda estava na faculdade. Quando teve sua primeira reunião com todos seus vendedores, sua humildade transpareceu. Proclamou que precisaria da ajuda de todos para ser eficiente. Viajou pelo país inteiro, fez reuniões de equipe, identificou as carências e pensou em maneiras de ajudar o seu pessoal. Em resposta à sua humildade, os vendedores trataram de fornecer à diretora toda a informação indispensável para a eficiência. Com Debbie no comando, o departamento de vendas registrou os maiores índices de vendas na história da empresa, excedendo de longe suas metas anuais.

A liderança servidora conduz a melhores serviços. Organizações conduzidas por líderes servidores têm mais oportunidades de cuidar melhor de seus clientes. Como já ressaltamos, se você não cuidar de seus clientes hoje, pode ter a certeza de que existe alguém esperando, pronto e disposto a proporcionar esse cuidado. Mais uma vez, a única coisa que a concorrência não pode roubar de você é o relacionamento que seu pessoal tem com os clientes. Sob uma liderança servidora, esses relacionamentos podem realmente florescer, pois as pessoas mais próximas do cliente têm o poder de voar como águias, em vez de grasnar como patos. Como já afirmamos no Capítulo 17, a excelência no serviço de atendimento ao cliente criada pela Southwest Airlines e pelo Ritz-Carlton foram resultado direto da liderança servidora. Líderes como Herb Kelleher e Horst Schulze estruturaram suas empresas para que, por meio do empoderamento, todos – incluindo o pessoal do atendimento – pudessem tomar decisões, usar seus cérebros e se tornar líderes servidores aptos a concretizar a visão de um serviço da mais alta qualidade para o cliente.

A liderança servidora ajuda a criar uma organização de alto desempenho. Quando discutimos o HPO SCORES® no Capítulo 1, dissemos que, quando o destino é chegar a uma organização de alto desempenho, a liderança é o motor. E o tipo de liderança que queremos é a liderança servidora. O elemento do HPO SCORES® que melhor caracteriza um líder servidor é o do *Poder Compartilhado e Alto Nível de Envolvimento.* Ele é característico de líderes que entendem que não são o centro de tudo.

Será que a liderança servidora se resume a ser "legal" só para ser bem quisto? Não – ela realmente funciona. Colocar o poder compartilhado e o alto nível de envolvimento em prática causa um forte impacto nos resultados financeiros, mediante o aumento da produtividade, a retenção e a satisfação dos colaboradores. Usando dados do Ministério do Trabalho dos Estados Unidos e pesquisas feitas junto a mais de 1.500 empresas dos mais variados ramos de atividades, Huselid e Becker constataram que essas práticas melhoraram de forma significativa a retenção de colaboradores, a produtividade e o desempenho financeiro. Na verdade, os autores conseguiram quantificar o impacto financeiro de práticas participativas com segurança suficiente para afirmar que cada desvio-padrão no uso de práticas participativas aumentava o valor de mercado de uma empresa entre US$ 35 mil e US$ 78 mil por empregado.[18]

Os líderes servidores em organizações de alto desempenho compreendem que as decisões cotidianas devem ser tomadas o mais próximo possível da ação e na linha de frente por aqueles diretamente envolvidos com o cliente. Ter envolvimento nas decisões que afetam suas vidas reduz o estresse das pessoas e cria um quadro funcional mais saudável e satisfeito. O envolvimento na tomada de decisões aumenta o sentimento de pertencimento e o compromisso das pessoas, bem como sua eficácia.

A Chaparral Steel, por exemplo, não adota inspetores de qualidade. Quem trabalha em suas fábricas tem também a responsabilidade pelos produtos e por sua qualidade. Considerando o poder e a responsabilidade envolvidos em tomar decisões, agem como seria de se esperar: como donos do negócio.

Líderes servidores em organizações de alto desempenho envolvem seu pessoal de todos os níveis e das mais variadas áreas do negócio na tomada de decisões complexas e estratégicas. Pesquisas demonstram que as decisões e os planos de ação são mais eficazes quando as pessoas a quem se exige comprometimento fazem parte do planejamento.[19] A eficácia aumenta na qualidade, na quantidade e na implementação. Decisões assim são tomadas em um ambiente de equipe onde todos os interessados estão presentes na sala e podem tirar proveito das opiniões de todos e reagir a elas, chegando a uma "sabedoria coletiva". A W.L. Gore, uma empresa cujas palavras de ordem são "comprometimento, empoderamento e inovação", reconhece a importância dos contatos pessoais. A Gore chega a limitar o tamanho de suas instalações. Prefere construir uma fábrica nova a expandir uma na qual os funcionários possam perder o contato uns com os outros.

Organizações de alto desempenho não dependem de um punhado de pessoas de excelente desempenho para orientar e dirigir, preferindo contar com habilidades de liderança mais amplamente distribuídas. Isso promove o autogerenciamento, o sentimento de pertencimento e o poder de agir rapidamente quando a situação o exige. Transferir as decisões para aqueles mais próximos da ação é uma prática de empoderamento. Líderes servidores em organizações de alto desempenho criam ambientes nos quais as pessoas são livres para escolher seu próprio empoderamento.

Líderes servidores pensam de forma diferente de líderes autosservidores. Não é possível compartilhar poder sem acreditar que as pessoas podem de fato administrar o poder e a tomada de decisões com responsabilidade, se forem dadas a elas o treinamento, a informação e as oportunidades certas. Também não é possível criar uma cultura de alto nível de envolvimento sem a inclusão de todos. Líderes servidores em organizações de alto desempenho não apenas demonstram apreço, mas aproveitam a diversidade cultural, de estilo, social, além da diversidade de raça, religião, orientação sexual e idade. Entendem que tomar decisões, resolver problemas e inovar de forma eficaz advém da utilização de perspectivas diferentes.

A liderança servidora traz mais sucesso e significado. Em *Halftime*, sua obra clássica, Bob Buford revela que a maioria das pessoas, na sua maturidade, busca menos o sucesso e mais o significado na vida – preferindo dar a receber.[20] As organizações comandadas por líderes servidores têm maior probabilidade de criar ambientes nos quais pessoas de todos os níveis podem tanto vivenciar o sucesso quanto encontrar um sentido para suas vidas.

É grande demais, atualmente, o número de líderes que se concentram apenas no sucesso. Além disso, pensam que o sucesso depende somente da riqueza acumulada, do reconhecimento recebido e do seu poder e *status*. Não há nada de inerentemente errado com qualquer uma dessas coisas, contanto que você não associe isso com quem você é. Como alternativa, gostaríamos que você se concentrasse no oposto de cada uma dessas coisas à medida que passa do sucesso para o que tem significado. Qual é o oposto de acumular riquezas? A doação generosa de tempo, talento, demonstração de apreço e apoio ao próximo. Qual é o oposto do reconhecimento? Servir. Qual é o oposto de busca de poder e *status*? Relacionamentos afetuosos.

Descobrimos nesses anos todos que quando você se concentra apenas no sucesso, jamais alcançará o significado. Esse é o problema dos líderes autosservidores – eles nunca superam sua própria imagem de importância. Por outro lado, se você se concentrar naquilo que é significativo – generosidade, servitude e relacionamentos afetuosos – ficará surpreso com quanto sucesso terá. Tome como exemplo a Madre Teresa. Ela não dava a mínima importância para o acúmulo de riqueza, o reconhecimento e o *status*. Sua vida toda estava voltada àquilo que era significativo. No entanto, o que aconteceu? O sucesso veio até ela. Seu sacerdócio recebeu tremendo apoio financeiro, ela foi reconhecida no mundo inteiro e recebeu os mais altos privilégios em todos os lugares. Ela era a líder servidora personificada. Se você se concentrar em primeiro lugar no significado, dará ênfase às pessoas. Com essa ênfase, o sucesso *e* os resultados virão.

Uma história incrível sobre o que realmente tem sentido ocorreu na corrida de 100 metros rasos nos Jogos Paraolímpicos há alguns anos em Spokane, Washington. Nove participantes esperavam ansiosamente pelo tiro de largada. Dado o disparo, correram para alcançar a linha de chegada o mais rápido possível, dentro de suas limitações físicas. Mais ou menos na metade do trajeto, um dos meninos caiu. Ele tentou se levantar e caiu novamente. Completamente frustrado, ficou deitado na pista e chorou. Enquanto seis dos corredores continuaram a corrida para alcançar a chegada e uma possível vitória, dois dos jovens, ao ouvir o choro do seu competidor, pararam, voltaram ao local onde ele se encontrava e ajudaram-no a se levantar. Os três, de mãos dadas, caminharam pela pista e atravessaram a linha de chegada juntos, bem depois dos outros terem terminado a corrida. A multidão ficou surpresa. Quando os espectadores se deram conta do que acontecera, levantaram-se todos e deram aos jovens uma ovação mais longa e ressoante do que haviam dado ao ganhador da corrida.

A vida é feita das escolhas que fazemos à medida que interagimos uns com os outros. Podemos optar entre servir a nós mesmos ou aos outros. A maioria dos jovens na corrida escolheu o próprio sucesso – a vitória – mas dois colocaram seu sonho de lado para servir uma outra pessoa. A multidão respondeu com entusiasmo porque todos nós desejamos viver em um nível mais alto, e aqueles jovens demonstraram o que isso significa. Fizeram uma escolha diferente – foram verdadeiros líderes servidores.

Esperamos que você faça esse tipo de escolha. Como líderes, a vida constantemente nos apresenta oportunidades para escolher amar e servir uns aos outros. Recentemente, alguém comentou com Margie Blanchard: "Você vive com Ken há mais de 50 anos. O que você acha que é liderança?". Ela respondeu:

Liderança não meramente tem a ver com amor — é amar.

E acrescentou: "É amar sua missão, amar seu pessoal, amar seus clientes e amar a si mesmo o suficiente para fazer de tudo para que outras pessoas possam se tornar magníficas".

Esse é o ponto de vista de Margie sobre liderança. Qual é o seu? No próximo capítulo, vamos ajudá-lo a descobrir.

19
Desenvolvendo seu ponto de vista sobre liderança

Margie Blanchard, Pat Zigarmi e Ken Blanchard

Em todo este livro, compartilhamos com você nosso ponto de vista sobre a liderança – nossas crenças e valores sobre liderar pessoas. Um valor fundamental dos autores é que, enquanto líderes, precisamos nos concentrar em servir os outros, não em sermos servidos. Em todos os capítulos, desafiamos você a liderar em um nível mais elevado, no qual as pessoas que você está liderando se sentem inspiradas para dar o melhor de si.

Agora é a sua vez. O objetivo deste capítulo é ajudá-lo a desenvolver seu próprio ponto de vista sobre liderança. Isso o ajudará a esclarecer suas ideias acerca da liderança e irá prepará-lo para compartilhar seu ponto de vista com os outros. Um ponto de vista sobre liderança basicamente descreve uma imagem do presente e do futuro na qual há consistência entre seus valores, palavras e ações enquanto líder. Seria, em outras palavras, "um curso sobre você"!

Por que é tão importante criar um ponto de vista claro sobre liderança? Ken Blanchard ficou convencido disso após ler o livro de Noel Tichy, *The Leadership Engine*. A pesquisa de Noel demonstrou que líderes eficazes apresentam um ponto de vista quanto à liderança que é claro e passível de ser ensinado, e que estão dispostos a compartilhá-lo com as pessoas com as quais trabalham.[1] Um ponto de vista sobre liderança ensina às pessoas o que você espera delas e de si mesmo para que, juntos, vocês e a organização possam ter sucesso.

O trabalho de Blanchard na criação do seu ponto de vista sobre liderança se tornou um curso de mestrado, o programa Master of Science in Executive Leadership (MSEL), oferecido em conjunto pelas Empresas Ken Blanchard e o College of Business da University of San Diego. Ken e Margie Blanchard – que ministram o curso – descobriram que, quando as pessoas refletem, escrevem e compartilham seu ponto de vista sobre liderança, elas obtêm uma imagem mais clara sobre suas intenções enquanto líderes. Colocar no papel o seu ponto de vista sobre liderança o convida a refletir profundamente sobre o seu legado de liderança e como deseja ser visto e lembrado como líder. A reflexão em si pode não alterar suas interações cotidianas com os seus liderados, mas acaba alterando as suas intenções e ajudando a descobrir o que Bill George chama de "Norte Verdadeiro", e pode servir como bússola para os líderes alinharem suas ações com seus valores.

Elementos de um ponto de vista sobre liderança

Ao refletir e escrever a respeito do seu ponto de vista sobre liderança, você deve:

- Identificar pessoas e eventos-chave que moldaram e influenciaram seu ponto de vista sobre liderança.
- Descrever os seus valores de liderança.
- Compartilhar suas expectativas para si e para os outros.

Pessoas-chave

Ao identificar pessoas-chave, pede-se que você reflita sobre quem influenciou sua vida com um impacto positivo (ou, em alguns casos, negativo). Faça as seguintes perguntas:

- Quem foram seus mentores? Quem o ensinou? Quem o inspirou? Quem o ajudou a acreditar em si mesmo?
- O que você admirava (ou não) em cada uma dessas pessoas-chave?
- O que você aprendeu com cada uma dessas pessoas que moldaram o seu comportamento enquanto líder?

Quando perguntamos às pessoas quem causou maior impacto em suas vidas, elas costumam mencionar primeiro os líderes com quem trabalharam. Depois, com o tempo, começam a mencionar seus pais, avós, amigos, orientadores ou professores. Quando a pergunta sobre as pessoas-chaves em sua vida é feita a Ken Blanchard, ele rapidamente menciona, seu pai e sua mãe:

"Minha mãe foi a pessoa com a atitude mais positiva que eu conheço. Ela contava para todos que eu ri antes de chorar, sorri antes de franzir o cenho e dancei antes de caminhar. Tendo recebido essa mensagem, o que mais eu poderia fazer a não ser me tornar uma pessoa otimista? Minha mãe me ajudou a manter as coisas na devida perspectiva. Ela dizia: 'Ken, não aja como se fosse melhor do que os outros. Mas também não deixe ninguém agir como se fosse melhor do que você. Lembre-se que há uma pérola de bondade dentro de todos nós'.

"Meu pai foi oficial da marinha e se aposentou como almirante. Ele foi um modelo forte de liderança para mim. Para ele, liderança não significava escolher entre pessoas ou resultados. Meu pai acreditava que a liderança era uma relação 'tanto/quanto' – tanto as pessoas quanto os resultados eram importantes para ele. Também me ensinou que usar o poder advindo de um cargo e achar que tudo 'é do meu jeito ou dane-se' não são as melhores formas de liderar. Nunca vou esquecer quando fui eleito presidente da turma na sétima série e voltei para casa todo animado. Meu pai disse: 'Que bom, Ken, que você é presidente da turma. Mas agora que ocupa uma posição, não se prevaleça dela. Os grandes líderes são seguidos não devido à sua posição de poder, mas porque são respeitados e porque as pessoas têm confiança neles'. Ele sempre apoiou e envolveu seu pessoal, mas exigia um alto nível de desempenho.

"Esses ensinamentos básicos que recebi de meus pais me deram uma visão otimista sobre a vida e as pessoas."

A essa altura, você deve uma ideia de por que, ao elaborar seu ponto de vista sobre liderança, a reflexão sobre quem influenciou sua vida e suas crenças sobre liderança é um bom ponto de partida.

Eventos-chave

Ao identificar os eventos-chave em sua vida – na infância, escola ou início da carreira – pense nas situações que mais o impactaram. Faça as seguintes perguntas:

- Quais eventos você lembra como se tivessem ocorrido ontem?
- Quais foram os pontos cruciais da sua vida?
- Quais experiências do seu passado o prepararam para um papel de liderança?
- O que você aprendeu com cada experiência?

Quando perguntamos às pessoas sobre os eventos-chave de maior impacto em suas vidas, elas geralmente se concentram nos grandes marcos.

Onde ocorreram as maiores transições? Onde estão as bifurcações na estrada, isto é, aqueles momentos em que você teve de escolher entre dois caminhos e isso, como disse Robert Frost, "fez toda a diferença"? Ao escolher um evento-chave que impactou sua vida, Pat Zigarmi conta sua história ao compartilhar seu ponto de vista sobre liderança:

"Meu valor de justiça foi moldado pelos movimentos em prol dos direitos civis, dos direitos femininos e das oportunidades iguais que marcaram a minha vida. Sempre quis ver os pequenos vencerem. Sempre quis que as pessoas acreditassem no seu potencial de serem magníficas, e questionei as tendenciosidades e preconceitos sempre que tive a oportunidade para tanto. Na faculdade, como uma das diretoras da minha irmandade, que tinha suas raízes no Sul, fui à convenção nacional para protestar contra a exclusão dos negros da irmandade, e no semestre seguinte peitamos a organização e aceitamos uma mulher negra. Em 1986, convenci minha empresa, as Empresas Ken Blanchard, a retomar meu cargo mesmo com uma criança pequena – em um programa que chamamos de Infant at Work ("bebê no trabalho", apelidado carinhosamente de "trabalho infinito"!). Não queria escolher entre minha paixão pelo meu filho e minha paixão pelo trabalho, e não queria que ninguém escolhesse por mim. Acreditava que sabia o que era certo e justo para mim. Sempre admirei os pioneiros na luta por igualdade e justiça. E sempre admirei a generosidade de espírito exemplificada pelo meu pai, que considero um dos componentes da justiça."

Algumas pessoas combinam um evento-chave e uma pessoa-chave que influenciaram seu ponto de vista sobre liderança. Um dos nossos colegas, por exemplo, escreveu:

"A melhor história que posso contar sobre um evento-chave na minha vida e uma pessoa-chave é a seguinte. Quando estava na oitava série, me candidatei para a comissão do anuário. Foi um ano difícil para mim, pessoalmente, e não faltava simpatia do corpo docente por isso. Contudo, quando os professores não me escolheram para a comissão, fiquei chocada. Fui procurar meu pai para ser reconfortada. Ele me abraçou enquanto eu chorava e soluçava 'foi só porque sou negra'. Meu pai respondeu com carinho, mas firme: 'Não, é porque você não foi boa o suficiente. Você não se empenhou para atingir a meta. Em outras palavras, é culpa sua. Você não priorizou essa meta e agora vai ficar de fora da comissão do anuário'. Ali, sentada no colo do meu pai, percebi que aprendera uma lição importante: o sucesso vem do esforço que fazemos para realizar as tarefas para atingir uma meta. Excelência nunca significa encontrar uma desculpa para explicar por que você não se empenhou."

Refletir sobre as pessoas e eventos-chave da sua vida prepara o caminho para refletir sobre o próximo passo na elaboração do ponto de vista sobre liderança: identificar e definir seus valores.

Valores

Seus valores determinarão como você se comporta enquanto líder. É por isso que os valores são um elemento importante do seu ponto de vista sobre liderança.

Valores são crenças fortes e fundamentais. Já foi dito que:

> *O mais importante na vida é decidir o que é importante.*

As pessoas e eventos-chave da sua vida moldam seus valores, e é por isso que as pessoas não têm todas os mesmos valores.

A seguir, apresentamos uma lista de valores pessoais. Enquanto a lê, você provavelmente verá que valoriza todos ou quase todos, e é por isso que precisamos dedicar algum tempo para refletir profundamente sobre quais são os mais importantes. Se um valor não listado for importante para você, sinta-se à vontade para incluí-lo.

verdade	sabedoria
força	comprometimento
coragem	reconhecimento
entusiasmo	aprendizagem
criatividade	honestidade
felicidade	originalidade
serviço	respeito
liberdade	ordem
integridade	espiritualidade
paz	cooperação
lealdade	humor

segurança	recursos
amor	excelência
diversão	prestatividade
relacionamentos	sucesso

A identificação dos seus valores pode começar com uma lista longa. Primeiro, escolha dez ou doze, então vá eliminando alguns. Compare cada valor contra os outros e tente escolher de três a cinco que considere os mais importantes. Talvez seja útil rever suas histórias sobre as pessoas e eventos-chave na sua vida e considerar os valores refletidos nas histórias. Se tiver dificuldade em diminuir o número de seus valores mais importantes, pode combinar alguns. Ken, por exemplo, combinou duas palavras para criar "paz espiritual" como seu valor de maior importância, seguido por "integridade", "amor" e "sucesso".

Lembre-se de escolher os valores mais significativos para você pessoalmente, não apenas que ajudam a sua imagem.

O próximo passo para esclarecer seus valores é defini-los. Para ser capaz de viver consistentemente com um valor, você deve ser capaz de explicar o que ele significa para você. Tomemos como o exemplo o valor "justiça". Pat lembra-se de uma conversa em que três pessoas definiram "justiça" de formas diferentes. Para ela, queria dizer oportunidades iguais; para outra pessoa, processos justos; para a terceira, "receber o que me é devido".

A menos que as pessoas na sua vida entendam exatamente o que você quer dizer por cada um dos seus valores, eles não terão muito significado. Isso vale especialmente para palavras como "justiça", que podem ter diversas definições.

Pense, por exemplo, em um valor pleno de significados, como "amor". Ken define esse valor descrevendo a sensação que tem ao expressá-lo para os outros. De acordo com Ken:

> Valorizo o amor. Sei que vivo de acordo com esse valor todas as vezes que sinto amor por mim mesmo e pelos outros; sempre que sinto compaixão, sempre que demonstro meu amor pelos outros e sempre que sinto o amor dos outros.

A seguir, apresentamos a descrição de uma colega para um de seus valores, "envolvimento". Coloque-se no lugar de um dos membros da equipe dela e você verá o potencial de compartilhar as bases do valor – por que ele é importante – e de saber como o líder o define e como espera que se aplique nas interações cotidianas. Observe como a definição do valor começa a se misturar com as "expectativas para si e para os outros", que é o último componente de uma apresentação de ponto de vista sobre liderança.

> Meu próximo valor é "envolvimento" – aprendi como me sentir envolvida com a tomada de decisão é importante para mim quando minha família teve que lidar com a doença da minha mãe. Meu pai garantiu que minha voz seria ouvida e minha opinião, valorizada. Como sempre quis "ter meu lugar à mesa" e influenciar as decisões que me afetariam, sempre pressupus que os outros também iriam querer se envolver e influenciar. Quando lidero, espero que as pessoas se manifestem. Para mim, envolvimento significa criar um senso de parceria – estamos todos juntos. Em todas as decisões significativas que preciso tomar, quero envolver as pessoas que serão mais impactadas para garantir o alinhamento. Estou comprometida com tomar as decisões difíceis quando necessário, mas não sem escutar os outros antes. E espero que meus colegas deem a sua opinião e garantam que serão escutados.

Aqui estão três dos cinco valores de Pat, para que você entenda um pouco o que significa expandir a definição do valor:

> Valorizo "competência e criatividade", o que significa que reconheço quando alguém domina o que faz, seja o que for. Admiro a qualidade do trabalho, o aspecto artístico, o virtuosismo – seja em um atleta, músico, *chef*, artista, *coach* ou líder de negócios. Respeito as pessoas que são talentosas no que fazem, o que em geral significa reinventar constantemente o espaço no qual trabalham.

> Valorizo a "flexibilidade", que defino como adaptabilidade, versatilidade e resiliência – a capacidade de mudar de tática quando necessário, de adotar um novo plano ao encontrar novas informações. Flexibilidade também envolve ter coragem para experimentar. Sempre me dediquei a expandir as perspectivas dos funcionários e a ajudá-los a reunir a coragem para experimentar algo novo. Outra imagem que vem à mente com a palavra "flexibilidade" é a do salgueiro. O salgueiro é uma árvore com uma força incrível, mas ela se dobra e então se re-equilibra. Flexibilidade implica em inquisitividade e estar aberto a mudanças. É o contrario da rigidez. Estou no meu melhor quando estou aberta a mudanças, quando considero alternativas, quando lembro que múltiplos caminhos levam ao mesmo destino.

> Outro valor que nutro é "alegria". Quem me conhece bem sabe que sempre valorizei as brincadeiras, visível até nos meus momentos

mais intensos. Alegria para mim significa expressividade. Meu rosto sempre foi um livro aberto. Dá para saber o que estou pensando pela minha cara. Para mim, alegria conota ser caloroso. É por isso que amo tanto o Natal. Porque você dá alegria de presente... cozinha uma receita de família, decora a árvore com ornamentos estimados, honra uma velha tradição ou inventa uma nova, descobre o presente perfeito, é generoso na refeição e cria memórias. Sempre tive um dom para criar memórias que envolvem um sentimento de admiração, valorização, gargalhadas ou carinho. Para mim, a base da alegria é o otimismo. Nunca acredito que as coisas não vão dar certo.

Mais uma vez, com todos esses exemplo, está montada a cena para escrever a terceira parte de um ponto de vista sobre liderança: as expectativas para si e para os outros.

Expectativas para si e para os outros

Esclarecer suas expectativas para si e para os outros é o último passo para elaborar seu ponto de vista sobre liderança. Essas expectativas devem fluir naturalmente das pessoas e dos eventos-chave que influenciaram você e seus valores. Suas expectativas são a essência do seu ponto de vista sobre liderança. Quando você compartilha seu ponto de vista com os outros, eles podem até se envolver com a narrativa, mas o que querem mesmo saber é como trabalhar com você mais facilmente.

O que você espera de si mesmo

Vamos analisar algumas das expectativas que Ken tem de si mesmo e que compartilha com os outros.

> Acredito que o meu papel como seu gestor é ajudá-lo a vencer – a cumprir suas metas. Quero que você tire A. Se estiver de acordo com as expectativas que tenho para mim mesmo, vou estar torcendo por você. Se não estiver progredindo, devo redirecionar seus esforços para recolocá-lo nos trilhos novamente. Em outras palavras, você deve saber quando está dando "respostas erradas" para que possamos discutir o que seria "uma resposta certa". Se estiver à altura das minhas expectativas para mim mesmo enquanto líder, todo o trabalho que faço com você deve estar voltado para ajudá-lo a produzir bons resultados e, no processo, sentir-se bem consigo mesmo.

O que as pessoas podem esperar de você

Fazer com que as pessoas saibam o que podem esperar de você reforça a ideia de que a liderança é um processo de parceria; fornece às pessoas uma ideia de como as coisas serão enquanto trabalham juntos.

Por exemplo, um dos alunos do programa MSEL na University of San Diego descreveu o que o seu pessoal poderia esperar dele:

> Saber que eu gosto de construir coisas os ajudará a entender o que podem esperar de mim. Na verdade, olho para muitas coisas diferentes sob a ótica da construção. Gosto de construir casas. Gosto de cultivar minha família. Gosto de criar e desenvolver negócios e gosto de desenvolver as pessoas. Fico feliz de pôr a mão na massa e ajudar as pessoas a construírem praticamente qualquer coisa. É o que eu mais gosto. Portanto, você pode esperar que eu lhe dedique bastante do meu tempo, que escute atentamente quando você precisar conversar e que eu ajude a acessar o que você já sabe com perguntas inteligentes.
>
> Outro dia mesmo, percebi que Jack, um dos membros da minha equipe, havia ficado até tarde no trabalho e parecia um pouco frustrado. Quando perguntei como ia tudo, ele contou que os alvarás do nosso novo escritório estavam atrasados, o que atrasaria o projeto inteiro. Conversando comigo, ele descobriu outra pessoa a contatar e outra abordagem que poderia usar. Ele tinha a resposta dentro de si, eu só o ajudei a fazer perguntas diferentes.

Seu ponto de vista sobre liderança deve demonstrar aos outros como dará o exemplo dos valores e dos comportamentos que está encorajando. Como a maioria dos pais sabe, as pessoas aprendem com nossas ações e não apenas ouvindo nossas palavras. Os líderes devem praticar aquilo que pregam.

Outro aluno do MSEL deixou muito clara a forma como daria o exemplo para seu pessoal:

> Todos vocês sabem que dispensei o melhor vendedor de nossa empresa há nove meses por envolvimento em atividades questionáveis. Ele achava que era intocável devido a seu *status* como executivo de contas com alto grau de produtividade. Ninguém, e me incluo nisso, está acima dos padrões éticos que são esperados de alguém que trabalha em nossa empresa.

O que você espera do seu pessoal

Como acreditamos que a liderança eficaz é uma parceria e que os líderes eficazes trabalham lado a lado com os seus membros de equipe, é fundamental que você diga às pessoas o que espera delas. Isso lhes dará uma ideia de como devem se comportar sob a sua liderança.

Ao compartilhar suas expectativas, é útil pensar em alguém que exemplifica o comportamento que você espera. Exemplos reais são melhores do que generalidades.

A seguir, vemos o exemplo de um dos alunos do programa MSEL da University of San Diego. Observe como ele destaca um gerente que vive de acordo com suas expectativas de comportamento ético:

> A expectativa que tenho de vocês pode ser resumida em uma frase conhecida como a Regra de Ouro: *trate os outros como gostaria de ser tratado*. O que quero dizer com isso? Espero que vocês todos ajam de forma ética em todas as situações. Existem muitas oportunidades para tomar atalhos e fazer coisas que resultarão em ganhos de curto prazo. Muitos exemplos nos negócios nos últimos anos demonstraram como isso pode ser desastroso. Espero que vocês sejam firmes quanto a esse item e não permitam que outros pensem que vocês toleram fraudes ou qualquer outra atividade antiética. Vocês gerenciam centenas de colaboradores. Ainda que cada um não os conheça tão bem, eles precisam saber a importância que vocês dão à integridade. Por exemplo, Ruth, adoro como, no seu departamento, vocês estão sempre se perguntando: "Isso é o certo?"

Desenvolvendo seu próprio ponto de vista sobre liderança

Agora você pode criar seu próprio ponto de vista sobre liderança.

Primeiro, não tente elaborar seu ponto de vista sobre liderança da noite para o dia. Dedique uma porção de tempo significativa à reflexão sobre pessoas-chave, eventos-chave e seus valores. Deixe as suas reflexões amadurecerem.

Depois escreva ou grave suas ideias. Pense em termos narrativos. As pessoas lembram e respondem mais a histórias do que a uma lista de princípios gerais sobre liderança eficaz. As histórias o personalizam e permitem que as pessoas encontrem pontos em comum com você. Listas de atributos ou qualidades da liderança eficaz não explicam quem você é tão bem quanto as histórias, que ajudam as pessoas que você lidera a entender por que você age como age. Quando conhecem suas histórias, as pessoas entendem mais facilmente suas intenções. As histórias têm começo, meio e fim. Lembre-se de incluir os detalhes que darão vida às suas narrativas sobre pessoas e eventos-chave. Também é importante indicar o que você aprendeu sobre liderança com cada história. Esses aprendizados podem ser uma linha direta para os seus valores.

Ao escrever ou gravar seus valores, lembre-se de defini-los por completo, como discutido anteriormente, pois assim as pessoas saberão o que, de fato, esses valores significam para você.

Após desenvolver um rascunho, cogite testá-lo com um *coach* ou outras pessoas em quem confia. Peça o seu *feedback*. O que funcionou? Quais partes foram inteligentes e perspicazes? Quais confusas? Onde é preciso trabalhar para tornar a narrativa mais instigante? O *coach* ou os seus colegas acreditam que você explicou claramente seus valores e como espera vê-los aplicado em interações com os membros da equipe e outros colegas?

Escute e avalie o *feedback* que está recebendo. Reescreva o que escreveu. Sente-se com o texto e reescreva-o de novo. Considere qual abordagem funciona melhor para você. Não existe uma única maneira certa de organizar uma apresentação de ponto de vista sobre liderança.

- Algumas pessoas começam com uma breve biografia, destacando indivíduos e eventos mais importantes, e então destilam seus valores de liderança e expectativas para si e para os outros a partir das histórias que compartilharam.
- Outros começam compartilhando seus valores e então mostram como pessoas e eventos-chave formaram esses valores.
- Algumas pessoas começam com as expectativas para si e para os outros e então compartilham seus valores, embasados em histórias sobre pessoas e eventos-chave.

Ao apresentar seu ponto de vista sobre liderança, você pode converter sua versão longa em um resumo que torna a apresentação menos formal e mais próxima de uma conversa. Recomendamos isso bastante, pois o assim sua história virá do coração. Mas você também pode lê-la. Como uma apresentação de ponto de vista sobre liderança não é um discurso sobre o que é liderança eficaz, mas sim uma narrativa profundamente pessoal, tê-la no papel e à mão pode gerar uma sensação de segurança e ajudá-lo a se recompor caso se emocione demais durante a apresentação, o que pode acontecer.

Ao longo deste capítulo, oferecemos exemplos de como se pode descrever um valor, pessoa-chave ou evento-chave. Agora gostaríamos de compartilhar alguns exemplos de pontos de vista sobre liderança completos.

O primeiro é uma apresentação de ponto de vista sobre liderança. O motivo de chamarmos de apresentação é que a autora a apresentou às pessoas que trabalham ao seu lado. Recomendamos que faça o mesmo, pois o ponto de vista sobre liderança pode ser sobre você, mas não é *para* você. Ele existe para o seu pessoal, para ajudá-los a trabalhar de forma mais eficaz com você.

Observe que, neste exemplo, a líder estabelece o contexto, explicando por que está compartilhando seu ponto de vista sobre liderança.

> Vocês todos sabem que estou em um programa de mestrado em liderança – ele fez com que eu refletisse bastante sobre o meu histórico e meus valores e também quais experiências me transformaram na pessoa que sou hoje. Gostaria de compartilhar com vocês algumas das experiências que mais influenciariam minha vida, na esperança de que possamos trabalhar ainda melhor em equipe e esclarecer quais são minhas expectativas enquanto *coach* e enquanto colega.
>
> Alguns de vocês conhecem a minha história melhor do que os outros. Sou filha única. Meus pais eram namorados na escola e se casaram logo em seguida. Eu nasci alguns anos depois, e meu pai foi transferido logo em seguida. Nos mudamos para longe do conforto e segurança da família e dos amigos. Depois da mudança, o casamento começou a decair e minha mãe ficou deprimida. Meus pais não brigavam, mas havia uma tristeza no ar, óbvia até para uma criança pequena. Aprendi que o melhor jeito de sobreviver seria sendo uma "menina obediente".
>
> O que fiz foi me esforçar ao máximo para não causar problemas e não criar mais sofrimento para eles, então aprendi desde cedo a evitar conflitos e subverter minhas próprias necessidades emocionais. Todo mundo aqui conhece a história da Branca de Neve e a maçã envenenada. Na história, a Rainha Má dá à Branca de Neve uma maçã para fazê-la dormir. Na minha versão, não havia uma Rainha Má; eu mesmo pegava a maçã que me insensibilizava e me colocava para dormir.

Desde pequena eu sabia que, para garantir minha própria sobrevivência, meu trabalho seria virar adulta, acalmar minha mãe e deixar tudo bem. Então eu mordi a maçã. Depois do divórcio, fui morar com a minha mãe e seu namorado, que não gostava nem de crianças nem de mulheres (dois pontos a menos para mim). Quando eu tinha 9 anos, minha mãe casou de novo e saiu do país. Quando isso aconteceu, fui morar com meu pai, que também estava prestes a se casar de novo. Naqueles nove meses antes do casamento, eu vivia indo da casa do meu pai para a da namorada dele e para a casa dos meus avós. Depois do casamento, me juntei a uma nova família, com três enteados. A essa altura, eu sabia muito bem como interpretar a menina obediente. O que isso significa é que eu não expressava minha raiva por ter sido abandonada pela minha mãe, o medo de entrar em uma nova família ou a tristeza de parecer que eu não era a prioridade de ninguém. Então mordi a maçã de novo.

Esse padrão de evitar conflitos emocionais e tentar agradar os outros sendo tudo que eu achava que eles queriam que eu fosse continuou na minha vida adulta. Casei com um homem que tinha muitas qualidades excelentes, mas saber se comunicar e lidar com conflitos não estavam entre elas. Para ele, os conflitos eram pessoais, e ele ignorava e me culpava por tudo que não estava dando certo na nossa vida. Então dei mais umas mordidas na maçã, a ponto de me tornar insensível, sonâmbula em minha própria vida, mas agora arrastando duas filhas adolescentes. Não tenho certeza exatamente o que me fez acordar... meu Príncipe Encantado aparece depois nessa história. Talvez tenha sido um beijo da vida que me fez acordar.

Embora eu desse prioridade máxima às minhas filhas, sabia que não dava o melhor exemplo a elas do que era uma vida saudável e feliz e um casamento amoroso. Acabei me divorciando (após 25 anos). Ainda não sei como tive coragem, mas acredito que meu desejo de viver uma vida plena me ajudou a superar a estagnação e o medo. O que estou aprendendo é que preciso conectar meu coração com a minha mente e prestar atenção às minhas próprias necessidades, sonhos e desejos, e que sempre temos escolhas. A partir das reflexões sobre a história do meu desenvolvimento, os valores que ficaram claros para mim são os seguintes:

Valor nº 1: autenticidade. Para mim, autenticidade significa que minha mente, coração, corpo e alma trabalham todos juntos e avançam na mesma direção. Ainda estou aprendendo a dizer como me sinto, especialmente quando estou assustada e com medo de perder um relacionamento por ser honesta demais. Minha expectativa é que vocês me questionem quando não concordam ou quando acham que não estou tomando a decisão certa.

Rachelle, fico impressionada com a sua capacidade de enfrentar os conflitos de frente e fazer perguntas quando não concorda com as avaliações que faço do seu trabalho. Quando age assim, você nos guia para resultados melhores para os funcionários e para a empresa.

Valor nº 2: responsabilidade. Para mim isso significa sermos responsáveis por nós mesmos, por bem ou por mal. O que você faz com a sua vida, e o que já fez, é responsabilidade sua. Não somos vítimas. Fazemos escolhas e temos que optar continuamente por assumir propriedade e responsabilidade pelas nossas vidas. Para mim, isso também significa agir como necessário para obter os resultados que você quer: reservar tempo para cuidar de si mesmo, como fazer terapia (quando necessário), ou fazer exercícios, descansar e se desenvolver.

Sarah, fiquei muito feliz quando você me procurou e explicou como todas as viagens de trabalho estavam tendo um efeito negativo na sua vida e que isso precisava mudar. Tenho certeza de que foi difícil, mas você me deu a oportunidade de encontrar uma solução que funciona para você e para a empresa.

Valor nº 3: senso de humor. Acho importante rir e me divertir com os outros. Adoro rir, e o senso de humor me ajuda a enfrentar (ou resolver) situações tensas. O senso de humor também me ajuda a me sentir ligada a todos vocês e oferece um jeito de lidar com o estresse. Estou adorando a oportunidade de compensar toda a diversão que não tive quando era criança.

Joanne e Roxanne, me diverti tanto com os nossos esquetes das "Fixie Chicks". Para mim, brincar e se divertir não é algo extra – é o esperado.

Esses são os valores que estou escolhendo para a segunda metade da minha história: autenticidade, responsabilidade e senso de humor. E pode ser a última metade, mas também é um novo começo. Conheci um homem maravilhoso (meu Príncipe Encantado, quem sabe?) com quem posso ser eu mesma e não preciso fingir. Estou aprendendo a me manifestar sem medo de represálias e estou me divertindo. Estou em meio a uma jornada, e quero que vocês expressem suas verdades pessoais para que possamos aprender e crescer juntos ao longo dela.

Gostaria de finalizar com uma citação de Brené Brown: *"Quando você é dono da história, você escreve o final"*. Somos todos donos das nossas histórias, e mal posso esperar para compartilhar esse final novo e corajoso com vocês.

Nosso exemplo final de um ponto de vista sobre liderança completo vem de Colleen Barrett. Colleen é Presidente Emérita da Southwest Airlines e recebeu dezenas de prêmios e honrarias empresariais, incluindo o Tony Jannus Award; doutorados honorários do St. Mary's College e Grand Canyon University; e presença nas listas The World's 100 Most Powerful Women Award da *Forbes* e The Top 50 Leaders da *Fast Company*. Seu ponto de vista sobre liderança é anunciado em alto e bom som no livro que escreveu em coautoria com Ken Blanchard: *Lead with LUV: A Different Way to Create Real Success*.

Meu passado

Nasci em uma família pobre, com pai alcoólatra e mãe como responsável pelo sustento dos filhos. Minha mãe foi a pessoa que mais influenciou a minha vida. Tinha pouca escolaridade e dinheiro, mas era dona de um grande coração. Trabalhava duro e era muito determinada, foi um exemplo para mim. Era uma grande pessoa. Embora não usasse a expressão, ela servia de modelo à Regra de Ouro. Guiava-se pela crença de que se tratasse as pessoas como gostaria de ser tratada, assim seria tratada. Meu pai alcoólatra não foi um bom modelo. Também aprendi com isso. Podemos aprender com bons e com maus exemplos.

O que aprendi

Uma série de reveses moldaram minha visão sobre liderança. Quando estava no primeiro ano do ensino médio, minha casa incendiou. Venci um câncer de mama e uma série de ataques pessoais. Esses desafios ensinaram-me a pensar sobre minhas prioridades e a não julgar as outras pessoas, porque você não sabe o que está acontecendo na vida delas.

Ainda na escola, um incidente ensinou-me porque não é bom julgar os semelhantes. Eu estava trabalhando como recepcionista de uma indústria de papel. Minha supervisora disse que eu deveria minimizar meus contatos com os motoristas grandalhões que dirigiam os caminhões de entrega de papel, porque os achava "muito sujos, muito perigosos, muito machões". Mas quando minha casa incendiou, eles se juntaram e compraram para mim um casaco de inverno. Sabiam mais sobre o que estava acontecendo comigo do que a minha gerente. Essa experiência também me ensinou a estender a mão quando as pessoas estão passando por dificuldades. Sempre que um empregado enfrenta problemas de saúde ou em casa, eu mando um bilhete ou um presente de apoio.

Meus valores

O propósito da minha vida é fazer a diferença lutando por uma boa causa. A Southwest Airlines é uma causa. Fizemos algo que nenhuma companhia aérea fez. Em 1971, quando só a elite andava de avião, queríamos abrir os céus para todos. Acreditávamos que voar era divertido. Apenas 13% dos americanos costumavam viajar quando nós começamos; hoje são 97%. Colocamos as pessoas para voar a preços baixos à noite e nos fins de semana. Meus valores na verdade espelham os da Southwest. Todos os dias quero mostrar um coração servidor, um espírito guerreiro e projetar uma atitude divertida e amável. O espírito guerreiro transparece na minha paixão pelas causas e pelas pessoas.

Como disse, minha mãe teve uma grande influência nos meus valores, especialmente por sua filosofia de fazer tratar as pessoas como gostaria de ser tratada. Minha mãe me incentivou a acreditar que eu poderia fazer qualquer coisa e que assim faria uma diferença positiva. Acreditava que eu poderia ser o que quisesse se me esforçasse. Compartilho com ela os valores de trabalho árduo e determinação, paciência e tolerância.

Creio que na liderança e motivação das pessoas deve haver respeito, a prática da Regra de Ouro, ausência de julgamento e valorização das pessoas pelo que são. Também acredito em equipes, o que se traduz no meu desejo de ser inclusiva e igualitária.

O que se pode esperar de mim

Servirei de exemplo a vocês ao seguir nossa filosofia de liderança da Southwest Airlines: trate seu pessoal corretamente e boas coisas acontecerão. Farei o máximo para ser uma líder servidora que assegure que vocês tenham um bom ambiente de trabalho e as ferramentas que precisarem. Farei o máximo para que vocês se sintam amados, apreciados e apoiados, de forma que possa retribuir aos nossos passageiros com o mesmo calor, carinho e espírito.

Creio que, se perguntados, quaisquer de meus funcionários diriam: "Ela é uma pessoa prática e sempre diz o que pensa. Goste ou não, você terá de ouvi-la". Isso não me incomoda, pois quero que as pessoas saibam o que esperar de mim. Tenho alguns apelidos, e um deles é "mãezona". Acho que as pessoas sabem que estarei lá por elas, sou uma grande apoiadora, acredito e confio nas pessoas. Não vou julgá-las. Mas essa é uma via de mão dupla.

O que eu espero de vocês

Não espero que vocês façam algo que eu não faria. Espero uma relação de troca. Precisamos retribuir quando necessário.

Aprendi sobre a beleza das relações de troca com meu mentor, Herb Kelleher. Quando era uma jovem secretária, tínhamos uma correspondência a ser enviada. Tudo o que podia dar errado deu. O material deveria estar no correio no dia seguinte, mas a impressora estragou e a postagem saiu errada. Todos os envelopes tiveram de ser corrigidos e fechados novamente – e naquela época não se fazia isso com um apertar de botão. Eram 8 da noite e tínhamos de começar tudo de novo. Herb sentou lá e ficou comigo até às 4h da manhã, no chão, colando envelopes e selos, pois não tínhamos uma máquina de postagem. Nunca vou esquecer. Ele poderia dizer que era minha culpa, mas não fez isso. Ele embarcou comigo na história. Foi uma lição de liderança e motivação e sobre a importância de trabalhar lado a lado com as pessoas que lidera.

Também espero comunicação aberta. Não gosto de surpresas. Gosto de ouvir as más notícias antes para que possamos consertar a situação. Se eu não tomo conhecimento não tem como consertar. Quero que vocês vejam os problemas, usem o discernimento e tragam-me soluções. Acredito na sinceridade absoluta. Quero paixão, quero que vocês acreditem e se importem com o que fazem.

Quero que todas as decisões sejam tomadas com o coração servidor. Não esqueçam que a Southwest é uma empresa de serviços ao consumidor. Por acaso trabalhamos com transporte aéreo. Se as pessoas não querem servir, elas não são más – mas não pertencem à Southwest. Por exemplo, temos pilotos que pagaram a hospedagem de passageiros sem dinheiro que tiveram de desembarcar em cidades que não pretendiam. Os pilotos não pediram autorização e nem perguntaram se seriam reembolsados. Fizeram isso por que são esse tipo de pessoa. São generosos e caridosos. Existem para servir os outros.

Torne-se um líder de alto nível

Um ponto de vista sobre liderança tenta capturar a sua voz. É uma assinatura. Ele foi criado para ajudá-lo a se apropriar e compartilhar sua perspectiva pessoal e exclusiva sobre liderança. O modo como você conta sua história pode lembrar os exemplos anteriores ou ser totalmente diferente. O objetivo é refletir e compartilhar como gostaria que as pessoas vivenciem sua liderança para que possa se conectar melhor e ser mais eficaz.

Neste livro, fizemos o melhor possível para lhe ensinar o ponto de vista sobre liderança que desenvolvemos nos últimos 40 anos. Assim, à medida que você desenvolve seu próprio ponto de vista a esse respeito, não seja exigente demais consigo mesmo. Esta pode ser a primeira vez em que esteja refletindo sobre suas crenças em relação a liderar e motivar as pessoas. Sinta-se à vontade para adotar algumas das ideias que aprendeu nestas páginas.

O mundo precisa de mais líderes que liderem em um alto nível. Como dissemos na introdução, nosso sonho é que, algum dia, todos trabalhem com líderes que estejam liderando em um alto nível. Sonhamos com o dia em que líderes que servem a si mesmos sejam uma coisa do passado, e que líderes que servem aos outros sejam a regra e não a exceção.

Você pode se tornar um líder que faz uma diferença positiva em nosso planeta. Então, vá em frente e aja! Contamos com você.

Notas

Introdução

1. Matt Hayes e Jeff Stevens, *The Heart of Business* (Bloomington, IN: Author House, 2005).
2. Robert Greenleaf, *Servant Leadership: A Journey into the Nature of Legitimate Power and Greatness*, 25th Anniversary Edition (New Jersey: Paulist Press, 2002).

Capítulo 1

1. Ken Blanchard e Don Shula, *Everyone's a Coach* (Grand Rapids, MI: Zondervan 1995).
2. John Elkington usa a frase "contabilidade do tripé de resultados" em seu livro de 1998 *Cannibals with Forks*. Nossa utilização da expressão "resultado quádruplo" tem um foco diferente: sucesso com os clientes, funcionários, investidores e o meio ambiente.
3. Ken Blanchard e Sheldon Bowles, *Raving Fans: A Revolutionary Approach to Customer Service* (New York: William Morrow, 1993).
4. Para mais informações sobre o modelo do HPO SCORES® e a pesquisa a respeito, consulte "High Performing Organizations: SCORES®", por Don Carew, Fay Kandarian, Eunice Parisi-Carew e Jesse Stoner, Empresas Ken Blanchard, 2001.
5. O perfil do HPO SCORES® é uma análise organizacional psicometricamente ajustada, com sólida validade e confiabilidade, que proporciona *feedback* sobre o grau de semelhança entre as práticas de sua organização e aquelas de organizações de alto desempenho. Desenvolvido por Don Carew, Fay Kandarian, Eunice Parisi-Carew e Jesse Stoner, o HPO SCORES® Profile é publicado pelas Empresas Ken Blanchard.
6. Suplemento do questionário do HPO SCORES®.

Capítulo 2

1. Jesse Stoner, *Visionary Leadership, Management, and High Performing Work Units* (doctoral dissertation, University of Massachusetts, 1988).

2. Jesse Stoner e Drea Zigarmi, "From Vision to Reality" (Escondido, CA: The Ken Blanchard Companies®, 1993). Os elementos de uma visão arrebatadora foram igualmente descritos por Stoner em"Realizing Your Vision" (Provo, UT: *Executive Excellence*, 1990).
3. Charles Garfield e Hal Bennett, *Peak Performance: Mental Training Techniques of the World's Greatest Athletes* (New York: Warner Books, 1989).
4. Ken Blanchard e Michael O'Connor, *Managing by Values* (San Francisco: Berrett--Koehler, 1997).
5. Documentos da Ford Motor Company indicam que funcionários da empresa tinham dados informando que os pneus Firestone instalados em veículos utilitários Explorer tinham escassa ou nenhuma margem de segurança em alta velocidade seguidas as pressões da calibragem recomendadas pela Ford. Esses dados fizeram parte de uma coleção de documentos liberados por investigadores do Congresso antes da terceira série de audiências no legislativo nacional investigando os procedimentos da Ford e da Bridgestone/Firestone Inc. em relação aos problemas registrados com esses pneus.
6. Jim Collins e Jerry Porras, *Built to Last: Successful Habits of Visionary Companies* (New York: HarperCollins, 1994).
7. Estudos descritos em *Leaders: The Strategies for Taking Charge*, por Warren Bennis, 1985, e *The Leadership Challenge*, por Kouzes e Posner, entre outros.
8. *The New York Times*, 2 de agosto de 1995.
9. Ken Blanchard e Jesse Stoner, *Full Steam Ahead: Unleash the Power of Vision in Your Work and Your Life* (San Francisco: Berrett-Koehler, 2003).

Capítulo 3

1. A Lei Sarbanes-Oxley, de 2002, é uma lei federal norte-americana, a Lei de Reforma da Contabilidade das Empresas Públicas e da Proteção do Investidor. É normalmente referida como SOX ou SarbOx.
2. Edward Lawler, *Creating High Performance Organizations: Practices and Results of Employee Involvement and Total Quality Management* (San Francisco: Jossey-Bass, 1995).
3. http://thecro.com/category/topics/100-best-corporate-citizens/

   Em uma pesquisa qualitativa mais recente e rigorosa, S. R. Silver investigou a relação entre empoderamento organizacional e medidas "duras" de desempenho de equipe junto a 50 equipes de engenheiros que participaram do estudo. O estudo constatou que o empoderamento organizacional teve um impacto positivo sobre a qualidade, oportunidade e resultados financeiros do desempenho das equipes.

   S. R. Silver, "Perceptions of Empowerment in Engineering Workgroups: The Linkage to Transformational Leadership and Performance," unpublished doctoral dissertation, 1999, Washington, D.C., George Washington University.

Em um estudo altamente rigoroso, S. E. Siebert, S. R. Silver e W. A. Randolph analisaram dados coletados junto a 375 funcionários em 50 equipes de trabalho em uma divisão de uma empresa incluída na lista das 100 melhores da revista Fortune, de alta tecnologia e equipamento de impressão. Eles determinaram que um clima de empoderamento estava positivamente relacionado às qualificações gerenciais de desempenho da unidade de trabalho e à satisfação no emprego.

S. E. Siebert, S. R. Silver e W. A. Randolph, "Taking Empowerment to the Next Level: A Multiple-Level Model of Empowerment, Performance, and Satisfaction," *Academy of Management Journal* 47 (2004).

4. T. W. Malone, "Is Empowerment Just a Fad? Control, Decision Making, and IT," *Sloan Management Review*, Winter (1997): 23–35.
5. Discurso de posse de John Fitzgerald Kennedy, 20 de janeiro de 1961.
6. Ken Blanchard, John Carlos e Alan Randolph, *Empowerment Takes More Than a Minute* (San Francisco: Berrett-Koehler, 1996).
7. Assim descrito no modelo do HPO SCORES®, Capítulo 1, "A sua organização é de alto desempenho?"
8. Jim Harris, "Five Principles to Revitalize Employee Loyalty and Commitment," R&D Innovator 5, No. 8 (August 1996).
9. Thomas H. Davenport e Laurence Prusak, *Working Knowledge* (Boston: Harvard Business School Press, 2000).
10. Jim Harris, Ibid.
11. Ken Blanchard, Alan Randolph e Peter Grazier, *Go Team: Take Your Team to the Next Level* (San Francisco: Berrett-Koehler, 2005).
12. Ken Blanchard, Jim Ballard e Fred Finch, *Customer Mania!: It's Never Too Late to Build a Customer-Focused Company* (New York: Simon & Schuster/Free Press, 2004).
13. Barney Brunnell e Marcelina Gilliam, dois dos líderes de turno, apresentaram essa história, com Don Carew, na Blanchard Client Conference 2000. O auditório aplaudiu de pé.

Capítulo 4

1. A Liderança Situacional foi criada originalmente por Ken Blanchard e Paul Hersey na Ohio University em 1968. O modelo ganhou proeminência em 1969, no clássico *Management of Organizational Behavior*, de autoria dos dois, atualmente na sua décima edição. No início dos anos 80, Ken Blanchard e os sócios fundadores das Empresas Ken Blanchard (Margie Blanchard, Don Carew, Eunice Parisi-Carew, Fred Finch, Drea Zigarmi e Patricia Zigarmi) criaram o SLII®. *Leadership and the One Minute Manager*, de coautoria de Ken Blanchard, Drea Zigarmi e Patricia Zigarmi, apresenta o modelo SLII® em formato de parábola, tornando-o acessível para administradores do mundo inteiro.

2. Derivado de Leadership Behavior Analysis II (LBAII), um instrumento projetado para avaliar as percepções próprias e dos outros sobre flexibilidade do líder, bem como a eficiência do líder ao optar por um estilo apropriado de liderança. Drea Zigarmi, Carl Edeburn e Ken Blanchard, *Getting to Know the LBAII: Research, Validity and Reliability of the Self and Other Forms*, 4th Edition (Escondido: CA: The Ken Blanchard Companies, 1997).
3. A aplicação do modelo original SLII® foi antecipada quando Don Carew e Eunice Parisi-Carew desenvolveram o programa de liderança de equipe; Susan Fowler e Laurie Hawkins defenderam a autoliderança; e Drea Zigarmi, Pat Zigarmi e Judd Hoekstra concentraram-se na liderança organizacional.

Capítulo 5

1. Marques-Quinterio e Curral, "Goal Orientation and Work Role Performance: Predicting Adaptive and Proactive Work Role Performance Through Self-Leadership Strategies," *The Journal of Psychology* (2012).
2. Ver o modelo HPO SCORES® no Capítulo 1, "A sua organização apresenta alto desempenho?"
3. Ken Blanchard, Jim Ballard e Fred Finch, *Customer Mania!: It's Never Too Late to Build a Customer Focused Company* (New York: Simon & Schuster/Free Press, 2004).
4. Jim Belasco e Ralph Stayer, *Flight of the Buffalo: Soaring to Excellence, Learning to Let Employees Lead* (New York: Warner Books, 1994).
5. Robert Slater, *The New GE: How Jack Welch Revived an American Institution* (New York: McGraw-Hill, 1993).
6. Baseado no programa de Autoliderança, desenvolvido para ensinar habilidades de SLII® a assessores diretos e outros associados.
7. Ken Blanchard, Susan Fowler e Laurence Hawkins, *Self Leadership and The One Minute Manager* (New York: William Morrow, 2004).
8. Baltasar Gracian, *The Art of Worldly Wisdom*, 1647.

Capítulo 6

1. Ken Blanchard e Garry Ridge, *Helping People Win at Work: A Business Philosophy Called "Don't Mark My Paper, Help Me Get an A"* (Upper Saddle River, NJ: Pearson-Prentice Hall, 2009).
2. Jim Belasco e Ralph Stayer, *Flight of the Buffalo: Soaring to Excellence, Learning to Let Employees Lead* (New York: Warner Books, 1994).

3. Uma busca na Internet sobre "enfrentar problemas de desempenho" proporciona excelente *insight* em relação ao conteúdo da literatura e programas de treinamento.
4. Marjorie Blanchard e Garry Demarest, *One on One Conversations* (Escondido, CA: The Ken Blanchard Companies®, 2000).

Capítulo 7

1. Ken Blanchard e Spencer Johnson, *The One Minute Manager* (New York: William Morrow, 1982 and 2003).
2. Uma introdução à pesquisa sobre o estabelecimento de metas pode ser encontrada em E.A. Locke e G.P. Latham, *Goal Setting: A Motivational Tool That Works* (New Jersey: Prentice Hall, 1984). Dois excelentes resumos podem ser encontrados em Gary P. Latham, "The Motivational Benefits of Goal Setting" (New York: *Academy of Management Executive*, 2004, Vol. 18, n° 4, pp. 126-129). Ver também Stephan Kerr e Landauer Steffen, "Using Stretch Goals to Promote Organizational Effectiveness and Personal Growth" (New York: *Academy of Management Executive*, 2004, Vol. 18, n° 4, pp. 134-138).
3. Scott Myers, *Every Employee a Manager* (New York: McGraw-Hill, 1970).
4. Gerard Seijts e Gary Latham, "Learning Versus Performance Goals: When Should Each Be Used?" (New York: *Academy of Management Executive*, 2004, Vol. 18, No. 4, pp. 124–131).
5. David McClelland, J. W. Atkinson, R. A. Clark e E. L. Lowell, *The Achievement Motive* (Princeton: Van Nostrand, 1953).
6. "Management by Wandering Around" foi desenvolvido por executivos da Hewlett-Packard na década de 1970. A prática foi popularizada em um livro de autoria de Tom Peters e Robert Waterman no começo da década de 1980, *In Search of Excellence*. Sua pesquisa revelou que gerentes das empresas de maior sucesso nos EUA mantinham contato próximo com os clientes e com as pessoas responsáveis pelo trabalho; eles se mantinham mais envolvidos do que isolados das rotinas cotidianas dos negócios.
7. Ken Blanchard e Margret McBride, *The Fourth Secret of the One Minute Manager: A Powerful Way to Make Things Better* (New York: William Morrow, 2008). A William Morrow publicou a primeira edição deste livro em 2003, sob o título *The One Minute Apology*.

Capítulo 8

1. "Employee Trust & Workplace Performance," *Journal of Economic Behavior and Organization*, Vol. 116, August 2015, pp. 361–378.

2. "Americans Still Lack Trust in Company Management Post Recession," Maritz.com, July 8, 2011, https://www.businesswire.com/news/home/20100414006552/en/Managing-Era-Mistrust-Maritz-Poll-Reveals-Employees.
3. A pesquisa da MasteryWorks é discutida online no endereço http://www.masteryworks.com/newsite/clientimpact/impact_archives_oct09.htm.
4. https://vtshrm.shrm.org/sites/vtshrm.shrm.org/files/Blanchard-Building-Trus.pdf.
5. Ken Blanchard, Cynthia Olmstead e Martha Lawrence, *Trust Works: Four Keys to Building Lasting Relationships* (New York: William Morrow, 2013).
6. https://www.rollingstone.com/culture/news/steve-jobs-in-1994-the-rolling-stone-interview-20110117
7. https://www.bkconnection.com/home/find-what-you-need/welcome-authors?redirected=true
8. http://www.patagonia.com/footprint.html
9. https://www.wsj.com/articles/why-one-company-invites-all-employees-to-board-meetings-1509028866
10. https://www.americanbanker.com/news/reputation-reboot-how-synovus-got-its-good-name-back

Capítulo 9

1. "Coaching: A Global Study of Successful Practices," American Management Association, 2008, www.amanet.org/research/.
2. Goldsmith, "Retain Your Top Performers," Marshall Goldsmith Library online (http://www.marshallgoldsmith.com/articles/retain-your-top-performers/).
3. Madeleine Homan e Linda J. Miller, *Coaching in Organizations: Best Coaching Practices from The Ken Blanchard Companies®* (Hoboken, NJ: John Wiley & Sons, 2008).

Capítulo 10

1. *The Chronicle of Evidence-Based Mentoring*, June 2016, https://chronicle.umbmentoring.org/four-ways-mentoring-benefits-mentor/.
2. Ken Blanchard e Claire Díaz-Ortiz, *One Minute Mentoring: How to Find and Work with a Mentor—and Why You'll Benefit from Being One* (New York: William Morrow, 2016).
3. Ibid.
4. Ken Blanchard, *It Takes Less Than a Minute to Suit Up for the Lord* (Mechanicsburg, PA: Executive Books, 2004).

Capítulo 11

1. https://trainingmag.com/trgmag-article/work-team-training-and-performance-gaps/.
2. http://marketing.bersin.com/rs/976-LMP-699/images/HRTechDisruptions-2018-Report-100517.pdf
3. C. Southers, E. Parisi-Carew, and D. Carew, *Virtual Teams Handbook* (Escondido, CA: The Ken Blanchard Companies®, 2002).
4. J. V. Johnson, W. Stewart e E. M. Hall, "Long Term Psychological Work Environment and Cardiovascular Mortality," *American Journal of Public Health* (March 1996).
5. J. Despain e J. B. Converse, *And Dignity for All* (New Jersey: Financial Times/Prentice-Hall, 2003).
6. B. Tuckman, "Developmental Sequence in Small Groups," *Psychological Bulletin*, 1964; R. B. Lacoursiere, *The Life Cycle of Groups: Group Development Stage Theory* (New York: Human Science Press, 1980); J. Stoner e D. Carew, "Stages of Group Development and Indicators of Excellence" (trabalho inédito, 1991); S. A. Whelan e J. M. Hochberger, "Validation Studies of Group Development Questionnaire" (Thousand Oaks, CA: Small Group Research, 1996).
7. Adaptado de R. B. Lacoursiere, Ibid.
8. ABC Video Enterprises, *Dou You Believe in Miracles?*, 1981. Nesse sentido, *Miracle [Desafio no Gelo]*, da Disney, é um filme de 2004 que conta a história de Herb Brooks e da equipe de hóquei dos EUA de 1980.

Capítulo 12

1. http://www.sandiegouniontribune.com/sdut-wildfire-cedar-anniversary-fire-2013oct24-htmlstory.html
2. https://www.nature.org/about-us/working-with-companies/companies-we-work-with/dow/2016-collaboration-report.pdf
3. Ken Blanchard e Garry Ridge, *Helping People Win at Work* (Upper Saddle River, NJ: Pearson, 2009).
4. Para mais informações sobre o Thomas Kilmann Instrument, visite http://www.kilmanndiagnostics.com/overview-thomas-kilmann-conflict-mode-instrument-tki.

Capítulo 13

1. https://www.entrepreneur.com/article/274636

2. Ibid. (©2018 Google LLC Todos os direitos reservados. Google e o logotipo da Google são marcas registradas da Google LLC.)
3. http://www.nytimes.com/2011/03/13/business/13hire.html
Visão da Patagonia, Patagonia Works, 2017, http://www.patagoniaworks.com/press/2017/4/26/rose-marcario-statement-on-trump-national-monuments-executive-order. Propriedade da Patagonia, Inc. Usado com permissão.
4. https://www.dallasnews.com/business/southwest-airlines/2018/01/19/southwest-airlines-named-among-worlds-10-admired-companies-fortune
5. https://www.entrepreneur.com/article/249174
6. https://hbr.org/2008/03/is-yours-a-learning-organization
7. https://www.shrm.org/resourcesandtools/hr-topics/employee-relations/pages/power-of-employee-engagement.aspx
8. https://www.talkdesk.com/blog/top-10-customer-centric-companies-of-2014
9. Ibid.
10. https://www.businessinsider.com/the-8-worst-companies-for-customer-service-2014-7
11. https://economictimes.indiatimes.com/news/company/corporate-trends/best-companies-to-work-for-2014-adobe-encourages-a-culture-of-free-spirited-innovation/articleshow/37517605.cms?intenttarget=no
12. http://www.businessinsider.com/chevron-best-oil-company-to-work-for-2013-2
13. https://blog.kissmetrics.com/googles-culture-of-success/
14. https://hbr.org/2014/01/how-netflix-reinvented-hr
15. M.A. Huselid, "The Impact of Human Resource Management Practices on Turnover, Productivity, and Corporate Financial Performance," *Academy of Management Journal*, Vol. 38 (1995).
16. http://www.tmcnet.com/channels/customer-support-software/articles/87080-how-southwest-airlines-became-model-customer-loyalty.htm
17. https://www.shrm.org/resourcesandtools/hr-topics/employee-relations/pages/power-of-employee-engagement.aspx
18. https://www.investopedia.com/university/carly-fiorina-biography/
19. https://www.shrm.org/resourcesandtools/hr-topics/labor-relations/pages/ford-uaw.aspx

Capítulo 14

1. International Consortium for Executive Development Research.
2. Gene E. Hall e Susan Loucks, "Teacher Concerns as a Basis for Facilitating and Personalizing Staff Development", Lieberman e Miller, eds., *Staff Development: New Demands, New Realities, New Perspectives* (Nova York: Teachers College Press, 1978).

3. SAP é sigla de Sistemas, Aplicações e Produtos. Trata-se de um sistema em *mainframe* que fornece aos usuários um aplicativo empresarial em tempo real.
4. Em uma derivação interessante, em 2005 a SBC Communications adquiriu a AT&T, assim reunindo a veneranda companhia telefônica com três das empresas dela resultantes (a SBC era composta pela Southwestern Bell, Pacific Telesis e Ameritech). A companhia resultante da fusão é a AT&T, Inc.

Capítulo 15

1. Mais detalhes sobre o trabalho pioneiro em liderança de mudança podem ser obtidos em Warren Bennis, *Managing the Dream: Reflections on Leadership and Change* (Nova York: Perseus Book Groups, 2000); John Kotter, *Leading Change* (Boston: Harvard Business School Press, 1996), e Daryl R. Cooner, *Managing at the Speed of Change* (Nova York: Random House, 1993).
2. John Maynard Keynes, *The General Theory of Employment, Interest, and Money* (New York, NY: Harcourt Brace, 1965).
3. A Pesquisa Blanchard sobre Disposição para a Mudança se encontra em: http://www.blanchardinternational.com.au/static/uploads/files/lptc-pw-look-inside-wfhrpszpvrrm.pdf
4. Website do Indiana Department of Child Services: www.in.gov.dcs.

Capítulo 16

1. Dentre os acadêmicos de renome que contribuíram para o nosso entendimento da cultura, destacamos Edgar Schein, Jim Collins, John Kotter, James Heskett, Max DePree, Richard Lieder, Stephen Covey e Jim Kouzes.
2. Ken Blanchard e Sheldon Bowles, *Gung Ho!: Turn On the People in Any Organization* (New York: William Morrow, 1998).
3. Esta primeira divulgação dos comportamentos valorizados é chamada de "inicial" em função da grande possibilidade de que venha a ocorrer revisão de valores ou comportamentos à medida que as mudanças culturais começam a tomar corpo. Na etapa do aperfeiçoamento, a equipe sênior de liderança continuadamente avalia se os valores inicialmente recomendados precisam de esclarecimento ou modificação para que possam definir com maior precisão a aparência e atitudes de um bom cidadão em sua organização.

Capítulo 17

1. Rick Sidorowicz, "Back to the Beginning—Core Values," *The CEO Refresher* (Ontario, Canada: Refresher Publications, Inc., 2002).

2. Marshall Goldsmith, "Retain Your Top Performers," Marshall Goldsmith Library online (www.marshallgoldsmithlibrary.com/cim/articles_display.php?aid=162). http://www.marshallgoldsmith.com/articles/retain-your-top-performers/
3. Ken Blanchard e Sheldon Bowles, *Raving Fans: A Revolutionary Approach to Customer Service* (New York: William Morrow, 1993).
4. Thomas Peters e Nancy Austin, *A Passion for Excellence* (New York: Random House, 1995).
5. Ken Blanchard e Don Shula, *Everyone's a Coach* (Grand Rapids, MI: Zondervan, 1995).

Capítulo 18

1. Um compêndio dos textos mais amadurecidos de Greenleaf sobre o assunto está disponível em *The Power of Servant Leadership* (San Francisco: Berrett-Koehler, 1998). O Greenleaf Center for Servant Leadership (www.greenleaf.org) é a fonte de todos esses textos.
2. Ken Blanchard e Phil Hodges, *Lead Like Jesus: Lessons from the Greatest Leadership Role Model of All Time* (Nashville, TN: Thomas Nelson, 2005).
3. Rick Warren, *The Purpose Driven Life: What on Earth Am I Here For?* (Grand Rapids, MI: Zondervan, 2002).
4. Matt Hayes e Jeff Stevens, *The Heart of Business* (Bloomington, IN: Author House, 2005).
5. Scott Blanchard, Drea Zigarmi e Vicky Essary, "The Leadership-Profit Chain," *Perspectives* (Escondido, CA: The Ken Blanchard Companies, 2006).
6. Ken Blanchard e Sheldon Bowles, *Gung Ho!: Turn On the People in Any Organization* (New York: William Morrow, 1998).
7. Robert K. Greenleaf, *Servant Leadership: A Journey into the Nature of Legitimate Power and Greatness* (Mahway, NJ: Paulist Press, 1977).
8. Gordon MacDonald, *Ordering Your Private World* (Nashville: Nelson Books, 2003).
9. Robert Greenleaf, *The International Journal of Servant Leadership*, Vol. 1, No. 1 (Spokane, WA: 2006).
10. Robert S. McGee, *The Search for Significance* (Nashville, TN: W. Publishing Group, 2003).
11. Jim Collins, *Good to Great: Why Some Companies Make the Leap—and Others Don't* (New York: Harper Collins, 2001).
12. Ken Blanchard e Norman Vincent Peale, *The Power of Ethical Management* (New York: William Morrow, 1988).
13. Fred Smith, *You and Your Network* (Mechanicsburg, PA: Executive Books, 1998).

14. Richard Bolles, *What Color Is Your Parachute?* (New York, NY: Ten Speed Press, 1970, 2018).
15. Ken Blanchard e Mark Miller, *The Secret: What Great Leaders Know and Do* (San Francisco: Berrett-Koehler, 2004 and 2009).
16. Barbara Gellerman, "How Bad Leadership Happens," *Leader to Leader*, No. 35 (Winter 2005).
17. Drea Zigarmi, et al., *The Leader Within: Learning Enough About Yourself to Lead Others* (Upper Saddle River, NJ: Prentice-Hall, 2004).
18. M. A. Huselid, "The Impact of Human Resource Management Practices on Turnover, Productivity, and Corporate Financial Performance," *Academy of Management Journal*, 38 (1995).
19. E. Trist, "The Evolution of Socio-Technical Systems," Ontario Quality of Working Life Centre, 1981.
20. Bob Buford, *Halftime* (Grand Rapids, MI: Zondervan, 1997).

Capítulo 19

1. Noel Tichy, *The Leadership Engine: How Winning Companies Build Leaders at Every Level* (New York: HarperCollins, 1997).

Autores

Ken Blanchard

Apaixonado pela ideia de transformar todos os líderes em líderes servidores, **Ken Blanchard** compartilha seus *insights* inspiradores com públicos de todo o mundo através de suas palestras, consultorias e *best-sellers*. Considerado universalmente pelos seus amigos, colegas e clientes como um dos especialistas em liderança mais influentes e caridosos do mundo, Ken é respeitado por suas décadas de pesquisa revolucionária e liderança intelectual. Na verdade, poucas pessoas influenciaram o dia a dia da gestão de pessoas e empresas mais do que Ken Blanchard.

Ele é o cofundador e diretor espiritual das Empresas Ken Blanchard, organização internacional de consultoria e treinamento gerencial que ele e sua esposa, Margie Blanchard, fundaram em 1979 em San Diego, Califórnia. É também cofundador da Lead Like Jesus, organização mundial comprometida em ajudar na formação de líderes servidores. É integrante emérito do conselho diretor da universidade pela qual se graduou, Cornell, e também leciona no programa de mestrado em liderança executiva (MSEL) da University of San Diego.

O impacto de Ken enquanto autor é amplo. *The One Minute Manager*®, o clássico icônico de 1982, em coautoria com Spencer Johnson, vendeu mais de 15 milhões de exemplares, e em 2015 foi revisado e relançado sob o título *The New One Minute Manager*®. Ken é autor ou coautor de 65 livros, cujas vendas totais ultrapassam 22 milhões de exemplares. Suas obras revolucionárias, incluindo *Raving Fans*, *The Secret* e *Leading at a Higher Level*, entre outras, foram traduzidas para 47 idiomas. Em 2005, seu nome foi incluído no Hall da Fama da livraria virtual Amazon como um dos 25 autores dos livros mais vendidos de todos os tempos.

Ken recebeu diversos prêmios e honrarias pelas suas contribuições nos campos da administração, liderança e palestras, incluindo o Council of Peers Award of Excellence da National Speakers Association, sua inclusão no Hall da Fama de HRD da revista *Training* e Lakewood Conferences, o Golden Gavel Award da Toastmasters International e o Thought Leadership Award da ISA (The Association of Learning Providers).

Nascido em Nova Jersey e criado em Nova York, Ken recebeu seu mestrado pela Colgate University e seu diploma de graduação e doutorado pela Cornell University. Ele mora em San Diego, Califórnia, com Margie, sua esposa.

Marjorie Blanchard

Marjorie "Margie" Blanchard é internacionalmente reconhecida como uma palestrante motivadora e impactante, uma orientadora e consultora gerencial de grande competência, além de autora de sucesso e empresária. Ela e o marido, Ken Blanchard, compartilharam o prêmio Entrepreneur of the Year da Cornell University.

Coautora dos livros *The One Minute Manager Balances Work and Life* e *Working Well: Managing for Health and High Performance*, além de colaboradora de *Servant Leadership in Action: How You Can Achieve Great Relationships and Results*, a Dra. Blanchard tem grande conhecimento sobre assuntos variados e ministra frequentes palestras sobre liderança, integração entre vida pessoal e profissional, gestão de mudanças e planejamento de vida. Como cofundadora das Empresas Ken Blanchard, trabalha ativamente ao lado de Ken para tornar a organização uma das melhores em treinamento e consultoria gerencial do mundo.

Dentro da própria empresa, a Dra. Blanchard foi por 15 anos líder do Office of the Future, um centro de ideias encarregado de moldar o futuro tanto da área de treinamento como da organização em si. Atualmente, dirige o Blanchard Institute, uma organização sem fins lucrativos comprometida com o desenvolvimento da resiliência entre os jovens por meio de habilidades de autoliderança.

Com graduação e mestrado pela Cornell University, a Dra. Blanchard tem doutorado pela University of Massachusetts. Junto com Ken, ela ministra um módulo do mestrado em liderança executiva (MSEL) da University of San Diego.

Madeleine Homan Blanchard

Madeleine Homan Blanchard é Master Certified Coach das Empresas Ken Blanchard®, além de cofundadora da Blanchard® Coaching Services e cocriadora do Coaching Management System, a plataforma da Blanchard na Internet que apoia iniciativas de *coaching* em larga escala. Com seu entendimento profundo sobre comportamento humano e seu senso de humor, ela inspira líderes a usar conceitos de *coaching* para aumentar sua eficácia em suas vidas pessoais e profissionais.

Madeleine tem mais de 30 anos de experiência no ramo de *coaching* e se especializa em prestar consultoria para empresas que desejam estabelecer uma cultura de *coaching*. Ela organiza implementações em larga escala, oferece mentoria e *coaching* executivo e ensina líderes a aproveitarem o que há de melhor na tecnologia de *coaching*. Suas áreas de especialização são eficácia e presença da liderança, autoconsciência e impacto com outros e foco estratégico. Madeleine é coautora do programa de habilidades de *coaching* da Blanchard, o Coaching Essentials®, e dos livros *Leverage Your Best, Ditch the Rest: The Coaching Secrets Executives Depend On; Coaching in Organizations; Leading at a Higher Level;* e *Coaching for Leadership: The Practice of Leadership Coaching from the World's Greatest Coaches.*

Pioneira na profissão de *coaching*, Madeleine foi líder sênior e conselheira fundadora da Coach University e conselheira fundadora da International Coach Federation. Antes da sua carreira nas Empresas Ken Blanchard, Madeleine fundou a Straightline Coaching, empresa dedicada ao sucesso e satisfação de gênios criativos. Ela passou dois anos como diretora de um programa de *coaching* implementado junto a 2.100 indivíduos na Goldman Sachs.

Madeleine recebeu seu mestrado em neuroliderança pela Middlesex University e graduou-se em artes cênicas pela Georgetown University. Além disso, é Certified Mentor Coach e diplomada pela Coach University.

Scott Blanchard

Scott Blanchard é um autor estimulante, um palestrante motivador, instrutor de alta competência e um defensor apaixonado do *coaching* no local de trabalho. Ele fundou a Coaching.com, um serviço de desenvolvimento pessoal e *coaching* corporativo na Internet. Sob sua liderança, essa organização está revolucionando o *coaching* corporativo ao oferecer os serviços mais avançados, acessíveis e cientificamente fundamentados da área. Sua filosofia pessoal tem como base uma mudança fundamental que está ocorrendo na disciplina de liderança: grandes líderes não são bem-sucedidos porque fazem bem aquilo que sabem; são bem-sucedidos porque fazem acontecer em conjunto e por meio de outras pessoas.

Scott Blanchard é vice-presidente sênior das Empresas Ken Blanchard. Como membro da família Blanchard e um dos donos da empresa, ele representa a "próxima geração", encarregada de guiar o negócio para o futuro.

Scott é coautor de *Leverage Your Best, Ditch the Rest*, um livro sobre *coaching* corporativo. Como consultor sênior durante mais de seis anos, Scott dirigiu grandes projetos de treinamento em inúmeras empresas da Fortune 500.

Scott Blanchard graduou-se pela Cornell University e fez seu mestrado em desenvolvimento organizacional na American University em Washington, D.C.

Donald K. Carew

O Dr. Don Carew é sócio fundador das Empresas Ken Blanchard e professor emérito da University of Massachussetts Amherst. É um respeitado consultor, orientador, treinador, educador e autor de sucesso, cujos principais interesses acadêmicos e de consultoria residem nas áreas da liderança e da formação de equipes e organizações de alto desempenho.

Carew conheceu Ken Blanchard quando ambos eram jovens professores na Ohio University, em 1966. Don passou a trabalhar para a University of Massachusetts em 1969, e Ken começou a trabalhar para a mesma universidade em 1970. Foi a pesquisa de Don Carew e Eunice Parisi-Carew sobre desenvolvimento de grupos que levou os sócios fundadores das Empresas Ken Blanchard a modificar o modelo SLII® para que pudesse ser usado não somente com indivíduos, mas também com grupos e equipes.

Além de lecionar na University of Massachusetts, Don foi docente da Trenton State University, Princeton University e da University of San Diego. É coautor de dois livros campeões de vendas: *The One Minute Manager Builds High Performing Teams*, com Ken Blanchard e Eunice Parisi-Carew, e *High Five*, com Ken, Eunice e Sheldon Bowles. É também coautor do artigo "High Performing Organizations: SCORES®".

Don é formado em administração pela Ohio University, tem mestrado em relações humanas pela mesma universidade e doutorado em psicologia pela University of Florida. Ele é membro do NTL Institute e psicólogo licenciado em Massachusetts.

Eunice Parisi-Carew

A Dra. Eunice Parisi-Carew é coautora de três *best-sellers*: *The One Minute Manager Builds High Performing Teams*, com Ken Blanchard e Don Carew; *High Five*, com Ken Blanchard, Don Carew e Sheldon Bowles; e *Collaboration Begins with You*, com Jane Ripley e Ken Blanchard. É também criadora da linha de produtos High Performing Teams, oferecida pelas Empresas Ken Blanchard.

Consultora, treinadora, palestrante praticante, ela trabalhou em organizações nacionais e internacionais de grande e pequeno porte, entre as elas Merrill Lynch, AT&T, Hyatt Hotels, Transco Energy Company e a Agência de Proteção Ambiental dos EUA. O desenvolvimento de equipes, liderança, cultura organizacional e desenvolvimento pessoal são suas áreas de foco.

A Dra. Parisi-Carew liderou um programa de pós-graduação em dinâmica de equipes na University of Hartford e foi docente da American University. Atualmente, leciona liderança de equipes na escola de administração da University of San Diego. Além disso, faz parte da equipe docente do NTL Institute e também atuou no seu conselho de administração.

A Dra. Parisi-Carew atuou como vice-presidente de serviços profissionais das Empresas Ken Blanchard Companies e como pesquisadora sênior no Office of the Future, que estuda tendências que ocorrerão em 3-5 anos no futuro e que podem impactar líderes, organizações e práticas de negócios.

Eunice fez seu doutorado em ciências do comportamento na University of Massachusetts. Além disso, é psicóloga licenciada e consultora internacional credenciada de DO.

Randy Conley

Randy Conley é vice-presidente de serviços para clientes e líder de práticas de confiança das Empresas Ken Blanchard. Randy supervisiona as operações de entrega para clientes e trabalha com organizações de todo mundo para ajudar a construir confiança no ambiente de trabalho. A Trust Across America o escolheu como um dos Top Thought Leaders em comportamentos de negócios confiáveis, e ele é membro fundador da Alliance of Trustworthy Business Experts. A Inc.com incluiu Randy na lista Top 100 Leadership Speakers & Thinkers, e a American Management Association o incluiu na lista Leaders to Watch em 2015. Randy é o autor do premiado blog "Leading with Trust" (www.leadingwithtrust.com) e contribuiu para os livros *Trust, Inc.: Strategies for Building Your Company's Most Valuable Asset* e *Trust, Inc.: 52 Weeks of Activities and Inspirations for Building Workplace Trust*. Ele tem mestrado em liderança executiva pela University of San Diego e gosta de passar tempo com a família, andar de bicicleta e jogar golfe. Você pode segui-lo no Twitter em @RandyConley.

Kathleen Riley Cuff

Kathy Cuff é palestrante motivacional, orientadora e consultora que trabalha para inúmeras organizações. O entusiasmo e o humor que ela injeta em suas apresentações são complementados pela atitude positiva e pelo comprometimento com a resolução das necessidades específicas de cada cliente.

Há 22 anos, Kathy faz parte das Empresas Ken Blanchard, agora como sócia sênior em consultoria. Trabalhando com todo o seu aprendizado e experiência em liderança, administração e serviço ao cliente, ela projetou e implementou projetos de treinamento e consultoria para uma lista de clientes que inclui Charles Schwab, Medtronic, TaylorMade-Adidas Golf e W.L. Gore.

É coautora de *Legendary Service: The Key is to Care* e do programa de serviços aos clientes Legendary Service das Empresas Ken Blanchard, bem como coautora da nova edição do programa Raving Fans®.

Kathy Cuff graduou-se na San Diego State University e tem participado de numerosos seminários e programas de ensino nos últimos anos.

Garry Demarest

Garry Demarest é um educador de reconhecida capacidade, com mais de 40 anos de experiência em administração, ensino, aconselhamento e consultoria numa variedade de cenários profissionais. Suas áreas preferidas são o treinamento de lideranças, desenvolvimento humano, treinamento de habilidades interpessoais, desenvolvimento de cultura organizacional baseada em valores, desenvolvimento de equipes e empoderamento. Mais recentemente, passou se dedicar ao auxílio de líderes na formulação e apresentação de seu ponto de vista sobre liderança.

Com uma bagagem tão diversificada, Demarest mostra-se especialmente eficaz em ajudar as pessoas a combinar valores humanos e habilidades interpessoais com liderança e gerenciamento efetivos. Preocupa-se acima de tudo com a elevação da autoestima no local de trabalho, satisfazendo as necessidades de uma força de trabalho diversificada e empoderando pessoas para que alcancem maiores níveis de responsabilidade própria. Seu compromisso é, acima de tudo, com o desenvolvimento do líder que existe em cada indivíduo, e com seu potencial de liderar em alto nível.

Na condição de consultor e *coach*, trabalhou com uma variedade de pequenas e médias empresas na formatação de cultura baseadas em valores organizacionais, treinamento de lideranças, formação de equipes, serviço aos clientes e satisfação dos funcionários. Sócio das Empresas Ken Blanchard desde 1988, atuou anteriormente como diretor do corpo docente e conselheiro e administrador de instituições de ensino superior. Além disso, gerenciou dois programas de satisfação de funcionários de hospitais.

Seus 40 anos de experiência com o Myers-Briggs Type Indicator® lhe proporcionaram um entendimento especial das diferenças individuais e da capacidade de usar essas diferenças para criar relacionamentos sólidos e equipes de trabalho coesas.

Garry Demarest é bacharel em administração hoteleira pela Cornell University e mestre em educação pela Michigan State University.

Claire Díaz-Ortiz

Claire Díaz-Ortiz é autora, palestrante e inovadora tecnológica, escolhida como uma das 100 pessoas mais criativas no mundo dos negócios pela revista *Fast Company*. Foi uma das primeiras funcionárias do Twitter, onde passou cinco anos e meio, e é autora de sete livros, incluindo *Twitter for Good: Change the World One Tweet at a Time*; *Design Your Day: Be More Productive, Set Better Goals, and Live Life on Purpose*; *Hope Runs: An American Tourist, a Kenyan Boy, a Journey of Redemption*; e, com Ken Blanchard, *One Minute Mentoring: How to Find and Work With a Mentor—and Why You'll Benefit from Being One*. Ela escreve um blog popular sobre negócios em ClaireDiazOrtiz.com e é cofundadora da Hope Runs, uma organização sem fins lucrativos que opera orfanatos para filhos de vítimas da AIDS no Quênia.

S. Chris Edmonds

Chris Edmonds é especialista em criar culturas de alto desempenho alinhadas com valores. Trabalha como *coach* de executivos para líderes empenhados em iniciativas de mudança cultural, ajudando-os a entender suas responsabilidades em esclarecer expectativas, aperfeiçoar sistemas, demonstrar consistentemente os valores desejados e fazer com que líderes e suas equipes se responsabilizem pela demonstração desses valores.

Entre seus clientes contam-se American Honda, Clorox, Deloitte, Federal Reserve Bank, Genentech, IBM, Merck, New Belgium Brewery, Northwest Airlines, Pfizer, Taylor Corporation, T-Mobile, Toyota Motor Corporation e Associação Cristã de Moços dos EUA.

Edmonds é coautor do processo de mudança cultural Blanchard, baseado no livro *Gung Ho®*, de Ken Blanchard. O processo foi reconhecido como um dos 10 melhores programas de treinamento do ano 2000 pela revista *Human Resource Executive*.

Graduado em pedagogia pelo Whittier College, Edmons também cursou o California Lutheran College. Fez mestrado em desenvolvimento organizacional e de recursos humanos pela University of San Francisco. É membro docente do mestrado em liderança executiva da University of San Diego.

Fred Finch

Fred Finch é autor de *Managing for Organizational Effectiveness: An Experiential Approach*. Sócio fundador das Empresas Ken Blanchard, é educador e consultor de liderança da Harvard University, Merrill Lynch, IBM, Shell International e muitas outras organizações de destaque. Fred obteve seu doutorado na University of Washington. Foi professor de comportamento gerencial e organizacional por 14 anos na Graduate School of Management da University of Massachusetts.

Fred é coautor, junto com Ken Blanchard e Jim Ballard, de *Customer Mania! It's Never to Late to Build a Customer Focused Company*. Este livro teve origem em um estudo da Yum! Brands, a maior empresa de refeições rápidas do mundo, com 850 mil funcionários em mais de 100 países. Também é coautor, com Pat Stewart, de um programa de treinamento para líderes de primeira linha chamado Frontline Leadership.

Susan Fowler

Susan Fowler é coautora, com Ken Blanchard e Laurence Hawkins, de *Self Leadership and The One Minute Manager*, publicado em 2005. Também ao lado de Ken Blanchard e Laurence Hawkins, ela é a principal desenvolvedora do Self Leadership®, um programa de alta qualidade de autoliderança e empoderamento pessoal.

Ela recebeu o Lifetime Achievement Award, prêmio concedido pela North American Society for Games and Simulations, por ter desenvolvido projetos criativos de treinamento. Na função de consultora sênior nas Empresas Ken Blanchard, Susan atende a Pfizer, Harley Davidson, MasterCard, AMF Bowling, Dow Chemical, KPMG, Black & Decker, SC Johnson, TJX Retailers a National Basketball Association, entre inúmeros outros clientes. Anteriormente, obteve experiência em apresentação de seminários no mundo todo com a CareerTrack.

Susan Fowler oferece uma perspectiva diferenciada em seus programas pela sua vasta experiência com propaganda, rádio e televisão. É graduada em marketing pela University of Colorado. Como uma das maiores especialistas mundiais em empoderamento pessoal, Susan já ministrou seminários, oficinas e palestras para mais de 50 mil pessoas em mais de 20 países e em todos os 50 estados americanos.

Entre seus trabalhos publicados figuram *Optimal Motivation: Why Motivating People Doesn't Work...and What Does*; *Overcoming Procrastination*; *Mentoring*; *The Team Leader's Idea-a-Day Guide* (em coautoria com Drea Zigarmi); e *Empowerment* (junto com Ken Blanchard). Susan Fowler é professora adjunta na University of San Diego, no programa de mestrado MSEL.

Robert Glaser

Robert Glaser é sócio regional em consultoria das Empresas Ken Blanchard, grupo com o qual trabalha há 13 anos. Conta com um currículo de 30 anos de trabalho bem-sucedido no desenvolvimento e facilitação de liderança, desenvolvimento de equipes, planejamento estratégico, consultoria em desempenho, mudança organizacional e mudança de cultura organizacional.

Antes de trabalhar com Blanchard, Glaser trabalhou por mais de 20 anos numa rede de restaurantes listada entre as 500 maiores empresas pela revista *Fortune*, com sede em San Diego, onde era diretor de administração e desenvolvimento de lideranças.

Glaser é também professor adjunto do programa de mestrado MSEL da University of San Diego. Ademais, é coautor do programa e processo de mudança cultural Gung Ho!®, de Blanchard.

Tem ampla experiência internacional e intercultural e trabalhou durante quatro anos com o Corpo da Paz, em Gana e Uganda.

Glaser recebeu o grau de bacharel em ciências sociais pela California State University, em Chico, e seu mestrado em estudos de liderança pela University of San Diego.

Lael W. Good

Lael Good é consultora líder em muitas das empresas clientes de Blanchard, como Coca-Cola, Diageo, Mars/Masterfoods, MTN South Africa, Nokia, Pfizer Pharmaceuticals, Royal Dutch Shell, SAP e Skanska. É uma das consultoras mais respeitadas e requisitadas, e seu talento único permite que trabalhe com organizações globais em lugares tão diversos como Europa Ocidental e Oriental, América Central e Latina, África, China, Índia e Oriente Médio.

É coautora de dois programas da Blanchard – Team Leadership, com Don Carew e Eunice Parisi-Carew, e The Leadership Bridge: SLII® e MBTI®, com Tom Hill e Ken Blanchard. É também especialista em dinâmica de equipes de alto desempenho.

Ao trabalhar com clientes globais, Good oferece design customizado, entrega e soluções sustentáveis. Sua capacidade e conhecimento de desenvolvimento organizacional e design educacional complementam sua habilidade natural de influenciar e envolver pessoas na solução de seus problemas.

Ela graduou-se na University of Arizona fez mestrado em psicologia na University of Wyoming.

Dra. Vicki Halsey

Vicki Halsey é palestrante, autora, *coach* e instrutora, com palestras que promovem o aprendizado e cativam plateias em todo o mundo. Sua missão de inspirar pela busca do melhor em cada um é cumprida pela combinação de soluções que atendem a todos os públicos.

Como vice-presidente de educação aplicada das Empresas Ken Blanchard, Halsey especializa-se em parcerias com organizações para projetar, entregar e acompanhar pessoas em workshops interativos, palestras, webinars, aulas e treinamentos virtuais. É também criadora do programa de serviço de atendimento lendário ao cliente da Blanchard e do programa de treinamento de SLII®. Tem clientes entre as empresas que fazem parte da lista Fortune 100, entre elas a Nike, Gap, Wells Fargo, Oracle e Procter & Gamble. Além disso, é criadora do elogiado mestrado em liderança executiva (MSEL) e do programa EMBA da University of San Diego e Grand Canyon University, respectivamente.

É autora de *Brilliance by Design: Creating Learning Experiences That Connect, Inspire, and Engage* e também coautora de *Legendary Service: The Key Is to Care*; *The Hamster Revolution: How to Manage Your Email Before It Manages You*; e *The Hamster Revolution for Meetings: How to Meet Less and Get More Done*.

Laurence Hawkins

O dr. Laurence Hawkins é um dos sócios fundadores das Empresas Ken Blanchard, além de consultor empresarial e palestrante de renome internacional. Com Ken Blanchard e Susan Fowler, ele criou o programa de Autoliderança, que tem como foco o empoderamento e a tomada de iniciativa por pessoas que não estão em cargos de comando. Ele também escreveu, em coautoria com Ken e Susan, *Self Leadership and The One Minute Manager*, publicado em 2005.

Hawkins tem concentrado muito de seu trabalho na área aeroespacial, especialmente na Lockheed Martin e McDonnell Douglas, e junto a gigantes da área farmacêutica com a Pfizer, Merck e GlaxoSmithKline. Sua carreira está voltada à aplicação dos padrões Blanchard de SLII®, Liderança de Equipes e Autoliderança em âmbito internacional, especialmente na Europa, América do Sul e na Arábia Saudita. Recentemente, passou a trabalhar com as ferramentas, os conceitos e a filosofia de autoliderança para clientes na China e na Coreia – países onde a tradicional obediência está rapidamente cedendo lugar a uma cultura de iniciativa e empreendedorismo.

Hawkins formou-se em história e literatura americana pelo Williams College, e cursou seu mestrado e doutorado em liderança e comportamento organizacional na University of Massachussetts, Amherst.

Judd Hoekstra

Judd Hoekstra é um dos especialistas em mudança organizacional na Blanchard, além de coautor da metodologia de consultoria e programas de treinamento Managing a Change. Sua abordagem quanto à mudança baseia-se em um comprometimento mútuo com o princípio de Don Carew de que as pessoas têm direito de se envolver nas decisões que afetam suas vidas, e com a ideia de que aqueles que planejam o combate raramente combatem o plano.

É coautor de *Who Killed Change?: Solving the Mystery of Leading People Through Change* e *Crunch Time: How To Be Your Best When It Matters Most*.

Antes de se juntar à Blanchard em 2001, Judd trabalhou como consultor de implementações estratégicas na Fourth Floor Consulting. Foi também consultor de gestão da mudança na Accenture. Sua responsabilidade principal era auxiliar seus clientes executivos a liderar suas organizações durante grandes mudanças. Sua experiência inclui empresas de diversos ramos de atividade, como The Dow Chemical Company, Allstate Insurance Company, Anheuser-Busch e Commonwealth Edison.

Hoekstra formou-se em administração de empresas e marketing pela Cornell University e continuou seus estudos no programa de Advanced Business Management pela Kellogg Graduate School of Management. Ele e a esposa, Sherry, vivem em Chicago e são os orgulhosos pais de Julia e Cole.

Fay Kandarian

A Dra. Fay Kandarian trabalha como consultora de mudanças organizacionais há 20 anos, tanto interna como independente. Ela trabalha como consultora nas Empresas Ken Blanchard desde 1998.

Sua larga experiência como executiva e em posições de assessoria lhe proporciona constantes pontos de referência que servem de apoio à sua consultoria. Suas áreas de conhecimento incluem mudança de sistemas inteiros, *coaching* de executivos, planejamento estratégico, projetos de intervenção, desenvolvimento de equipes e de liderança, habilidades de comunicação e consultoria de processos.

Enquanto fazia sua pesquisa de doutorado no Departamento de Organização e Liderança da Columbia University, Fay estudou e se tornou proficiente em intervenções em grandes grupos como novo paradigma para o desenvolvimento de organizações e mudanças em larga escala. Ela pesquisou Gestão de Polaridades (B. Johnson, 1996) como intervenção de treinamento para ajudar no ensino de habilidades para conceber sistemas e, posteriormente, introduziu a ideia de "tanto/quanto" da Gestão de Polaridades nas Empresas Ken Blanchard.

Trabalhando com os colegas de HPO Jesse Stoner, Eunice Parisi-Carew e Don Carew, ajudou a criar o modelo HPO SCORES® e foi coautora do artigo "High Performing Organizations: SCORES®".

Fay se formou na George Washington University, tem mestrado em administração pela University of New Haven, além de mestrado e doutorado em educação pela Columbia University.

Linda Miller

Linda Miller é *coach*, instrutora de executivos e palestrante apaixonada por fazer as pessoas adotarem ações eficazes. Ajudou a lançar Corporate Coach U, líder em treinamento de *coach* organizacional. Desde o ano 2000, trabalha como elemento global de ligação em *coaching* para as Empresas Ken Blanchard. Em 2002, foi coautora de Coaching Essentials for Leaders, um programa de treinamento de *coach* que incentiva os líderes a usarem habilidades de *coaching* para criar sólidas alianças empresariais.

Linda Miller também trabalha com *coaching* de executivos e assessoria de empresas no estabelecimento de culturas internas de *coaching*. Seu rol de clientes inclui líderes e equipes da Adobe, Alltel, Boeing, Deloitte, Duke Energy, Franklin Templeton, KPMG, Nissan, Pfizer, Scotia Bank, Wells Fargo e University of Washington. Foi uma das líderes da equipe que moderou 13 dos debates eleitorais nas legislativas do Arizona, em colaboração com a Clean Elections Commission, durante o ciclo eleitoral de 2008.

Como pioneira na obtenção do Master Certified Coach pela International Coach Federation, Linda Miller tem sido citada e exaltada em inúmeros artigos e em segmentos de programas de televisão sobre *coaching*. É coautora, com Madeleine Home Blanchard, de *Coaching in Organizations: Best Coaching Practices*, das Empresas Ken Blanchard.

Alan Randolph

O Dr. Alan Randolph é educador, pesquisador e consultor empresarial respeitado internacionalmente. Seu foco é empoderamento, liderança, trabalho em equipes e gerenciamento de projetos, nos Estados Unidos e outros países, em organizações públicas e/ou privadas. Ele já trabalhou em vários países incluindo, recentemente, Peru, Brasil, China, Alemanha, França e Polônia.

Randolph é professor de gestão e administração internacional da Merrick School of Business, University of Baltimore. Atua também como consultor sênior nas Empresas Ken Blanchard. Alan desenvolveu uma variedade de produtos educacionais de empoderamento e liderança. Publicou ensaios em periódicos profissionais e acadêmicos, como *Harvard Business Review* e *Sloan Management Review*.

Seu trabalho inclui a autoria e coautoria de inúmeros livros, entre os quais *Go Team!: Take Your Team to the Next Level*; *Checkered Flag Projects: 10 Rules for Creating and Managing Projects That Win!*; *Empowerment Takes More Than a Minute*; e *The 3 Keys to Empowerment: Release the Power Within People for Astonishing Results*.

Jane Ripley

Jane Ripley é cofundadora da WiredLeaders.com, uma empresa de desenvolvimento de liderança com foco em colaboração. Sua vida foi moldada por três experiências significativas relativas a liderança e colaboração: observar as dificuldades de seu pai na própria carreira, servir como oficial no exército britânico e trabalhar nas Empresas Ken Blanchard.

Em 2012, Ripley matriculou-se na Kingston Business School para obter seu mestrado em psicologia organizacional. Em sua dissertação, escolheu o tópico da colaboração e uma abordagem de estudo de caso baseada em uma empresa de instrumentos analíticos, que havia "implementado" a colaboração, mas não estava obtendo os resultados esperados. Sua pesquisa levou à autoria de *Collaboration Begins With You* ao lado de Eunice Parisi-Carew e Ken Blanchard.

Jesse Stoner

A Dra. Jesse Lyn Stoner é uma das maiores especialistas em ajudar líderes a criar uma visão compartilhada e as estratégias para tanto. Há mais de 25 anos, Jesse trabalha lado a lado com líderes em centenas de organizações, usando processos colaborativos para envolver toda a força de trabalho na criação do seu futuro desejado.

Coautora com Ken Blanchard do *best-seller* internacional *Full Steam Ahead: Unleash the Power of Vision in Your Work and Your Life*, além de diversos materiais no programa de Liderança de Equipes da Blanchard, seus clientes incluem Honda, Marriott, Skanska, Stanley Black & Decker, SAP e T.J. Maxx.

Jesse escreve um blog premiado sobre liderança; foi escolhida uma Leader to Watch pela American Management Association e Top 50 Leadership Expert pela INC magazine, e recebeu o Conant Leadership Award. Seus artigos foram publicado nas revistas *Harvard Business Review*, *Huffington Post* e *Forbes*, e ela é membro do conselho da Berrett-Koehler Publishers.

A Dra. Stoner cursou programas avançados em psicologia e obteve seu doutorado em desenvolvimento organizacional pela University of Massachusetts.

Drea Zigarmi

Ex-presidente da Zigarmi Associates, Inc., o Dr. Drea Zigarmi é diretor de pesquisa e desenvolvimento das Empresas Ken Blanchard. Seu trabalho tem sido de crucial importância para o sucesso da organização e de seus clientes. Quase todos os produtos desenvolvidos nas Empresas Ken Blanchard nos últimos 20 anos têm a marca de Drea. É coautor, com Ken Blanchard, do conhecido instrumento de avaliação Leader Behavior Analyis e do formulário Development Task Analysis usado em todos os seminários de SLII®.

Ademais, é coautor de outros três livros: *The Leader Within: Learning Enough About Yourself to Lead Others*; *The Team Leader's Idea-a-Day Guidebook*; e *Leadership and the One Minute Manager*.

Formou-se pela Norwich University e obteve seu mestrado em filosofia e doutorado em administração e comportamento organizacional pela University of Massachusetts Amherst.

Patricia Zigarmi

A Dra. Patricia Zigarmi é sócia fundadora das Empresas Ken Blanchard. Patricia é palestrante, consultora, desenvolvedora de produtos, promotora de negócios, estrategista de contas, treinadora e desenvolvedora de equipes para muitos dos clientes da Blanchard e mentora de muitos colegas na empresa.

Coautora de *Leadership and the One Minute Manager*, desenvolveu também a mais importante linha de produtos da Blanchard, o SLII®. Com sua liderança, grandes projetos de treinamento e acompanhamento em SLII® foram negociados para uso em muitas empresas globais e em boa parte das empresas da Fortune 500. Ela também criou o programa Managing a Change da Blanchard, além de inúmeros produtos de gerenciamento de desempenho sobre Feedback e o Monitoramento e Avaliação de Desempenho.

A Dra. Zigarmi lecionou o Managing a Change no programa Masters in Executive Excellence da University of San Diego. Também faz parte da Women's Foundation, de San Diego.

Formou-se em sociologia pela Northwestern University e obteve seu doutorado em liderança e comportamento organizacional pela University of Massachusetts Amherst.

Serviços disponíveis

As Empresas Ken Blanchard são líderes globais no treinamento gerencial. Há 40 anos, a Blanchard desenvolve os melhores gestores do mundo, treinando mais de 150 mil pessoas todos os anos. Do premiado programa First-time Manager, baseado no *best-seller* de negócios *The New One Minute Manager*®, ao SLII®, o modelo de liderança mais ensinado do mundo, a Blanchard é o fornecedor preferido de organizações da lista Fortune 500 e também de empresas de pequeno e médio porte, governos, instituições educacionais e organizações sem fins lucrativos.

Os programas Blanchard baseiam-se na evidência de que as pessoas são o elemento fundamental para a concretização de objetivos estratégicos e a realização de missões empresariais. Assim, ajudam os indivíduos a desenvolver excelência em liderança, equipes, fidelidade dos clientes, gestão de mudanças e aperfeiçoamento do desempenho. A continuada pesquisa da empresa vislumbra as melhores práticas para a melhoria do local de trabalho. Seus orientadores e *coaches* de renome internacional conduzem mudanças organizacionais e comportamentais em todos os níveis, e ajudam as pessoas a colocar em prática esses novos conhecimentos.

Especialistas em liderança das Empresas Ken Blanchard estão disponíveis para *workshops*, consultoria e palestras em matéria de desenvolvimento organizacional, desempenho no local de trabalho e tendências empresariais.

Sede internacional

The Ken Blanchard Companies
125 State Place
Escondido CA 92029
www.kenblanchard.com
1.800.728.6000 nos Estados Unidos
Representante no Brasil: Peter Barth, www.intercultural.srv.br, blanchard@intercultural.srv.br, (24) 2222-2422
+ 1.760.489.5005 Internacional

Representante no Brasil

Intercultural
http://www.interculturalted.com.br/
contato@interculturalted.com.br
0800 026 2422

Palestrantes

Os palestrantes Blanchard apresentam sólidos *insights* sobre liderança para todos os tipos de eventos relacionados com administração empresarial, inclusive conferências e celebrações corporativas, conferências de associações, reuniões de vendas, conferências setoriais e seminários de executivos. Nossa rede de palestrantes está entre as melhores do mundo na tarefa de conduzir todos os tipos de plateias a novos níveis de comprometimento e entusiasmo.

Os tópicos dos oradores Blanchard incluem:

- *Coaching*
- Fidelidade dos clientes
- Comprometimento dos funcionários
- Liderança
- Motivação e inspiração
- Mudança organizacional
- Liderança no setor público
- Formação de equipes
- Mulheres em postos de liderança

Para agendar um palestrante Blanchard para seu próximo evento, contate:
Estados Unidos: 800-728-6052
Reino Unido: +44-1483-456300
Canadá: 800-665-5023
Internacional: 760-489-5005
Ou visite www.kenblanchard.com/speakers para saber mais a respeito.

Redes sociais

Siga Ken no Twitter

Receba mensagens atualizadas e pensamentos de Ken. Fique por dentro de sua agenda de eventos e de suas ideias e opiniões em @KenBlanchard.

Visite Blanchard no YouTube

Observe os melhores líderes das Empresas Ken Blanchard em ação. Visite e assine o canal Blanchard, e você receberá atualizações à medida que novos vídeos forem postados.

Visite Ken Blanchard no Facebook

Faça parte de nosso círculo íntimo e contate Ken Blanchard no Facebook em https://facebook.com/KenBlanchard. Encontre outros fãs de Blanchard e seus livros. Acesse vídeos e fotos, e seja convidado para eventos especiais.

Participe de conversas com Ken Blanchard

O blog de Blanchard, HowWeLead.org, foi criado para inspirar mudanças positivas. Trata-se de um site de serviço público dedicado a tópicos de liderança que afetam a todos nós. É um site apolítico e laico, e não solicita nem aceita doações. Trata-se de uma rede social, em que você irá conhecer pessoas que se preocupam profundamente com a questão de uma liderança responsável. E é um lugar em que Ken Blanchard gostaria de ouvir sua opinião.

Visite o site de Ken

Aprenda mais sobre Ken Blanchard e conheça sua biblioteca de mais de 65 livros em www.kenblanchardbooks.com.

Ajudando as pessoas a ter sucesso no trabalho com SLII®

SLII® é o modelo de liderança mais aplicado do mundo. Ele proporciona aos líderes uma abordagem diagnóstica para a criação de comunicação direta e desenvolvimento de autoconfiança naqueles que esses líderes comandam. É projetado para aumentar a frequência e a qualidade dos diálogos a respeito de desempenho e desenvolvimento. Como resultado, desenvolve-se competência, ganha-se comprometimento e, com isso tudo, consegue-se reter indivíduos de talento.

O SLII® é reconhecido ao mesmo tempo como uma linguagem empresarial e uma estrutura para o desenvolvimento dos funcionários, pois atua interligando barreiras culturais, linguísticas e geográficas. Seu fundamento reside em ensinar os líderes a diagnosticar as necessidades de um indivíduo ou equipe, e então usar o estilo de liderança apropriado para responder às necessidades da pessoa e da situação.

Baseado em 40 anos de pesquisa e aplicação nas corporações, o SLII® comprovadamente ajuda a desenvolver líderes que virão a superar todas as expectativas em estabelecimento de metas, *coaching*, avaliação de desempenho, atenção ativa aos outros e solução proativa de problemas. Ao criar os sistemas necessários para acompanhar o desempenho e as parcerias, esse método permite aos usuários esclarecer metas individuais e garantir o alinhamento com os objetivos da organização. Além disso, o SLII® vem ajudando inúmeras empresas a reter funcionários "astros", a melhorar o desempenho individual e organizacional e a elevar a satisfação com o emprego e o moral em todos os níveis.

Contate as Empresas Ken Blanchard em + 1-760-489-5005 para descobrir de que maneira sua empresa poderá desenvolver competências, obter comprometimento e manter seus talentos.

Índice

Números
11 de setembro, 303-304

A
ABCD, Modelo de confiança, 128-129, 132, 129, 134, 136
 confiança, avaliação dos níveis de, 130-131
 conversas para restaurar a confiança, 131-132
 diagnósticos dos pontos fracos, 131
 modelo de confiança ABCD, comportamentos de apoio, 130
adequação, planejamento do desempenho, 96-98
Adobe, 200-203
After Action Review (AAR, "revisão pós-ação"), processo (Exército dos EUA), 200
águias (serviço lendário), voar como, 286-288
Alice no País das Maravilhas, 25-26
alinhamento, fase de (transformação cultural), 264-267
Allied Signal, 57-59
alto desempenho, estágio (desenvolvimento organizacional), 211-212
alto nível de envolvimento, 19, 235-236
Amazon, 200-201
ambientes de alta confiança, criando, 129
 confiança, avaliação dos níveis de, 130-131
 conversas para restaurar a confiança, 131-132
 diagnósticos dos pontos fracos, 131
 modelo de confiança ABCD, comportamentos de apoio, 130
American Banker, 137
American Management Association, 139
Ampliar o envolvimento e a influência, estratégia (modelo de Liderança de Pessoas ao Longo da Mudança), 232-239
apoio, como estilo de liderança, 66-68, 73, 87-88, 97-98, 100-101, 210-211
Apolo, Projeto, 29-30
aprendizado organizacional
 aprendizagem individual *versus*, 209-210
 compartilhamento de informações e empoderamento, 52-53

aprendizagem
 aprendizado organizacional
  aprendizagem individual versus, 209-210
  compartilhamento de informações e empoderamento, 52-53
 aprendizagem contínua, 18-19
  HPO SCORES®, 200
  liderança organizacional, 200
 aprendizagem individual
  aprendizado organizacional versus, 209-210
  autoliderança e, 79-80
 coaching de apoio ao aprendizado, 140, 148-150
aprendizagem contínua, 18-19
 HPO SCORES®, 200
 liderança organizacional, 200
aprendizagem individual
 aprendizado organizacional *versus*, 209-210
 autoliderança e, 79-80
aprendizes decepcionados (nível de desenvolvimento), 63, 66, 67, 69, 71, 87
aprimoramento, fase de (transformação cultural), 266-268
asas (serviço lendário), dando ao pessoal, 287-289
AT&T, 224-225
autodirigidos, empoderamento e, 56-59
autoliderança, 58-60, 75, 77-78
 aprendizagem individual e, 79-80
 empoderamento e, 78-79
 habilidades de
  ativar fontes de poder, 81-84
  desafiar restrições autoimpostas, 80-81
  ser proativo, 85-88
autonomia com limites, 53-57
avaliação (de desempenho), reestruturação dos processos de, 55
avaliação de desempenho, 90, 108-109, 115-116

B
Baía dos Porcos, 124-125
baixa confiança, custo da, 127-128
Ballard, Jim, 98-99
Bandag Manufacturing, 78-79
Banta Catalog Group, 259-260
Barrett, Colleen, 287-288, 330-331

Becker, Huselid e, 203, 313–314
Belasco, Jim, 92
Berrett-Koehler Publishers, 133
Bersin, Josh, 164
Bezos, Jeff, 200–201
Bird, Larry, 168–169
Blanchard Training & Development, 205–207
Blanchard, Debbie, 312–313
Blanchard, Ken, 11, 13–14, 31, 35, 38–39, 49–51, 57–58, 61, 80, 91–92, 98–99, 111, 123–124, 127–129, 131–132, 134, 154–159, 163, 168–169, 205–207, 224–225, 240–241, 256–257, 272–273, 276–278, 286–288, 295–300, 302–303, 306–310, 316–319, 322–323, 330–331
Blanchard, Madeleine, 150
Blanchard, Margie, 109, 156, 205–207, 303–304, 316–318
Blanchard, Scott, 299–302, 311–312
Bock, Laszlo, 202
Bolles, Richard, 307–308
Boston Celtics, 168–169
Bowater Pulp and Paper, 259–260
Bowles, Sheldon, 13–14, 38–39, 256–257, 276–279
Branca de Neve, 328–329
Broadwell, Renee, 295–296
Brown, Brené, 330–331
Brown, Michael, 53
Buffer, 198
Buford, Bob, 158, 315–316
burocracia, mudança e, 250
Burr, Donald, 280
Bush, George H. W., 27

C

cadeia liderança-lucro, 301
Carew, Don, 17–19, 58–59, 168–169, 190–192
Carlos, John, 49
Carlzon, Jan, 280
Carnegie, Dale, 84
Caterpillar Track Type Tractors (TTT), divisão, 168–169
Cathy, Truett, 158–159
Cedar Rapids, incêndio de (2007), 187–188
"certa", cultura, e transformação cultura, 257–258
Chaparral Steel, 314–315
chefes que não fazem nada, 305–306
Chevron Chemical, 120, 202
Chick-fil-A, 158, 159, 308–309
cidadão corporativo preferido, tornando-se, 16–17
Clinton, Bill, 124–125

Coaching in Organizations (Blanchard, Miller), 150
coaching, 139
 aplicações do, 140–141
 aprendizado, *coaching* para apoiar, 140, 148–150
 coaching de carreira, 140, 145–148
 coaching de desenvolvimento, 140, 143–145
 como estilo de liderança, 66, 67, 73, 87, 97–98, 100–101, 209–210
 cultura interna de *coaching*, criação de, 140, 150–152
 definição, 139–140
 desempenho, 90, 98–101, 140–143
  descomprometimento, 102–108
  desempenho em declínio, 101–104
  procurar culpados, 103–104
 ponto ideal, 141
cobranças de pensões, estudo de caso, gestão da mudança, 236–244
colaboração, 187–188, 196
 cabeça, 191–192, 194–195
 Colaborar na implementação, estratégia (modelo de Liderança de Pessoas ao Longo da Mudança), 241–247
 competição *versus*, 190–192
 cooperação *versus*, 187–188
 coordenação *versus*, 187
 coração, 191–193
 definição, 191–192
 estrutura, 188–190
 gestão da mudança, 228, 238
 mãos, 191–192, 195
 reciprocidade e, 191–192
 trabalho em equipe *versus*, 187–188
 UNITE, modelo, 192–196
colaboradores
 autodirigidos e empoderamento, 56–59
  pesquisas, transformação cultural, 265–267
 desempenho e empoderamento, 45
 elogios, 39
 equipes e empoderamento, 57–59
 estudo de caso do fluxo de trânsito, 47
 motivação para o atendimento aos clientes, 38–39
 paixão e liderança servidora, 300
 potencial, estudo de caso do fluxo de trânsito, 47
colaboradores capazes, mas cautelosos (nível de desenvolvimento), 63, 66–68, 87–88
Colaborar na implementação, estratégia (modelo de Liderança de Pessoas ao Longo da Mudança), 241–247

College of Business at the University of San Diego, 317–318, 324–326
Collins e Porras, 32
Collins, Jim, 306–307
Como Conquistar Amigos e Influenciar Pessoas (Carnegie), 84
Compaq, 212–213
compartilhamento de informações
　aprendizado organizacional, 52–53
　confiança, 51–52, 132–134
　empoderamento e, 49–53
　transparência e, 132–134
competência, 62–63, 93
competição *versus* colaboração, 190–192
comportamento de apoio (liderança de equipes), 176
comportamento diretivo (liderança de equipes), 176
comportamentos
　comportamentos *connected* (conectados), 131
　comportamentos *dependable* (confiáveis), 131
comunicação
　Colaborar na implementação (modelo de Liderança de Pessoas ao Longo da Mudança), 245–247
　comunicação aberta, liderança organizacional, 198
　conversas de alinhamento, 74–75
　da visão, 36–37
　informação compartilhada, 18–19
comunicação aberta, 18–19
　HPO SCORES®, 198
　liderança organizacional, 198
confiança traída, restaurando, 134–136
confiança, 127
　ambientes de alta confiança, criando, 129
　confiança, avaliação dos níveis de, 130–131
　conversas para restaurar a confiança, 131–132
　diagnósticos dos pontos fracos, 131
　modelo de confiança ABCD, comportamentos de apoio, 130
　baixa confiança, custo da, 127–128
　benefícios da, 128
　compartilhamento de informações e empoderamento, 51–52
　compartilhamento de informações, 132–134
　comportamentos *connected* (conectados), 131
　comportamentos *dependable* (confiáveis), 131
　confiança traída, restaurando, 134–136
　custo da, 127–128

efeito cascata, 136–137
elementos da confiança, 128–129
líderes como exemplos, 136–137
modelo de confiança ABCD, 128–132, 134, 136
níveis de confiança, avaliação de, 130–131
restaurar, 131–132
transparência e, 132–134
confusão e relações de mentoria, 154–155
conquistar metas, responsabilidade por, 39
controle e resistência à mudança, perda de, 233–234
conversas de alinhamento, 74–75
conversas, restaurar a confiança, 131–132
cooperação *versus* colaboração, 187–188
coordenação *versus* colaboração, 187
coração e liderança servidora, 302–303
Cornell University, 224, 284–285
Corporate Responsibility, revista, 16
Covey, Steve, 282
Crawford, Janet, 259–260
Cuff, Kathy, 272–273
culpados, procurar, *coaching* de desempenho, 103–104
cultura (interna) de *coaching*, criação de, 140, 150–152
cultura de grandeza, visão cativante, 32
cultura hierarquizada, empoderamento *versus*, 45–46, 48–49, 56–57
cultura interna de *coaching*, criação de, 140, 150–152
cultura organizacional
　ceticismo sobre a cultura, 258–260
　cultura por projeto, 257–259
　equipe sênior de liderança e, 258–260
　transformar, 255–258
　alinhamento, fase de, 264–267
　aprimoramento, fase de, 266–268
　"certa", cultura, 257–258
　descoberta, fase de, 262–264
　fatores críticos do sucesso da, 267–268
　gestão da transformação, 261–263
　imersão, fase de, 263–265
　pesquisas com funcionários, 265–267
　visão cativante, importância da, 260–261

D
Daley Freightliner, 279–280
dando asas ao pessoal (serviço lendário), 287–289
Davis, Bob, 120
De Niro, Robert, 161
delegação, como estilo de liderança, 66–69, 71, 73, 88, 97–98, 100–101, 211–212
Deloitte Consulting LLP, 164

Demarest, Garry, 109
Depree, Max, 36-37
desastre aéreo no Rio Hudson (2009), 183-185
descoberta, fase de (transformação cultural), 262-264
descomprometimento (*coaching* de desempenho), lidando com, 102-108
desculpas, desculpas-minuto, 123-125
desempenho
   avaliações, 90, 108-109, 115-116
   coaching, 90, 98-101, 140-143
      descomprometimento, 102-108
      desempenho em declínio, 101-104
      procurar culpados, 103-104
   desempenho em declínio, 101-104
   empoderamento e, 45
   habilidades de formação de parceria para o desempenho (SLII®), 74-75
   liderança de equipes
      desempenho, obstáculos ao, 165-166
      estratégias para, 181-184
   liderança de pessoa a pessoa
      avaliações de desempenho, 115-116
      padrões de desempenho, 113-115
   liderança servidora, 299-303
   painéis, 250
   planejamento, 89-90, 93-94
      adequação, 96-98
      diagnóstico, 93-96
      estabelecimento de metas, 93
   processo de avaliação, reestruturação do, 55
   sistemas de gestão de desempenho
      avaliações de desempenho, 90, 108-109, 115-116
      coaching de desempenho, 90, 98-108
      desempenho, entrega, 99
      estabelecimento, 89-92
      parceria como, 108-109
      planejamento do desempenho, 89-90, 93-98
desempenho em declínio, *coaching* de desempenho, 101-104
desenvolvimento (liderança de equipes), estágios de, 170-176
desenvolvimento, estágio (desenvolvimento organizacional), 210-211
Deterding, Mark, 259-260
Detran dos EUA (DMV), 238-239
Detran dos EUA (DMV), 238-239, 295-298
devoção dos clientes, liderança servidora e, 300

diagnóstico
   estágios de desenvolvimento de liderança de equipes, 170
   planejamento do desempenho, 93-96
Díaz-Ortiz, Claire, 154-157
dinâmica da equipe, liderança de equipes, 182-183
dinheiro, *feedback* e, 115
direção, como estilo de liderança, 66-67, 73, 87, 97-98, 100-101, 208-209
Disney World, 28
Disney, parques temáticos, 31-32, 260-261
Disney, Walt, 28, 29, 31
Domo Gas, 278-279
Dow Chemical Company, 187-188
Drucker, Peter, 26
Dupree, Max, 293-294
Dyer, Wayne, 284

E
Educação, Ministério da, dos EUA, 221
ego, liderança servidora e, 304-308
elogios, 39, 118-121, 123-124
elogios-minuto, 118-121, 123-124, 294-295
empenho, 63
   descomprometimento, lidando com, *coaching* de desempenho, 102-108
   planejamento do desempenho, 93
empoderamento, 43
   aprendizado organizacional, 52-53
   autodirigidos, 56-58
   autoliderança, 58-60, 78-79
   autonomia com limites, 53-57
   compartilhamento de informações, 49-53
   confiança, 51-52
   cultura hierarquizada *versus*, 45-46, 48-49, 56-57
   definição, 44
   desempenho e, 45, 55
   equipes, 57-59
   estudo de caso do fluxo de trânsito, 47
   metas, estabelecimento de, 54
   obstáculos a, 45-46
   potencial, estudo de caso do fluxo de trânsito, 47
   regras para tomar decisões, esclarecimento de, 54-55
   subordinados diretos e, 44-45
   treinamento, 55-57
   visão cativante, 54
Empowerment Takes More Than a Minute (Blanchard, Carlos, Randolph), 49
empregador preferido, tornando-se, 12-13
Empresas Ken Blanchard, 50-51, 61, 205-207, 240-241, 317-320

encerramento e liderança de equipes, 182–184
Enron, 311–312
Enterprise Rent-A-Car, 200
envolvimento
   gestão da mudança, 232–239
   alto nível de envolvimento, 19
equipes, empoderamento de, 57–59
Essary, Vicky, 299–300
essência *versus* forma (mentoria), 155–156
estabelecimento de metas, 54
   liderança de pessoa a pessoa, 111–112
      limite no número de metas, 116
      metas SMART, 116–117
   limite no número de metas, 116
   níveis de desenvolvimento e, 69
   planejamento do desempenho, 93
   responsabilidade por, 39
estágios da carreira, adaptando a mentoria aos, 160–162
estágios de desenvolvimento, liderança de equipes, 170
   insatisfação, estágio, 173–174, 179–180
   integração, estágio, 174–175
   moral, 171–172
   orientação, estágio, 172–173
   produção, estágio, 175–176
   produtividade, 171–172
estar líder, liderança servidora, 303–305
estruturação, estilo (liderança de equipes), 178–179
estudo de caso do fluxo de trânsito, empoderamento dos funcionários, 47
"Eu preciso", frases, 84–85
Everyone's a Coach (Blanchard e Shula), 11, 286–287, 309–310
Exército dos EUA, After Action Review (AAR, "revisão pós-ação"), processo, 200
expectativas, ponto de vista sobre liderança, 324–326, 332–333
experiência do cliente, serviço lendário
   decidir, 278–281
   descobrir, 281–283
   realizar, 283–287
Explicar as razões da mudança, estratégia (modelo de Liderança de Pessoas ao Longo da Mudança), 238–242
Explorar as possibilidades, estratégia (modelo de Liderança de Pessoas ao Longo da Mudança), 251–252

F

falso orgulho
   humildade e, 306–308
   liderança servidora e, 304–308
Fast Company, 330–331

feedback
   como motivação, 115
   dinheiro e, 115
   importância do, 114–115
Finamore, Joe, 203
Fiorina, Carly, 211–213
Firestone, 32
Fixie Chicks, 330–331
flexibilidade
   gestão da mudança, 235–237
   na liderança, 70–73
Flight of the Buffalo (Belasco, Stayer), 92
fontes de poder, ativação, 81–84
Footprint Chronicles, 133, 198
Forbes, 137, 330–331
força
   "Eu preciso", expressões, 84–85
   fontes de poder, ativação, 81–84
   poder compartilhado, 19
      HPO SCORES®, 202–203
      liderança organizacional, 202–203
   poder da posição, 83
   poder da tarefa, 83
   poder do conhecimento, 83
   poder do relacionamento, 83
   poder pessoal, 83
Ford Motor Company, 32, 53, 212–214
forma *versus* essência (mentoria), 155–156
Fórmula 1, 278–279
fornecedor preferido, tornando-se, 13–14
Fortune, 199
Fourth Secret of The One Minute Manager: A Powerful Way to Make Things Better (Blanchard, McBride), 123–124
Fowler, Susan, 80
Frankfurter, Felix, 70
Freightliner, 279–280
Frost, Robert, 319–320
Full Steam Ahead! Unleash the Power of Vision in Your Work and Your Life (Blanchard, Stoner), 35, 240–241, 278
futuro (visão cativante), imagem clara do, 29–30

G

Gandhi, Mahatma, 293
Garfield, Charles, 29
Garrett, Jane, 274–276
Garrett, Milt, 274–276
Gascoigne, Joel, 198
Gates, Bill, 81
General Electric (GE), 79–80, 261–262
Generosity Factor, The, 158–159
George, Bill, 317–318
Gerstner, Jr., Louis, 33–34

gestão
gestão de cima para baixo, 164
sistemas de gestão de desempenho
avaliações de desempenho, 90, 108–109, 115–116
coaching *de desempenho, 90, 98–108*
desempenho, entrega, 99
estabelecimento, 89–92
parceria como, 108–109
planejamento do desempenho, 89–90, 93–98
transformação cultural, 261–263
gestão da mudança
burocracia e, 250
cobranças de pensões, estudo de caso, 236–244
envolvimento em, 232–239
estratégia de mudança de alto envolvimento, 235–236
flexibilidade, 235–237
inclusão, importância na gestão da mudança, 222–226
influência em, 232–239
Liderança de Pessoas ao Longo da Mudança, modelo, 231
Ampliar o envolvimento e a influência, estratégia, 232–239
Colaborar na implementação, estratégia, 241–247
Explicar as razões da mudança, estratégia, 238–242
Explorar as possibilidades, estratégia, 251–252
Tornar a mudança sustentável, estratégia, 247–250
mudança organizacional, 215
complexidade de, 216–217
fracasso da, 217–219
liderança da mudança, importância da, 215–216
liderar a mudança, jornada da mudança, 220
necessidade da, 216–217
preocupações, 221–229
perda de controle e resistência à mudança, 233–234
preocupações, 221
pessoas diferentes em estágios diferentes de preocupação, 229
preocupações pessoais, 222–226, 237–238, 241–242
preocupações quanto à colaboração, 228, 238
preocupações quanto à implementação, 226–227, 237–238
preocupações quanto à informação, 222, 237–239
preocupações quanto ao aprimoramento, 228–229, 238–239
preocupações quanto ao impacto, 227, 238
reforçar a mudança, 253
gestão de cima para baixo, 164
Give Kids the World, 28–29
Golden Door Spa, 271
Good to Great (Collins), 306–307
Google, 198, 200, 202, 203
Gore, W.L., 314–315
Graham, Billy, 274–276
Grand Canyon University, 330–331
grandeza (cultura de), visão cativante, 32
Great Scott Trucking, 279, 280
Greenleaf, Robert, 293, 302–305
Gung Ho!: Turn On the People in Any Organization (Blanchard, Bowles), 38–39, 256–258

H
habilidades de formação de parceria para o desempenho (SLII®), 74–75
Halftime (Buford), 158, 315–316
Hall, Gene, 221
Halsey, Vicki, 272–273
Harris, Thomas, 305–306
Hathaway, Anne, 161
Hawkins, Laurence, 80
Helping People Win at Work: A Business Philosophy Called "Don't Mark My Paper, Help Me Get an A" (Blanchard, Ridge), 91–92
Hersey, Paul, 61
Hewlett-Packard, 120–121, 211–213
Hibe, Jim, 279
Hodges, Phil, 302–303
Hoekstra, Judd, 231
HPO (Organizações de Alto Desempenho), visão e retorno das ações, 32
HPO SCORES®, 18–20, 58–59
liderança organizacional
alto desempenho, estágio de, 211–212
aprendizagem contínua, 200
comunicação aberta, 198
desenvolvimento, estágio de, 210–211
informação compartilhada, 198
início, estágio, 208–209
melhoria, estágio de, 209–210
poder compartilhado, 202–203
resultados voltados para o cliente, 200–201
sistemas e estruturas energizados, 200–202
visão cativante, 199

liderança servidora, 313–315
serviço lendário e, 271–273
testes, 21–24, 206–208
HR Technology Disruptions of 2018, 164
humildade
definição, 306–308
falso orgulho e, 306–308
liderança servidora, 306–308
Huselid e Becker, 203, 313–314
Hyatt, Michael, 153

I
"I Have a Dream" (Eu Tenho um Sonho), discurso (Martin Luther King, Jr.), 32
I'm OK, You're OK (Harris), 305–306
IBM, 33–34
imagem clara do futuro, visão como, 29–30
imersão, fase de (transformação cultural), 263–265
IMPACT, programa (mentoria), adaptando aos estágios da carreira, 160–161
impulso e liderança de equipes, 181–182
inclusão, importância na gestão da mudança, 229–230
Infant at Work, 319–320
influência na gestão da mudança, 232–239
informação
compartilhamento de informações
empoderamento, 49–53
transparência e, 132–134
gestão da mudança, 222, 237–239
informação compartilhada, 18–19
HPO SCORES®, 198
liderança organizacional, 198
início, estágio (desenvolvimento organizacional), 208–210
insatisfação, estágio (liderança de equipes), 173–174, 179–180
integração, estágio (liderança de equipes), 174–175
integração, estilo (liderança de equipes), 180
Intern, The (Um Senhor Estagiário), 161
investimento preferido, tornando-se, 14–16

J
Jobs, Steve, 132
Jogos Paraolímpicos, 315–316
Johnson & Johnson, 30–31
Johnson, Robert, 30–31
Johnson, Spencer, 111, 123–124
Johnsonville Foods, 79–80
Jones, John, 224, 225
Jones, KC, 168–169
jornada da mudança, gestão da mudança, 220
jornada transformacional, liderança como, 75–76

K
Kandarian, Fay, 17–19, 271–272
Kelleher, Herb, 287–288, 313–314, 333
Kellerman, Barbara, 311–312
Kelly, Gary, 287–288
Kennedy, John F., 29–30, 46, 124–125
Keynes, John Maynard, 240
KFC, 57–58, 79–80
King, Jr., Martin Luther, 32, 293
Kodak, 211–212
Kyle, Dana, 295–296, 298–300

L
Lacinak, Thad, 98–99
lagoa para patos (serviço lendário), 287–288
Lawler, Edward, 45
Lawrence, Martha, 128–129
Lead with LUV: A Different Way to Create Real Success (Barrett, Blanchard), 330–331
Leader Within (Zigarmi), The, 312–313
Leadership Engine, The (Tichy), 317
Leadership is an Art (Dupree), 36–37, 293–294
Leading at a Higher Level (Blanchard), 334
Lee, Robert, 233–234
Legendary Service (Blanchard, Cuff, Halsey), 272–273
Lewin, Kurt, 215
Lewinsky, Monica, 124–125
liderança
apoio, como estilo de liderança, 210–211
autoliderança, 58–60, 75, 77–78
aprendizagem individual e, 79–80
empoderamento e, 78–79
habilidades de, 80–88
coaching, como estilo de liderança, 209–210
como jornada transformacional, 75–76
delegação, como estilo de liderança, 211–212
direção, como estilo de liderança, 208–209
estilos de liderança
adequação a níveis de desenvolvimento, 63–69
apoio, 66–68, 73, 87–88, 97–98, 100–101
coaching, 66, 67, 73, 87, 97–98, 100–101
delegação, 88, 97–98, 100–101
delegar, 66–69, 71, 73

direção, 66–67, 73, 87, 97–98, 100–101
flexibilidade em, 70–73
liderança de alto nível, 334
liderança de equipes, 75, 163–166
    abordagem eficaz de, 166–167
    características da, 166–169
    comportamento de apoio, 176
    comportamento diretivo, 176
    comportamentos de liderança, 176–178
    desempenho, obstáculos ao, 165–166
    dinâmica da equipe, 182–183
    encerramento e, 182–184
    estágios de desenvolvimento, 170–176
    estratégias de desempenho, 181–184
    estruturação, estilo, 178–179
    importância da, 164–166
    impulso e, 181–182
    integração, estilo, 180
    poder de, 183–185
    resolução, estilo, 179–180
    validação, estilo, 180–181
liderança de pessoa a pessoa, 75, 111
    avaliações de desempenho, 115–116
    desculpas-minuto, 123–125
    elogios-minuto, 118–121, 123–124
    estabelecimento de metas, 111–112, 116–117
    feedback, importância do, 114–115
    padrões de desempenho, 113–115
    reorientações-minuto, 121–124
    responsabilidade, 112–113
    reuniões cara a cara, 109
    sistemas de gestão de desempenho, 89–109
liderança estratégica, 299–300
liderança operacional, 299–300
liderança organizacional, 76, 197
    aprendizagem contínua, 200
    comunicação aberta, 198
    estilo de liderança, 204, 206–213
    HPO SCORES®, 197–203
    informação compartilhada, 198
    níveis de desenvolvimento, 204–213
    poder compartilhado, 202–203
    resultados voltados para o cliente, 200–201
    sistemas e estruturas energizados, 200–202
    virada, exemplo de, 212–214
    visão cativante, 199
liderança servidora, 293
    aplicando, 295–298
    benefícios da, 311–316
    cadeia liderança-lucro, 301
    coração e, 302–303
    definição, 293–296
    desempenho, 299–303
    devoção dos clientes, 300
    ego e, 304–308
    encorajar, 298–300
    estar líder, 303–305
    falso orgulho e, 304–308
    HPO SCORES®, 313–315
    humildade e, 306–308
    paixão dos colaboradores, 300
    ser líder, 303–305
    SERVE, sigla, 308–311
    vitalidade organizacional, 300
ponto de vista, 317–318
    desenvolvimento, 326–332
    elementos de, 318
    eventos-chave, 319–321
    expectativas, 324–326, 332–333
    liderança de alto nível, 334
    pessoas-chave, 318–319
    valores, 321–324, 331–333
SLII®, 61–62
    como adequar o estilo de liderança ao nível de desenvolvimento, 63–69
    diagnóstico dos níveis de desenvolvimento, 62–63
    flexibilidade na liderança, 70–73
vácuos de liderança, 58–60
visão, 37–39
    visão compartilhada, impacto de, 33–34
    visão organizacional, 34–35
liderança de alto nível, 334
liderança de equipes, 75, 163–164
    abordagem eficaz de, 166–167
    características da, 166–169
    comportamento de apoio, 176
    comportamento diretivo, 176
    comportamentos de liderança, 176–178
    desempenho, estratégias para, 181–184
    desempenho, obstáculos ao, 165–166
    dinâmica da equipe, 182–183
    encerramento e, 182–184
    estágios de desenvolvimento, 170
        insatisfação, 173–174, 179–180
        integração, 174–175
        moral, 171–172
        orientação, 172–173
        produção, 175–176
        produtividade, 171–172
    estruturação, estilo, 178–179
    importância da, 164–166
    impulso e, 181–182
    insatisfação, estágio, 173–174, 179–180
    integração, estágio, 174–175
    integração, estilo, 180
    moral, 171–172
    necessidade de, 164–166
    orientação, estágio, 172–173
    poder de, 183–185
    produção, estágio, 175–176

produtividade, 171-172
resolução, estilo, 179-180
validação, estilo, 180-181
liderança de pessoa a pessoa, 75, 111
avaliações de desempenho, 115-116
desculpas-minuto, 123-125
elogios-minuto, 118-121, 123-124
estabelecimento de metas, 111-112
limite no número de metas, 116
metas SMART, 116-117
feedback, importância do, 114-115
padrões de desempenho, 113-115
reorientações-minuto, 121-124
responsabilidade, 112-113
reuniões cara a cara, 109
sistemas de gestão de desempenho
avaliações de desempenho, 90, 108-109
coaching de desempenho, 90, 98-108
desempenho, entrega, 99
estabelecimento, 89-92
parceria como, 108-109
planejamento do desempenho, 89-90, 93-98
Liderança de Pessoas ao Longo da Mudança, modelo, 231
Colaborar na implementação, estratégia, 241-247
Ampliar o envolvimento e a influência, estratégia, 232-239
Explicar as razões da mudança, estratégia, 238-242
Explorar as possibilidades, estratégia, 251-252
Tornar a mudança sustentável, estratégia, 247-250
liderança estratégica, 299-300
liderança operacional, 299-300
liderança organizacional, 76, 197
estilo de liderança, nível de desenvolvimento
adequação dos estilos de liderança a, 206-209, 211-213
aplicação de estilos de liderança a, 208-212
determinar, 204
HPO SCORES®
alto desempenho, estágio de, 211-212
aprendizagem contínua, 200
comunicação aberta, 198
desenvolvimento, estágio de, 210-211
informação compartilhada, 198
início, estágio, 208-209
melhoria, estágio de, 209-210
poder compartilhado, 202-203
resultados voltados para o cliente, 200-201
sistemas e estruturas energizados, 200-202
visão cativante, 199
níveis de desenvolvimento
adequação dos estilos de liderança a, 206-209, 211-213
alto desempenho, estágio de, 211-212
aplicação de estilos de liderança a, 208-212
desenvolvimento, estágio de, 210-211
diagnóstico, 204-207, 211-213
início, estágio, 208-210
melhoria, estágio de, 209-210
relacionamentos, 204-207
resultados, 204-207
virada, exemplo de, 212-214
liderança servidora, 293
aplicando, 295-298
benefícios da, 311-316
cadeia liderança-lucro, 301
coração e, 302-303
definição, 293-296
desempenho, 299-303
devoção dos clientes, 300
ego e, 304-308
encorajar, 298-300
estar líder, 303-305
falso orgulho e, 304-308
HPO SCORES®, 313-315
humildade e, 306-308
paixão dos colaboradores, 300
ser líder, 303-305
SERVE, sigla, 308-311
vitalidade organizacional, 300
liderar a mudança, mudança organizacional
importância de, 215-216
jornada da mudança, 220
líderes autosservidores, 304-305
lucro, 165

M

MacDonald, Gordon, 303-304
Madre Teresa, 81, 293, 315-316
Make-A-Wish Foundation, 28
Malone, Thomas, 45
Management By Wandering Around (Hewlett-Packard), 120-121
Mandela, Nelson, 293
Marcario, Rose, 199
Maritz, 127
Marriott, hotéis, 14
Master of Science in Executive Leadership (MSEL), programa, 317-318, 324-326
MasteryWorks, 127
Maxell, John, 295-296, 302
McBride, Margaret, 123-124
McCarty, Steve, 200

McGee, Robert S., 305–306
McHale, Kevin, 168–169
medo e relações de mentoria, 154
melhoria, estágio (desenvolvimento organizacional), 209–210
mentoria, 153–154
   confusão e relações de mentoria, 154–155
   essência *versus* forma, 155–156
   estágios da carreira, adaptando a mentoria aos, 160–162
   medo e relações de mentoria, 154
   MENTOR, modelo, 156–160
   mentoria de funcionários recém-contratados, 155
   mentoria entre pares, 155
   mentoria intergeracional, 155
   mentoria, programas, criando, 159–160
   obstáculos a uma relação de mentoria, 154–155
   parceiros, escolha, 155
   recursos humanos, 159–160
   tempo e relações de mentoria, 154
Merck, 259–260
metas SMART, 116–117
metas, responsabilidade por, 39
Meyers, Scott, 113–114
Miami Dolphins, 11
Microsoft, 53
Miller, Herman, 36–37, 293–294
Miller, Linda, 150
Miller, Mark, 308–309
Minera El Tesoro, 259–260
Ministério da Educação dos EUA, 221
Ministério do Trabalho dos EUA, 203
Momentos da Verdade, 280, 281
moral, liderança de equipes, 171–172
motivação, *feedback* como, 115
mudança organizacional, 215
   burocracia e, 250
   cobranças de pensões, estudo de caso, 236–244
   complexidade de, 216–217
   envolvimento em, 232–239
   fracasso da, 217–219
   inclusão, importância na gestão da mudança, 222–226
   influência em, 232–239
   liderança da mudança
      importância de, 215–216
      jornada da mudança, 220
   Liderança de Pessoas ao Longo da Mudança, modelo, 231
      Ampliar o envolvimento e a influência, estratégia, 232–239

      Colaborar na implementação, estratégia, 241–247
      Explicar as razões da mudança, estratégia, 238–242
      Explorar as possibilidades, estratégia, 251–252
      Tornar a mudança sustentável, estratégia, 247–250
   necessidade da, 216–217
   preocupações, 221
      pessoas diferentes em estágios diferentes de preocupação, 229
      preocupações pessoais, 222–226, 237–238, 241–242
      preocupações quanto à colaboração, 228, 238
      preocupações quanto à implementação, 226–227, 237–238
      preocupações quanto à informação, 222, 237–239
      preocupações quanto ao aprimoramento, 228–229, 238–239
      preocupações quanto ao impacto, 227, 238
   reforçar a mudança, 253
Mulally, Alan, 212–214

N

NASA, 29–30
Nature Conservancy, 187–188
Netflix, 202, 203
New One Minute Manager (Blanchard, Johnson), *The*, 111
New York Times, 33–34
NFL, 11, 309–310
níveis de desenvolvimento
   adequação dos estilos de liderança a, 63–66
   aprendizes decepcionados, 63, 66, 67, 69, 71, 87
   colaboradores capazes, mas cautelosos, 63, 66–68, 87–88
   diagnóstico, por autolíderes, 62–63
   estabelecimento de metas, 69
   flexibilidade em, 70–73
   liderança organizacional
      adequação dos estilos de liderança a, 206–209, 211–213
      alto desempenho, estágio de, 211–212
      aplicação de estilos de liderança a, 208–212
      desenvolvimento, estágio de, 210–211
      diagnóstico dos níveis de desenvolvimento, 204–207, 211–213
      início, estágio, 208–210
      melhoria, estágio de, 209–210
      relacionamentos, 204–207

resultados, 204–207
principiantes empolgados, 63, 66–67, 69, 87, 97, 100
realizadores autoconfiantes, 63, 66–69, 71, 88, 97, 100, 143–144
variação por tarefa, 69
Nixon, Richard M., 124–125
Nordstrom, 260–261, 271–273, 286–289, 312–313
Nordstrom, Bruce, 288–289
Novak, David, 57–58, 300

O

O'Connor, Michael, 31
Ohio University, 61
Olmstead, Cynthia, 128–129
One Minute Manager (Blanchard, Johnson), *The*, 121, 123–124, 205–207, 294–296
One Minute Mentoring: How to Find and Work with a Mentor - and Why You'll Benefit from Being One (Blanchard, Díaz-Ortiz), 154–155
Ordering Your Private World (MacDonald), 303–304
organizações de alto desempenho
características de, 18–20
definição, 17
HPO SCORES®, 18–24
liderança em, 20–21
resultado quádruplo, 12–17
orgulho (falso)
humildade e, 306–308
liderança servidora e, 304–308
orientação, estágio (liderança de equipes), 172–173
orientações, fornecer, 97–98

P

parceria
como sistema de gestão de desempenho, 108–109
para habilidades de desempenho (SLII®), 74–75
Parish, Robert, 168–169
Parisi-Carew, Eunice, 17–19, 190–192
Patagonia, 133, 198, 199
Peak Performance: Mental Training Techniques of the World's Greatest Athletes (Garfield, Zinabennett), 29
Peale, Norman Vincent, 156, 158–159, 306–308
Peale, Ruth, 156
People Express Airlines, 280
perda de controle e resistência à mudança, 233–234
pesquisas, transformação cultural, 265–267

Pizza Hut, 79–80
planejamento do desempenho, 89–90, 93–94
adequação, 96–98
diagnóstico, 93–96
estabelecimento de metas, 93
poder compartilhado, 19
HPO SCORES®, 202–203
liderança organizacional, 202–203
poder da posição, 83
poder da tarefa, 83
poder do conhecimento, 83
poder pessoal, 83
ponto de vista (liderança), 317–318
desenvolvimento, 326–332
elementos de, 318
eventos-chave, 319–321
expectativas, 324–326, 332–333
liderança de alto nível, 334
pessoas-chave, 318–319
valores, 321–324, 331–333
ponto ideal do *coaching*, 141
Porras, Collins e, 32
potencial, desenvolvimento de, estudo de caso do fluxo de trânsito, 47
Power of Ethical Management (Blanchard, Peale), *The*, 156, 306–308
Power of Positive Management (Blanchard), *The*, 156
preocupações (gestão da mudança), 221
pessoas diferentes em estágios diferentes de preocupação, 229
preocupações pessoais, 222–226, 237–238, 241–242
preocupações quanto à colaboração, 228, 238
preocupações quanto à implementação, 226–227, 237–238
preocupações quanto à informação, 222, 237–239
preocupações quanto ao aprimoramento, 228–229, 238–239
preocupações quanto ao impacto, 227, 238
principiantes empolgados (nível de desenvolvimento), 63, 66–67, 69, 87, 97, 100
proativo, ser, 85–88
procurar culpados, *coaching* de desempenho, 103–104
produção, estágio (liderança de equipes), 175–176
produtividade, liderança de equipes, 171–172
propósito significativo, como elemento da visão, 28–29
Purpose Driven Life, The (Warren), 299–300

Q

quatro resultados, 12, 17
 cidadão corporativo preferido, tornando-se, 16–17
 empregador preferido, tornando-se, 12–13
 fornecedor preferido, tornando-se, 13–14
 investimento preferido, tornando-se, 14–16

R

Randolph, Alan, 49
Raving Fans®: A *Revolutionary Approach to Customer Service* (Bowles e Blanchard), 13–14, 278
razões da mudança, explicar as, 238–242
realizadores autoconfiantes (nível de desenvolvimento), 63, 66–69, 71, 88, 97, 100, 143–144
Receita Federal dos EUA (IRS, Internal Revenue *Service*), 238–239
reciprocidade e colaboração, 191–192
recursos humanos, programas de mentoria, criação de, 159–160
reforçar a mudança, gestão da mudança, 253
regras (para tomar decisões), esclarecimento de, 54–55
regras para tomar decisões, esclarecimento de, 54–55
relacionamentos
 liderança organizacional, diagnóstico dos níveis de desenvolvimento, 204–207
 poder de, 83
 relações de mentoria, obstáculos a, 154–155
reorientações-minuto, 121–124, 294–295
repreensões. *Ver* Reorientações-minuto
resistência à mudança, perda de controle e, 233–234
resolução, estilo (liderança de equipes), 179–180
responsabilidade por metas, 39
responsabilidade, liderança de pessoa a pessoa, 112–113
restrições autoimpostas, desafiando, 80–81
resultado (quádruplo), 12, 17
 cidadão corporativo preferido, tornando-se, 16–17
 empregador preferido, tornando-se, 12–13
 fornecedor preferido, tornando-se, 13–14
 investimento preferido, tornando-se, 14–16
resultados
 liderança organizacional, níveis de desenvolvimento, diagnóstico dos, 204–207
 resultados voltados para o cliente, 19

HPO SCORES®, 200–201
 liderança organizacional, 200–201
Ridge, Garry, 91–92, 262–266
Ritz-Carlton, hotéis, 57–58, 287–289, 313–314
Rolling Stone, 132
Rubrik, 134

S

San Diego, incêndios de (2003), 187–188
San Diego, University of, 317–318, 324–326
SAP, gestão da mudança, 222, 226–228
Sarbanes-Oxley, subordinados diretos e empoderamento, 44–45
Satoro, Ryunosuke, 184–185
Saturn Corporation (Saturn LLC), 274–276
Schmidt, Tim, 259–260
Schulze, Horst, 287–289, 313–314
SeaWorld, 28
Secret: What Great Leaders Know and Do (Blanchard, Miller), *The*, 308–309
Secretaria Federal de Apoio à Criança, 236–237
seleção americana de hóquei nas Olimpíadas (1980), 183–184
Self-Leadership and The One Minute Manager (Blanchard, Fowler, Hawkins), 80
ser líder, liderança servidora, 303–305
Servant Leader (Blanchard, Hodges), *The*, 302–303
Servant Leadership in Action: How You Can Achieve Great Relationships and Results (Blanchard, Broadwell), 295–296, 302
serviço lendário, 271
 criando, 272–278
 dando asas ao pessoal, 287–289
 elementos da, 273–274
 experiência do cliente
  decidir, 278–281
  descobrir, 281–283
  realizar, 283–287
 HPO SCORES®, 271–273
 lagoa de patos, 287–288
 voando como águias, 286–288
Shula, Don, 11, 286–288, 309–310
Sinha, Bipul, 134
sistemas e estruturas energizados, 19
 HPO SCORES®, 200–202
 liderança organizacional, 200–202
SLII®, 61–62, 294–296
 autoliderança, 75, 85–88
 conversas de alinhamento, 74–75
 flexibilidade na liderança, 70–73

habilidades de formação de parceria para o desempenho (SLII®), 74–75
liderança como jornada transformacional, 75–76
liderança de equipes, 75
liderança de pessoa a pessoa, 75
liderança organizacional, 76
níveis de desenvolvimento
   adequação dos estilos de liderança a, 63–69
   diagnóstico, 62–63
   estabelecimento de metas, 69
   flexibilidade em, 70–73
   variação por tarefa, 69
Smith, Fred, 307–308
Southwest Airlines, 199, 203, 260–261, 286–288, 313–314, 330–333
St. Mary's College, 330–331
Star Trek, 29–30
Stayer, Ralph, 92
Stelling, Kessel, 137
Stoner, Jesse, 17–19, 26–27, 35, 240–241, 278
subordinados diretos, empoderamento e, 44–45
Sullenberger, Chesley "Sully," 183–185
Survey of Bank Reputations, 137
sustentabilidade, Tornar a mudança sustentável, estratégia (modelo de Liderança de Pessoas ao Longo da Mudança), 247–250
Sykes, Jeffrey, 183–185
Synovus Financial, 137

T

Taco Bell, 79–80
tarefa, metas específicas de desenvolvimento, 69
Tate, Rick, 114
tempo e relações de mentoria, 154
testes, HPO SCORES®, 21–24, 206–208
Texas, University of, 221
Tichy, Noel, 317
Tompkins, Chuck, 98–99
Tony Jannus Award, 330–331
Top 50 Leaders, The, 330–331
tornar a mudança sustentável, estratégia (modelo de Liderança de Pessoas ao Longo da Mudança), 247–250
Toyota Motor Company, 200
trabalho em equipe *versus* colaboração, 187–188
trabalho significativo, 38
Trabalho, Ministério do, dos EUA, 203
Track Type Tractors (TTT), divisão (Caterpillar), 168–169

Trader Joe's Grocery, 45, 200–201, 271–272
Training, revista, 163
transformação cultural, 255–258
   alinhamento, fase de, 264–267
   aprimoramento, fase de, 266–268
   "certa", cultura, 257–258
   ceticismo sobre a cultura, 258–260
   cultura por projeto, 257–259
   descoberta, fase de, 262–264
   equipe sênior de liderança e, 258–260
   fatores críticos do sucesso da, 267–268
   gestão, 261–263
   imersão, fase de, 263–265
   pesquisas com funcionários, 265–267
   visão cativante, importância da, 260–261
"Transparência por Padrão", 198
transparência, 213–214
   compartilhamento de informações, 132–134
   confiança e, 132–134
   "Transparência por Padrão", 198
treinamento, empoderamento e, 55–57
Trust Works!: Four Keys to Building Lasting Relationships (Blanchard, Olmstead, Lawrence), 128–129
Twain, Mark, 216
Tylenol, 30–31

U

UNITE, modelo e colaboração, 192–196
University Associates, 224
University of San Diego, 317–318, 324–326
University of Texas, 221
UPS (United Parcel Service), 203
USA Today, 14

V

validação, estilo (liderança de equipes), 180–181
valores
   como elemento da visão, 30–32
   ponto de vista sobre liderança, 321–324, 331–333
visão
   comunicação, 36–37
   criação, 35–37
   declarações de visão, 26–27
   definição, 35
   HPO, retorno das ações e, 32
   importância da, 25–26
   liderança e, 37–39
   visão cativante, 18–19, 27, 54
      cultura de grandeza, 32
      HPO SCORES®, 199
      imagem clara do futuro, 29–30

liderança organizacional, 199
propósito significativo, 28-29
transformação cultural, importância na, 260-261
valores, 30-32
visão compartilhada, impacto de, 32-34
visão organizacional, 34-35
vivência, 36-37
vitalidade organizacional, liderança servidora e, 300
vivência de sua visão, 36-37
voando como águias (serviço lendário), 286-288

W
Warren, Rick, 299-300
Watergate, 124-125
WD-40 Company, 91, 262-266
Welch, Jack, 261-262

Whale Done!: The Power of Positive Relationships (Blanchard, Lacinak, Tompkins, Ballard), 98-99
What Color Is Your Parachute? (Bolles), 307-308
World's 100 Most Powerful Women Award, The, 330-331
WorldCom, 311-312

Y
You and Your Network (Smith), 307-308
YPO (Young President's Organization), 205
Yum! Brands, 56-58, 79-80, 300
Yum! University, 79-80

Z
Zappos, 199
Zigarmi, Drea, 27, 299-302, 311-313
Zigarmi, Pat, 231, 319-324